Journal
d'un écrivain
en pyjama

Mise en page : Virginie Turcotte
Maquette de couverture : Mance Lanctôt, Fig communication graphique
Dépôt légal : 1ᵉ trimestre 2013
© Éditions Mémoire d'encrier

Catalogage avant publication de Bibliothèque et Archives nationales du
Québec et Bibliothèque et Archives Canada
Laferrière, Dany
    Journal d'un écrivain en pyjama
    (Collection Chronique)
    ISBN 978-2-923713-27-4
    1. Art d'écrire. 2. Littérature - Citations, maximes, etc. 3. Laferrière,
Dany.
    I. Titre. II. Collection: Collection Chronique.

PN151.L33 2013   808.02   C2010-940684-2

Nous reconnaissons l'aide financière du Gouvernement du Canada par
l'entremise du Conseil des Arts du Canada et du Fonds du livre du Canada
pour nos activités d'édition.

Nous reconnaissons également l'aide financière du Gouvernement du
Québec par le Programme de crédit d'impôt pour l'édition de livres,
Gestion Sodec.

L'auteur a bénéficié d'une résidence de la Fondation Maddalena, en Italie,
durant l'écriture de ce livre.

Mémoire d'encrier
    1260, rue Bélanger, bureau 201
    Montréal, Québec,
    H2S 1H9
    Tél. : (514) 989-1491
    Téléc. : (514) 928-9217
    info@memoiredencrier.com
    www.memoiredencrier.com

Dany Laferrière

JOURNAL
D'UN ÉCRIVAIN
EN PYJAMA

Chronique

Un couteau sans lame auquel ne manque que le manche.

Lichtenberg

À Alain Mabanckou,
à Edwidge Danticat,
en souvenir de leurs débuts frémissants,

et à Marie Abraham Despointes qui aime tant lire.

LA PROMESSE DU PREMIER ROMAN

I. L'ÉLAN

À l'époque, j'habitais un meublé surchauffé à Montréal, et je tentais d'écrire un roman afin de sortir du cycle infernal des petits boulots dans les manufactures en lointaine banlieue. Mes voisins étaient de jeunes clochards, imbibés de bière, qui n'avaient pas assez d'argent pour la cocaïne (le crack n'avait pas encore envahi les quartiers pauvres de la ville). Je retrouvais, le samedi soir, les copains d'usine, dans une discothèque que fréquentaient des femmes qui auraient pu être nos mères. C'est la promesse de l'Amérique à ceux qui partent travailler avant la lumière du jour et reviennent, le soir, manger un spaghetti tout en regardant un mauvais film à la télé. Je voulais la même promesse que l'Amérique fait à ses gosses surprotégés des quartiers huppés. À l'usine, je ne valais pas tripette, ne sachant rien faire de mes mains. Sauf écrire. On oublie qu'écrire est un travail manuel. Peut-on se mettre tout d'un coup à écrire un livre sans fréquenter aucun groupe littéraire, ni même un club de lecture ? Je lisais tout ce qui me tombait sous la main. Mais écrire est différent de lire. L'écrivain et le lecteur sont aux deux extrémités de la chaîne.

II. La machine

Je suis allé au coin de la rue acheter une vieille machine à écrire que je voyais depuis un moment dans la vitrine d'un brocanteur. Je ne voulais pas écrire ce roman à la main. Je vivais dans cette partie du monde qui a fait sa fortune à l'aide de la machine. Je voulais être un écrivain contemporain, et non un de ces paysans du tiers-monde encore à l'âge de la roue. C'était une vieille Remington 22 en bon état. Elle s'est retrouvée sur la table de cuisine, à côté d'une corbeille de fruits. Je tiens ce goût des fruits de ma nature caribéenne. J'adore l'odeur suffocante des bananes trop mûres et des mangues jaunes qui m'agresse dès que j'ouvre la porte. Quelques jours plus tard, je me suis assis devant la machine pour écrire ma première phrase. J'ai attendu la suite tout l'après-midi. Je ne savais pas encore qu'il n'y avait rien de plus épuisant qu'une première phrase. Si elle passe, le reste du livre suivra. J'ai passé l'été à écrire avec un seul doigt tout en me nourrissant de fruits et de légumes. J'étais devenu un véritable athlète de l'écriture. Après un mois, j'ai compris que j'étais davantage un sprinter qu'un marathonien. J'étais plus à l'aise dans la phrase brève, les dialogues vifs et les commentaires ironiques que dans les longs développements et les interminables descriptions de paysages.

III. La douleur

J'avais décidé de ne pas trop souffrir durant l'écriture de ce roman. Comme ouvrier, j'estimais qu'écrire ne pouvait être qu'une récréation. On évoquait autour de moi la souffrance de l'écrivain, mais je ne me sentais jamais concerné. À la radio, durant une émission sur la littérature, un célèbre écrivain affirmait qu'on ne pouvait pas écrire si on n'avait pas souffert. Un autre ajoutait que l'écriture elle-même exigeait sa part de douleur. Ils ne parlaient, ce jour-là, que de souffrance. J'avais l'impression qu'ils connaissaient beaucoup plus le mot que la réalité. Sur ce plan, j'avais acquis mes titres de noblesse. Je venais de quitter une dictature délirante pour devenir ouvrier dans une Amérique du Nord où le Noir était encore un citoyen de second ordre. Plus haut, c'était respirable, mais dans les bas-fonds de la classe ouvrière, les matins sont toujours gris et les ciels bas. À partir de cette vie quotidienne difficile, je voulais créer un univers aussi pétillant qu'une coupe de champagne. Je lisais Francis Scott Fitzgerald totalement fasciné par la grâce qui émanait de sa personne, et cela même dans des situations intolérables. Il me donnait l'impression d'avoir décidé, un jour, qu'il était un personnage de roman. Et c'est ce que j'entendais devenir.

IV. LA VILLE ENDORMIE

Je lisais dans mon bain, et j'écrivais sur la petite table de cuisine. Je me sentais comme un dieu dans ce cadre pourtant étroit où l'on n'entendait que la musique des mouches attirées par l'odeur insistante des fruits durant cette canicule. La chaleur était si forte que l'air sentait le soufre. Je filais de temps à autre sous la douche, mais à peine sorti de la salle de bains, j'étais de nouveau en sueur. Je tournais en rond dans la chambre, comme hypnotisé par la machine à écrire qui semblait me faire toutes les promesses du monde. Je savais qu'elle gardait dans son ventre toutes les phrases de mon roman. Je devais les extirper de là une à une. Ce ne fut pas toujours facile, mais j'avais tout mon temps, d'ailleurs je n'avais que cela. Je passais mes journées avec le plus beau jouet du monde. Je changeais un mot dans une phrase terne qui se mettait immédiatement à lancer des confettis. Quand j'avais écrit une page dont le rythme et la musique me plaisaient, je sortais prendre l'air, traversant la ville en somnambule. Après une bonne heure de marche, je rentrais, parfois sous la pluie, pour me remettre à ma table de travail. Et ça repartait jusqu'au milieu de la nuit. Il m'arrivait de me réveiller pour noter une idée, ou un bout de dialogue. Je restais alors un long moment dans le noir, tout entier à ma rêverie. Puis je me mettais à écrire, en effleurant les touches du clavier de façon à faire le moins de bruit possible. Après un moment, j'étais ailleurs, et je tapais comme un dératé jusqu'à ce qu'un voisin me hurle de cesser ce vacarme. Ce plaisir profond d'écrire dans une ville endormie. Je n'avais que ça en tête : écrire. C'était pour moi une fête perpétuelle.

V. LA VIE MATÉRIELLE

Je ne sais pas pourquoi j'étais sûr que ce livre allait me sortir de ce trou. Pour écrire, il m'a fallu arrêter de travailler. Mes maigres économies baissaient à vue d'œil. Je devais faire vite et court. Je ne disposais pas des mêmes ressources financières que ces jeunes écrivains américains qui pouvaient laisser courir un premier roman jusqu'à 600 pages. Seul dans une ville inconnue, j'ai donc réduit au minimum mes dépenses et entrepris de séduire la fille du propriétaire de l'immeuble où je créchais. Le propriétaire, un Italien, ne m'avait pas à la bonne. Je m'arrangeais pour croiser sa fille plusieurs fois par jour dans l'escalier. Et nous nous retrouvâmes un soir dans ma chambre.

Depuis, je n'ai plus eu à payer de loyer. Cette angoisse apaisée, il me fallait régler la question de la nourriture. J'ai remarqué que cette caissière d'un certain âge me couvait des yeux chaque fois que j'allais acheter mes fruits et légumes chez Pellat's. Elle finit par me faire savoir que ses vraies origines étaient africaines, et cela, malgré son apparence. En effet, elle était blonde comme les blés. Elle avait découvert un livre sur l'Afrique quand elle était petite, et depuis elle rêvait d'aller vivre là-bas. Il y a dans ce premier roman une trace d'elle quand je dis qu'en dormant avec un Noir, la Blanche risque de se réveiller au Sénégal. Il n'y avait entre nous que son désir de me protéger. Elle me faisait payer le dixième du prix de mes achats, tandis que la fille du propriétaire, qui tenait la comptabilité de son père, effaçait mes dettes. Doudou Boicel, qui dirigeait cette boîte de jazz (Soleil Levant), m'avait prévenu, dès mon arrivée : «Mets-toi du côté des femmes, elles ont du cœur.» Ainsi, j'ai pu écrire tranquillement mon premier roman.

VI. Une image

Il y a des images qui tiennent le lecteur par la nuque pour lui enfoncer la tête dans le livre, lui faisant ainsi croire qu'il ne lit pas un livre mais un écrivain. Quand on pense à Proust, on voit un homme qui passe ses journées au lit emmitouflé dans une pelisse. Hemingway avec un fusil de chasse ou fumant un gros cigare cubain sur son bateau de pêche. Le vieux Miller jouant au ping-pong avec des strip-teaseuses. Gertrude Stein (mâchoire agressive et jambes bien écartées) regardant son interlocuteur droit dans les yeux pour lui dire qu'elle a détesté son roman. Mishima se faisant trancher la tête avec un sabre par son amoureux.

Truman Capote papotant dans la chambre à coucher de ces riches et élégantes Américaines sans éveiller le soupçon de leur mari. La lourde moustache de Günther Grass qui lui fait cette tête d'abruti. James Baldwin hilare dans les bras de Marlon Brando. Le regard si las de Virginia Woolf. Borges assis seul dans ce hall d'hôtel, avec sa canne d'aveugle entre les jambes. Les seins de Colette. L'Indochine de Duras. Lorca fusillé par Franco, et Jacques Stephen Alexis par Duvalier. Salinger, invisible. Homère, aveugle. Ovide, exilé. Faulkner en gentleman-farmer. Emily Dickinson refusant de quitter sa maison. Kafka, l'angoissé. Céline, le maudit. Tolstoï dans sa vareuse de moujik. Les multiples masques de Pessoa. Dante en enfer. Milton au paradis. Blake dévoré par un tigre. L'écrivain inconnu, comme on dit le soldat inconnu, en pyjama. Tous ces monstres ont un tag fluorescent qui leur permet d'être repérés dans cette jungle de papier.

VII. La promesse

Mon premier livre est paru en novembre 1985, et mon sort a changé. Je ne suis pas devenu riche, loin de là, mais depuis, je mène la vie dont j'ai toujours rêvé. J'ai bien fait de miser toute ma fortune et mon énergie sur cette carte. J'ai cru dans ces fables qui ont nourri mon enfance, surtout celles où un pauvre hère, d'un coup de baguette magique, devient un prince. Il suffit d'avoir une bonne fée, ce que fut l'écriture dans mon cas. Je suis encore étonné, moi qui voyage tant de n'avoir jamais payé un seul billet d'avion, ni une chambre d'hôtel, ni même un repas au restaurant. J'ai fait disparaître l'argent de mon champ visuel. Je traverse le monde, en sifflotant, laissant derrière moi une île à la dérive. Sans jamais l'oublier, j'ai su dès le départ qu'il fallait m'en distancer pour qu'elle ne m'entraîne pas dans sa spirale. Pour aider quelqu'un à sortir d'un trou, il ne faut pas s'y trouver avec lui. Me voilà, avec pour toute fortune au fond de ma poche les vingt-six lettres de l'alphabet. De phrases en paragraphes, de paragraphes en chapitres, pour former cette montagne sous laquelle s'agitent des sensations, des impressions, des émotions. J'ai lancé tout ça au visage du lecteur inconnu qui, au lieu de s'en indigner, l'a reçu avec amabilité. J'en ai écrit plein d'autres, mais rien n'est comparable au bonheur de voir son premier livre, sous une couverture jaune, à la vitrine d'une librairie – entre Moravia et Hemingway. Je ne connais pas de plus vif plaisir que d'entendre, sur mon passage, une jeune fille glisser à l'oreille de sa copine : « C'est lui, l'écrivain dont je te parlais. » En effet, c'est moi. Et je rêve d'entendre cette phrase, un jour, en japonais, puisqu'on écrit pour traverser clandestinement les frontières, à défaut de les effacer.

VIII. En pyjama

On se sent tout de suite en intimité avec quelqu'un qui vous ouvre sa porte en pyjama, même s'il a l'air aussi maussade qu'un temps gris de novembre. Il vous précède à la cuisine tout en grognant quelque chose que vous n'avez pas bien compris. Ceux qui restent trop longtemps seuls ont toujours cette diction pâteuse – c'est qu'il leur arrive de se parler pendant des jours sans émettre un son. On comprend trop tard qu'il fallait lui passer le journal que le jeune livreur vient de lancer contre la porte. On s'assoit sans se presser pour faire la conversation tout en buvant un café brûlant. Le café brûlant, une autre manie de célibataire. On cause de tout en évitant de parler d'écriture, car il n'y a que les bouseux qui parlent boutique. Il donne l'air d'avoir tout son temps, tout en me signalant qu'il n'a plus longtemps à vivre. «Il me reste si peu de temps au fond de mon sac», me lance-t-il sur le ton de quelqu'un qui vous annonce qu'il va neiger. J'aperçois le gros manuscrit sur un coin de la table. Un monstre qui attend d'être nourri. Il m'a simplement dit que c'était son dernier roman et qu'il y travaillait depuis plus de dix ans, avant de me reconduire à la porte. Il ne se remettra pas tout de suite au travail, se faisant plutôt ce café qu'il avait en perspective de boire seul, ce qu'il fait le plus calmement possible. Il se déplace lentement dans cet appartement sombre et silencieux, n'ayant pas tiré les rideaux depuis que sa fille (il me l'a dit sans une once d'émotion) a quitté la maison en claquant la porte. Le voilà enfin devant la machine à écrire. Il ne se passera peut-être rien, ma visite ayant tout chambardé, mais l'écriture loge précisément dans ce rien. Il retournera au lit et prendra des notes le dos appuyé contre deux oreillers. Comment suis-je parvenu à l'imaginer si nettement en train de déambuler dans son appartement? J'ai eu, dans la voiture, comme un soupçon. Comme si je connaissais trop bien cet homme en pyjama. L'impression presque pénible d'avoir déjà arpenté ce couloir sombre, de connaître ce petit salon, cette étroite cuisine, ce pyjama jaune à rayures bleues, ce visage chiffonné et mal rasé, même si beaucoup plus vieux que moi. Déjà au téléphone, la voix me semblait familière. Je voudrais connaître le titre de ce manuscrit dodu, pas moins de 900 pages, aperçu sur sa table de travail. Pour l'écrire, il s'est réfugié dans cet appartement, loin de toute mondanité, ne quittant presque jamais son pyjama constellé de taches de café et de sauce à spaghetti. Le pyjama est un étrange habit de travail.

JOURNAL D'UN ÉCRIVAIN EN PYJAMA

1. LE SEUIL

Ce journal n'est qu'une collection de notes d'écriture et de lecture, prises au fil des jours, et qui ne sont destinées qu'à moi, ou du moins au jeune écrivain que je fus. J'ai laissé filer la vache avant de chercher à fermer la barrière. Une telle indécision est malheureusement courante en littérature. Je ne peux espérer aujourd'hui que ce journal tombe entre les mains d'un écrivain amateur. J'étais, à l'époque, un jeune écrivain nonchalant. Je passais mes journées en pyjama à taper sur ma vieille Remington 22. Je continue toujours à écrire, après une période d'arrêt qui a bien duré huit ans, mais je n'ai plus la fraîcheur des premières années. Aujourd'hui, il me faut travailler durant des heures pour arriver à cette grâce qui donnait l'impression que les images surgissaient au bout de mes doigts comme une fleur au bout de sa tige. J'avais cru que l'expérience allait plutôt me permettre d'écrire plus facilement, que j'avais appris, avec le temps, à contourner les obstacles, ou que j'étais devenu un vieux pro qui connaissait toutes les ficelles du métier. D'une certaine manière, oui, mais, je ne sais pour quelle raison, je cherche cette spontanéité du début. L'écriture est une étrange passion dont il faut retarder le plus longtemps l'explosion si on ne veut pas se retrouver, plus tard, avec un goût de cendre dans la bouche – rien de plus terrible qu'un écrivain qui a terminé son œuvre trop longtemps avant sa mort. Faut-il pour autant remplir ses poches de pierres avant d'entrer dans la rivière d'encre ? À éviter si on n'est pas sûr d'avoir le talent de Virginia Woolf. Malheureusement un tel talent vient avec des angoisses insoutenables. Je parle, ici, à un niveau plus bas. Là où on tombe sur des écrivains capables de prendre un verre de vin rouge après une petite journée de travail. En fait, je me parle. Je me donne des conseils qui ne me sont plus nécessaires, étant déjà assez enfoncé dans le tunnel. Je connais si bien mes difficultés que je m'arrange pour qu'elles se présentent afin de les résoudre. Je préfère me retrouver avec une vieille voiture dont je sais les caprices qu'avec une neuve dont j'ignore les surprises. Mais si vous vous trouvez à l'entrée d'un tel tunnel, alors emportez avec vous ce petit manuel. Il ne vous servira à rien si vous avez du talent, et il ne fera que vous retenir inutilement si vous n'en avez pas, mais emportez-le pour n'avoir pas à l'écrire plus tard. Une corvée de moins. Juste un mot à propos de cette note musicale qui ponctue chaque mini-chronique : il faut l'imaginer comme ce « biscuit chinois » qu'on vous offre à la fin du repas dans les restaurants asiatiques. Vous devez briser la coquille pour lire ce qui est à l'intérieur. Une fois cela tombe juste ; la fois suivante, non.

Une journée par mois sans lire ni écrire, pour garder un pied dans la réalité, ce qui permet d'avancer d'un pas dans le rêve.

2. L'ÉCRIVAIN SANS PYJAMA

Je croise ce type à la pharmacie. Ce n'est pas la première fois qu'il m'aborde. Je ne me rappelle pas son nom. Il a l'habitude de me mitrailler de questions. «J'écris un peu», me lance-t-il chaque fois pour justifier l'interrogatoire qui va suivre. Il veut tout savoir de ma vie. Mes lectures. Mes problèmes de santé. L'état de ma vie sexuelle. Même mes habitudes alimentaires. Pour arriver enfin à ce que je suis en train d'écrire. Je n'aime pas parler des livres en cours.

– Dis-moi au moins le titre.

– *Journal d'un écrivain en pyjama.*

– Donc ton livre ne s'adresse pas à moi.

– Pourquoi ?

– Je ne porte pas de pyjama.

– Achète-t'en un si tu tiens à t'identifier à ce point à l'écrivain.

Il ne s'attendait pas à une pareille réponse. D'ordinaire, je réponds gentiment aux gens qui me donnent leur point de vue sur mon travail. Faut dire que c'est plus facile pour un livre déjà publié. Là, je me sens plus vulnérable.

– Je connais des écrivains en pyjama qui n'ont pas besoin de tes conseils.

– Ils n'ont qu'à ne pas l'acheter.

– Ton éditeur n'aimera pas ce que tu viens de dire là.

– Il n'a qu'à ne pas le publier. On a toujours le choix.

Ce genre de lecteurs m'agace. Ils peuvent te retenir longtemps à discuter (remarquez que leurs questions ne dépassent jamais le titre) pour finalement t'avouer qu'ils ne t'ont jamais lu. Je ne tiens pas à converser uniquement avec des gens qui m'ont lu, mais il n'est pas dit que je doive subir tous ces bavards qui traînent dans les bureaux de poste et les pharmacies.

— Un livre de conseils, ce n'est pas un truc de vieux, ça?

— J'ai soixante ans.

— Tu n'arrives plus à écrire de vrai livre?

— Je n'ai jamais écrit de «vrai» livre.

— Ah bon!

— Tout est moi.

— Qu'est-ce que ça veut dire?

— Que je reste un écrivain dans tout ce que je fais – ou le contraire.

— Tu es trop philosophe pour moi… fait-il en partant. J'espère que tu donnes au moins quelques conseils dans ton livre.

— Pour le savoir, il faudra le lire.

Il s'est contenté de hausser les épaules, sans se retourner.

Les premiers essais étant souvent mielleux, faites-en une version fielleuse que vous publierez quand vous aurez l'âge de dire ce que vous pensez (lire *Mes poisons* de Sainte-Beuve).

3. COMMENT ÉCRIVEZ-VOUS?

Un livre naît souvent d'un autre. Je me souviens de ce jeune homme qui n'arrêtait pas de me poser des questions concernant le métier d'écrivain – malgré tous les livres écrits au fil de ces années, je n'arrive pas à voir l'écriture comme un métier. Il voulait tout savoir. Chaque fois que je tentais d'esquiver une question (il y a toujours cette pudeur quand il s'agit de choses touchant à l'émotion), il revenait avec une autre encore plus précise. Je tente ici de répondre à l'une d'elles (celle qui revient le plus souvent quand un jeune écrivain en rencontre un plus vieux): comment écrivez-vous? J'entre toujours dans un nouveau livre sur la pointe des pieds, comme dans une nouvelle maison dont on n'a aucune idée de la disposition des pièces. C'est à la deuxième version que je commence à savoir où je suis. Je découvre alors étonné un nouvel univers plein de couloirs qui débouchent sur des pièces sombres ou ensoleillées. Si je sais où je suis, je ne sais pas encore tout à fait où je vais. L'histoire est peut-être écrite dans ses grandes lignes, mais tout ça manque encore de cette chaleur qui donne vie aux phrases. Je reviens souvent sur mes traces. C'est qu'il faut une certaine masse d'émotions et de petits faits sensibles pour qu'on puisse enfin sentir vibrer la page. Sinon, c'est un monde gazeux qui pourrait se dissiper d'un moment à un autre. Tout cela pour dire que j'étais dévoré de doutes quand mon neveu (c'est lui, le jeune écrivain) me poursuivait de ses inquiétudes. Alors pourquoi ai-je accepté de répondre aujourd'hui? Je reste convaincu que la meilleure école d'écriture se fait par la lecture. C'est en lisant qu'on apprend à écrire. Les bons livres forment le goût. Nos sens sont alors bien aiguisés. On sait quand une phrase sonne juste parce qu'on en a lu souvent de bonnes. Le rythme et la musique finissent par courir dans nos veines. Le juge est invisible, car il est tapi en nous. Et il est impitoyable. Déjà il critique nos choix de lecture, nos goûts, nos idées, nos intentions. Rien ne lui échappe. C'est une identité nouvelle. Et le talent s'infiltrera en nous à notre insu. Pour le reste, il s'agit de persévérer. On est écrivain avant même d'écrire la première phrase du premier livre – si ce n'est pas le cas, il y a un problème.

> Cette lectrice (80 % du lectorat sont des femmes) raconte qu'elle est en train de dévorer le dernier roman d'un écrivain à la mode. Un bon livre ne se laisse pas dévorer, il oblige la lectrice à adopter son rythme.

4. Pourquoi ces notes ?

Pourquoi, encore, me suis-je décidé à écrire ces notes ? Je m'y suis attelé après une discussion avec un ami intellectuel. Un jour que j'étais chez lui, il me lança, à brûle-pourpoint, qu'il aimerait bien savoir ce que ça prend pour être un romancier. Il aurait voulu parler avec moi de cela longuement. J'ai vu dans ses yeux une curiosité saine. Il ne voulait pas d'une conversation anecdotique. Il ne croyait pas qu'il suffisait d'aligner des phrases bien balancées pour écrire un roman. Je réunis, dans ma mémoire, ces deux hommes. L'un, encore un jeune homme qui n'a de cesse de dessiner le monde qui l'entoure, mon neveu qui vit à Port-au-Prince ; l'autre, un homme d'âge mûr qui croit que l'ignorance engendre le mépris. Les deux veulent comprendre la mécanique du roman. L'un pour pouvoir écrire ; l'autre pour mieux lire. Ces deux figures coexistent chez le romancier (fiction et réflexion). Il y a dans ce livre des conseils techniques qui, j'espère, répondront aux multiples questions de mon neveu. Et des digressions qui, je l'espère aussi, amuseront mon ami. Par ailleurs, je me suis toujours demandé pourquoi des gens qui lisent tant de bons livres, ce qui est en contradiction avec ce que je disais tout à l'heure, écrivent si mal (je ne parle ni de mon ami Normand Baillargeon, qui a déjà fait ses preuves dans de brillants essais politiques, ni de mon neveu, qui fera les siennes, un jour). C'est bien sûr parce qu'ils n'ont pas de voix particulière. La raison en étant qu'ils n'ont jamais tenté de retracer cette voix perdue dans la chambre des échos. Pour cela, il faut être tenace. Comme font les enfants qui brûlent les samedis de leur enfance et de leur adolescence dans des cours de ballet, de piano, de flûte, de danse classique ou folklorique. On ne deviendra pas forcément concertiste, ni danseur étoile, mais cela pourra aider à apprécier un spectacle. Il n'y a pas d'équivalent en littérature. Tous ceux qui ont un certain goût pour l'écriture se croient obligés de tenter la grande aventure du roman. La plupart échouent et se détournent, dégoûtés, de la chose. Je dirais que ces notes éparses s'adressent à des gens qui aiment bien écrire sans vouloir devenir écrivain. Quel vendeur !

Quand on lit dans le bain : ne pas oublier son réveille-matin si on ne veut pas rater son prochain rendez-vous, car l'eau favorise la rêverie qui, elle, annule le temps.

5. C'EST UN ROMAN !

J'écris «C'est un roman !», comme l'infirmière annonce à la mère que c'est un garçon. Remarque qu'elle aurait eu la même effervescence si c'était une fille. «L'important, c'est que le bébé soit en bonne santé», s'exclame la mère. Moi, j'ai besoin que ce soit un roman pour avancer dans mon travail. Je n'ai pas assez de rigueur pour écrire un essai. Bien sûr que j'ai des idées, comme tous les paresseux d'ailleurs, mais je m'ennuie rien qu'à la pensée de devoir les présenter sous leur meilleur jour. Après, il faut se battre, car il suffit d'émettre l'opinion la plus banalement logique pour qu'une nuée d'individus, qu'on ne connaissait pas il y a dix minutes, se précipitent pour la démolir. De plus, le public s'attend à ce que vous défendiez du bec et des ongles des réflexions jetées hâtivement sur le papier, comme si elles vous appartenaient en propre, alors que, moi, je change d'avis comme je change de chemise. Je suis déjà épuisé rien qu'à y penser. Ils ont cette phrase qui me glace chaque fois : «C'est peut-être vrai ce que vous dites, mais ça ne s'applique pas à tout le monde.» Et lancée sur un ton agressif. Que peut-on répondre à cela? Alors que pour un roman, c'est le charme qui joue. Je sais que de plus en plus d'écrivains introduisent dans leur roman des notions scientifiques, mais ils ne doivent pas ignorer le facteur charme s'ils ne veulent pas que le lecteur, qui n'est pas toujours un spécialiste, aille voir ailleurs. Si on fait un roman avec de tout aujourd'hui, pourquoi ne pourrait-on pas en faire un avec les réflexions d'un amateur en pyjama? Le roman des angoisses d'un écrivain nonchalant.

Borges : «Dire qu'un livre est un roman, c'est exactement dire qu'un livre est un livre relié en rouge, qu'il est rangé sur l'étagère la plus haute, à gauche.»

6. LE TROUPEAU

On publie des livres un peu épars, et arrivé à un certain âge, on éprouve le besoin de les rassembler. On est vite irrité quand l'un d'eux tente de s'éloigner du troupeau. Il faut tout de suite le ramener dans le groupe. On se demande ce qui relie chacun de ces ouvrages l'un à l'autre. Le lien, c'est l'auteur. C'est donc moi, ce long roman qui se décline en plusieurs séquences. Ce monologue qui dure depuis plus de trente ans. Pendant toutes ces années, j'ai joué à mettre ensemble les vingt-six lettres de l'alphabet afin d'exprimer le plus nettement possible ma vision des choses. Je dois préciser que ce moi n'a rien à voir avec l'autofiction. Je ne sens pas trop ce livre (celui que vous être en train de lire), et pourtant, ce sont mes expériences de lecteur et d'écrivain que j'enfile ici en brochette. Je me suis réveillé ce matin en me disant que ce qu'il lui manque, c'est cette chose indéfinissable qui me permettrait de le reconnaître n'importe où. Mais quoi? Il me faut lui injecter une bonne dose de sensibilité personnelle. Là, il ressemble à ces films de Woody Allen où le cinéaste n'est pas présent. C'est peut-être bon, mais il manque Woody Allen. M'emparer de ce livre. Pour ce faire, je dois entrer dedans.

> Rien de plus bavard qu'un silence où l'autre n'attend que le moment de prendre la parole.

7. L'APPEL DE L'ÉDITEUR

Tôt, ce matin, mon éditeur a appelé.

– Je te dérange?

Il dit toujours ça.

– Non, non…

Je dis toujours ça.

– Si je te dérange, je peux te rappeler plus tard.

Silence.

– Bon, c'est pour savoir où tu en es avec ton essai.

– J'ai changé de mode… C'est maintenant un roman.

– Tu m'avais dit que c'était des notes à l'usage d'un jeune écrivain.

– Ça l'est toujours.

– Alors, c'est un essai.

– J'ai décidé d'en faire un roman.

– Ah bon…

– Tu as l'air déçu?

– Pas du tout… C'est dans tes habitudes de changer…

– S'il s'agissait de sexe, ce serait plus facile pour moi de faire admettre que c'est un roman…

– Comment ça?

– Les gens se sentent tout de suite concernés.

– Quand est-ce qu'il sera prêt?

– Dès que tu l'auras reçu.

– Bon, je te laisse travailler.

C'est un moment où l'écrivain est de mauvais poil. C'est un cliché qui perdure à propos de l'éditeur qui entrave la liberté de l'écrivain. Les rapports entre un écrivain et son éditeur sont variés. Certains sont conflictuels, d'autres fusionnels (ils se parlent même les dimanches soirs), et d'autres encore, plus discrets, sans être moins efficaces. Ces rapports influent sur le rythme, comme sur le contenu, du livre. L'éditeur doit faire attention à ne pas écrire le livre à la place de l'auteur. Il lui faut beaucoup de délicatesse pour intervenir sans trop envahir l'espace de l'écrivain. Et ne pas toujours confondre la résistance de ce dernier avec de la vanité. Il est vrai qu'un auteur qui vient de quitter la solitude de l'écriture a tendance à croire que chaque adjectif lui appartient en propre. Il est donc rétif à débattre sur un mode public de ce qui lui est personnel. Il lui faut comprendre que l'éditeur cherche simplement à améliorer le livre. Entre l'écrivain et l'éditeur, il y a cette émotion qui est à la base de l'écriture et qui rend les rapports à la fois sensibles et exaltants.

Écrire est d'abord une fête intime.

8. La farine

Le roman n'apparaît pas par magie sur la table du libraire. Et l'éditeur, comme le libraire, joue un rôle décisif dans cette histoire. J'imagine toujours le livre comme du pain. Et la maison d'édition comme une boulangerie où l'on travaille de nuit afin de livrer au matin du bon pain chaud qui nourrira l'esprit au quotidien. L'écrivain doit fournir la farine. Pour ce faire, il se tient prêt à tout capter au vol. Les histoires circulent partout, épousant le simple mouvement de la vie. Éparpillées, elles attendent un point de vue qui les rassemblera. En ce moment, j'observe par la fenêtre de ma chambre d'hôtel cette vieille Chrysler blanche qui ne cesse de faire des allers-retours dans le parking vide du supermarché. Ça me donne envie de commencer un nouveau livre. Un livre ne démarre pas par une idée, mais par cette légère excitation dont on ne sait si elle va générer de la joie ou de l'angoisse. Le moulin se met tranquillement en marche, et le meunier se couche sur le dos pour regarder passer les nuages en attendant une pluie de farine.

On écrit dans la pénombre d'une petite chambre
avec une fenêtre qui donne sur la vie.

9. LA PRÉPARATION

Il y a deux manières de se préparer avant d'entrer dans un nouveau livre.

A. Dans le cas d'une histoire que l'on porte depuis longtemps en soi, on sent par des signes avant-coureurs que le moment n'est pas loin. On doit d'abord libérer son esprit de toute contrainte pour qu'il puisse accueillir ce livre qui s'apprête à tout brûler sur son passage. Juste avant de s'enfoncer dans le tunnel, on annonce alors à notre entourage qu'on sera moins disponible dans les mois à venir. Il faut prévoir un souper intime pour expliquer à sa nouvelle compagne qu'à partir de demain, vous n'entendrez pas tout ce qu'elle vous dira. Votre esprit sera beaucoup moins présent que votre corps. Dormir beaucoup pour être en bonne forme, car tout nouveau livre exige un esprit frais dans un corps dispos. Certains écrivains changent de régime alimentaire. Si on ne veut pas s'assoupir l'après-midi, il faut réduire l'alcool et éviter les plats avec sauce riche – privilégier les fruits et les légumes. Tout ça pour que l'on comprenne qu'écrire n'est pas une opération qu'on peut entreprendre de manière désinvolte. Quand on a porté une histoire trop longtemps en soi, on sent monter la fièvre au moment d'écrire. On doit alors se tempérer afin de dégager un espace pour pouvoir travailler dans le calme. Si García Márquez a pu écrire *Cent ans de solitude*, c'est parce que sa femme s'est occupée de tout ce qui concerne la vie quotidienne. Ainsi, il a pu s'installer, avec une machine à écrire portative et une rame de papier, dans la petite maison au fond de la cour. Sans une pareille disponibilité, le livre ferait 50 au lieu de 500 pages et s'intitulerait *Dix ans de solitude*. García Márquez avait compris que passer des nouvelles de ses débuts au gros roman, comme du cent mètres au marathon, nécessitait un changement radical dans sa manière de vivre. Cela dit, il y a des nouvelles plus denses que les romans les plus touffus. Mais le gros roman exige beaucoup d'espace et de temps.

B. On sait que si l'histoire est récente, sa transposition sera lente et laborieuse. Dans un tel cas, on devrait prendre son temps avant de s'asseoir pour l'écrire. Il faut laisser le temps faire son travail, tout en se demandant si cela vaut la peine de se lancer dans une pareille aventure. Il y a des histoires qui scintillent la nuit et disparaissent à l'aube. On doit aussi sonder le potentiel du récit. L'examiner sous tous les angles pour voir s'il n'est pas trop linéaire. C'est un fait qu'une anecdote amusante ne fait pas un roman. Une bonne histoire, généralement, se ménage plusieurs portes d'entrée et une porte de sortie. Celles qui n'ont qu'une entrée et une sortie sont à éviter, du moins pour un écrivain débutant (au début, on a besoin d'un jouet complexe pour s'amuser). En cuisine, l'exécution des plats simples est réservée aux chefs expérimentés. Même chose en littérature où l'on fait souvent face à ce problème devenu classique :

le bien et le mal. C'est la structure des contes, dont les personnages sont toujours très typés, comme polis par le temps. On ne doit rien changer. Le conte populaire, qui illumine la nuit de ces peuples où la culture n'est qu'orale, ne tolère que de minimes agencements à travers les siècles. Tandis que le roman est gorgé de surprises. Un personnage de roman peut toujours se métamorphoser au cours de l'histoire.

> Le livre commence à être moins bon quand on croit qu'il y a des choses qui doivent être dites au lieu de rester attentif au monde qui se forme sous nos yeux.

10. LE TEMPS

L'écrivain (en pyjama ou non) éprouve, au début, une certaine difficulté avec le temps. Il ne s'est pas encore habitué à ce rythme de travail qui exige de lui des forces additionnelles. Il se fatigue vite et, naturellement, entend terminer le livre avant la fin de la nuit ou du mois. Comme un enfant, il ne parvient pas à imaginer une année entière. Un peu effrayé à l'idée d'avoir à rester concentré aussi longtemps. Car écrire exige au premier plan de la concentration : réfléchir le monde et sentir la vie. Harmoniser l'esprit et les sens. Alors, le jeune écrivain se dépêche de finir le livre afin de quitter ce cercle de feu. Et la chaise brûlante sur laquelle il est assis. C'est ainsi que le roman qu'il rêvait d'écrire devient une nouvelle ; la nouvelle, une fable ; la fable, un poème. Le poème trouve sa faveur, car on peut commencer à l'écrire le matin pour le terminer au crépuscule. Le temps du roman ressemble à un cheval fou que le jeune écrivain ne parvient pas à maîtriser. Le roman peut aspirer toute l'énergie de votre corps – c'est le cas de Proust qui a passé sa vie dans un lit à écrire. C'est le jeu le plus absorbant qui soit. Il contient tous les autres genres (la poésie, le théâtre, la nouvelle et la fable). Les gens, que l'on croise dans la rue, n'arrêtent pas de clamer que leur vie est un roman, c'est-à-dire une sphère de violences et de tendresses. C'est, avec le cinéma, le genre populaire – les deux sont assez proches d'ailleurs. Pour le quidam, on n'est pas un véritable écrivain tant qu'on n'a pas écrit un roman. Le roman requiert quelque chose que ce siècle ignore : la patience. C'est une époque de sprinters qui mesurent le temps en secondes, tandis que le roman exige des qualités de marathonien. Si on écrit trop vite, on risque de passer à toute vitesse sur des points à peine visibles, mais nécessaires au récit. Pour les découvrir, il faut de nombreuses lectures et une patience de bénédictin. Le temps dans le roman est une forme particulière du temps. C'est le tissu même du roman. Pour le créer, il ne suffit pas de dire abruptement, comme dans les séries policières : « quinze ans plus tard ». Il faut regarder vieillir, avec une certaine compassion, les personnages qui peuplent votre récit. Sentir le souffle du temps avec le retour de quelqu'un parti il y a plusieurs années. Une nouvelle naissance. La mort d'un aïeul. Le changement des saisons. La décrépitude de la maison familiale. Le jardin qui perd de sa fraîcheur. Les différents âges de la vie : les premiers pas du bébé, la fièvre de l'adolescent, les voyages, les mariages, les maladies. Il y a mille manières de montrer le temps qui passe. Ce n'est pas recommandé de jouer avec le temps dans de courtes nouvelles ou de brefs récits. Cela exige un art qui n'est souvent pas à la portée du débutant. L'un des principes de l'écriture, c'est de connaître ses capacités afin de ne pas tenter des choses au-dessus de ses moyens. On arrive parfois au même résultat par un autre chemin. Il faut étudier les techniques des maîtres comme on le fait avec la peinture et la musique. Julio Cortázar donne une magnifique démonstration du temps qui passe dans la nouvelle «L'Homme à l'affût» du recueil *Les Armes secrètes*. Vous verrez comment il s'y prend sur une courte distance. Mais les magiciens du temps, ce sont les auteurs de sagas familiales. C'est surtout dans les longues descriptions d'un monde tranquille donnant l'impression que la vie s'est immobilisée que ces vieux routiers parviennent à nous faire vivre cette notion du temps.

> Ne vous précipitez pas pour écrire un livre uniquement parce que le sujet vous semble intéressant. Ce n'est peut-être pas suffisant pour trois ans d'angoisse et quelques jours de fête ici et là.

11. LA DIGRESSION

C'est un point important parce qu'il permet au texte de respirer, mais il faut savoir à quel moment revenir à la base. Question de rythme. Certains vous diront que c'est une affaire d'émotion, d'autres de musique; à mon avis, c'est le mélange des deux qui fait le rythme. Voici l'équation: émotion + musique = rythme. Si t'es à côté du beat, t'es mort. Chez un bon écrivain, il y a du rythme même dans les textes les plus gris. Il suffit de prêter l'oreille. Pour ne pas faire trop mécanique, il faut ménager des surprises dans le tempo. Ne pas enfiler les chapitres comme des pièces d'automobile qui s'emboîtent les unes dans les autres. C'est là que la digression peut jouer un rôle. En gardant les sens en alerte, on finit par savoir à quel moment quitter l'autoroute pour prendre ce chemin de terre qui nous retardera tout en nous faisant découvrir autre chose qu'une enfilade de voitures occupées par des gens pressés d'arriver à destination. La digression est une fenêtre qu'on ouvre pour faire entrer de l'air frais dans la pièce, ou simplement pour regarder dehors. L'intérêt de la digression, c'est qu'elle permet à l'écrivain de mettre le lecteur dans la position de celui qui ne sait pas à quoi s'attendre. C'est une digression réussie quand le déroulement du récit semble échapper pendant un heureux moment à l'auteur. Comme si la réalité avait fait intrusion dans le récit avec sa multitude de minuscules faits grouillants de vie. Et que l'auteur, comme un enfant ébloui dans un magasin de jouets, ne savait plus vers quel rayon se diriger. Ce moment de flottement fait sourire le lecteur. Ce n'est pas trop recommandé de tenter une digression au tout début d'un récit. Il faut attendre que les bases soient solidement établies. Si la digression semble autant tissée de fantaisie, c'est pour permettre de faire voir le narrateur sous un autre jour. Celui d'un esprit désinvolte capable de prendre subitement un chemin de travers, mais ça je l'ai déjà dit et on ne doit pas confondre digression et répétition. En fait, la digression sert en premier lieu à briser la ligne du récit afin d'éviter une certaine monotonie. C'est un art difficile à maîtriser, et qui va avec un tempérament particulier. Il y a cette forme de digression qui sert à camoufler la véritable pensée d'un personnage. La digression dans le dialogue, si souvent employée dans les romans policiers. À la télévision, le personnage de Colombo a toujours l'air d'être à côté de ses pompes en posant des questions oiseuses qui n'ont apparemment aucun lien avec l'enquête. En fait, il est en train de ferrer le poisson.

Choisissez un écrivain que vous aimez et lisez tout ce qu'il a écrit et ce qu'on a écrit sur lui, afin de connaître à fond votre poisson-pilote.

12. Point de fuite

Pour dire les choses de façon sommaire, il y a au moins deux façons de voir le paysage. Dans la manière occidentale (les choses ne sont pas aussi symétriques), le point de fuite est situé au fond du tableau. On a l'impression d'être invité à visiter un monde si accueillant qu'on ressent une sorte de vertige. Dès qu'on se place devant le tableau, on ne peut plus reculer : on est comme happé. On veut aller jusqu'au fond de la toile, là où se situe ce petit point qui garde en lui toute cette force d'attraction. Une grande partie de la pensée occidentale, basée sur la curiosité, se résume à une invitation à découvrir de nouveaux paysages. L'œuvre de de Chirico, qui est une invitation à la flânerie, en fournit un parfait exemple. On se promène, avec une certaine angoisse, dans ces architectures un peu froides, ignorant ce qui se trame derrière ces colonnes rigides. Cela me rappelle ce jeune garçon qui jouait au Nintendo à l'aéroport. J'étais fasciné par cette perspective infinie que proposait le jeu, et aussi par l'enfant qui ressemblait à une mouche prise dans une toile d'araignée. Chaque porte s'ouvre sur un nouveau paysage qui mène au prochain décor. Une curiosité insatiable semble mener l'enfant d'une telle culture. Alors que c'est totalement différent dans la peinture primitive où les êtres et les choses semblent vouloir se précipiter, dans un même élan, vers le premier plan. Pourtant, ils n'ont pas l'air de fuir un danger. Contrairement à la vision occidentale, où les personnages du tableau s'attendent à ce qu'on les regarde, les personnages d'une toile primitive s'intéressent plutôt au monde d'en face. On les imagine comme un public de théâtre dont nous serions les acteurs. Ils ont l'air de nous observer tandis que nous parlons d'eux. Ce ne sont plus eux le centre d'attraction, mais bien nous. Comment un tel miracle a-t-il pu se produire? C'est que le peintre primitif a situé le point de fuite non au fond du tableau, mais dans le plexus de celui qui regarde, ce qui change la façon de percevoir les choses. Nous sommes autant vus que nous regardons. Cela se fait, bien sûr, dans les deux sens. Quand on voit une scène de peinture primitive, on a tendance à reculer. S'agissant d'une scène de peinture occidentale, avec un point de fuite au fond du tableau, on fait le mouvement inverse. Ce qui m'intéresse dans un musée, c'est le rapport des gens avec les œuvres. Leur façon de les observer, et les rapports qui se tissent entre les gens qui regardent la même toile. On bouge le corps différemment si on se trouve à Port-au-Prince ou à Montréal, au chaud ou au froid. Et cela dénote des visions différentes du monde. En fin de compte, il n'y a aucune naïveté dans ces œuvres qui mériteraient qu'on les observe du point de vue de l'artiste qui les a conçues, et non de celui d'un critique occidental qui les examine comme s'il ne pouvait exister qu'une seule façon de regarder l'univers.

Visez le cœur du lecteur, même si on sait que c'est avec sa tête qu'il lit.

13. LE NARRATEUR

Savoir d'abord que le narrateur n'est pas forcément l'écrivain, en fait, ne peut être l'écrivain, car l'écriture est un artifice. Le lecteur, souvent, les confond, surtout quand l'écrivain s'amuse à parsemer la vie de son narrateur d'histoires tirées de sa propre vie. Le lecteur, qui s'est bien renseigné chez Wikipédia, collectionne les anecdotes juteuses au sujet de son écrivain favori. Même dans le cas d'un être aussi austère que Kafka, on se dépêche de connaître ses fiancées, ses rendez-vous manqués avec la vie, ses obsessions, son chapeau, son manteau, son rapport difficile avec son père, son parcours dans Prague, avant de passer son œuvre au peigne fin en vue d'y repérer des traces de sa vie intime. Et quand on cherche on trouve, sans se douter que c'est là un piège. Certains écrivains aiment jouer au chat et à la souris avec leur lecteur. Mais à ce jeu, l'écrivain perd toujours à la fin, car il lui sera difficile, voire impossible, de modifier le caractère de ce narrateur dont il a fait un décalque de lui-même. À force de traverser le fleuve du temps, l'écrivain ne sait plus sur quelle rive longe la réalité. Les lecteurs croisés dans la rue lui parlent plus volontiers de son moi fictif que de son moi réel. Les femmes se sentent libres d'évoquer avec lui l'effet séducteur du narrateur sur elles. Je connais un écrivain si jaloux de son narrateur, qui fait fondre les femmes alors que lui les laisse de glace, qu'il l'aurait tué si son éditeur n'était pas intervenu. Ils ne sont pas rares ces écrivains qui ont créé un personnage très près d'eux tout en étant plus intéressant : Bukowski, Miller, Hemingway, Modiano, Cendrars. Tous ces écrivains ont une marge de manœuvre de plus en plus étroite au fur et à mesure que le temps avance. Le lecteur connaît le narrateur, et il s'attend à ce qu'il agisse de la même manière dans des circonstances similaires. Bukowski boit dans toutes les situations pour ne pas décevoir ses fans ; Miller, à quatre-vingts ans, joue encore au ping-pong avec des strip-teaseuses pour faire croire à ses lecteurs qu'il n'a pas changé depuis *Sexus* ; Hemingway est toujours sur un bateau ou un fusil à la main, même si les prises sont truquées ; sur la photo, Kafka se promène dans Prague avec cet air égaré d'ange, si bien qu'on se demande si c'est lui ou son narrateur ; Cendrars prend le transsibérien dans ses poèmes à défaut de le prendre dans la vie ; les histoires de Modiano se déroulent presque toutes dans la même ambiance brumeuse et délétère de l'Occupation, une époque plus rêvée que vécue par l'auteur. Face à de telles dérives, certains écrivains préfèrent un narrateur distant qui regarde les personnages s'agiter comme des pantins, ce genre de narrateur proche de cette voix désincarnée que l'on trouve dans les romans objectifs de l'avant-garde littéraire. Comme si on avait placé, dans un angle de la pièce, une caméra qui capte tout ce qui traverse son champ de vision. Il arrive parfois que même l'auteur de ces romans en granite s'impatiente de voir son narrateur passer tout le livre à se demander s'il devrait quitter la fenêtre pour aller se faire un café.

Faites ressortir (en les coloriant en jaune) tous les *mais* et les *peut-être* qu'il y a dans votre manuscrit, et votre caractère fera surface.

14. LA CONCLUSION

Vous aimez conclure ? Oui, je sais. Quelle funeste manie ! Les deux moments du récit qui semblent appartenir à l'écrivain sont le début et la fin. Au milieu, on ne maîtrise plus rien. Certains auteurs écrivent la fin du livre avant même de le commencer pour se faire croire qu'ils savent où ils vont. Bon, il y a un nombre limité de fins possibles. La manière de conclure en dit beaucoup sur notre caractère. Préfère-t-on la réconciliation ou la séparation ? Le baiser qui unit ou la mort qui sépare ? Les meilleures fins sont celles qui suivent la pente naturelle du récit, même si ça manque de rebondissements. Les grands classiques évitent les conclusions trop étonnantes. Autrefois, on préférait aller droit vers la fin. C'est souvent la fin d'une vie, celle du grand-père. Et le plus naturel rebondissement à ce moment-là c'est une naissance. Pour la mort (en entrée) suivie de la naissance (en conclusion), *Gouverneurs de la rosée*, le roman de Jacques Roumain, est un bon exemple. Quant à la situation où l'on découvre qu'un livre peut nous intéresser malgré le fait qu'il n'y a aucun rebondissement à la fin, c'est *Chronique d'une mort annoncée* de Gabriel García Márquez – le titre dit tout. D'un autre côté, c'est toujours agaçant de voir l'auteur se démener dans les dernières pages pour nous présenter une finale rassembleuse. Quand on n'a rien de naturellement explosif (je veux dire une fin spectaculaire qui reste quand même en accord avec la ligne du récit), c'est toujours bien d'agir avec délicatesse. Quelle est la finale la plus utilisée? Le baiser ou la réconciliation des romans à l'eau de rose. On aime aussi que la fin, en rejoignant le début, fasse un récit rond et apaisant comme une sphère. Mais cela fait amateur de faire se réveiller le narrateur au milieu d'un cauchemar. Une fin toute simple, sans tragédie ni grands rebondissements, est souvent préférable. Un personnage s'enfonce dans la foule.

Quand la vie se passe pour vous entre 5 h et 7 h de l'après-midi, dans une salle remplie de gens en train de discuter et de boire, c'est que vous êtes un écrivain mort.

15. LA PAGE BLANCHE

On a tous peur de la page blanche. C'est normal. Toujours difficile de commencer. Alors, réécrivez votre dernière page en ajoutant quelques phrases que vous ne serez pas obligé de garder plus tard. Cela vous permet de déborder un peu sur la nouvelle page qui ne sera plus blanche. Il faut apprendre aussi à salir une page. Vous vous asseyez devant une page blanche, et vous commencez à écrire n'importe quoi. Vous décrivez, par exemple, tout ce que vous voyez devant vous. Ou vous notez votre rêve de la nuit dernière. Vous inscrivez la plus infime pensée qui vous passe par la tête, comme je le fais en ce moment. C'est pour assouplir votre esprit trop tendu au moment de commencer à écrire. Comme un athlète qui s'entraîne ou un pianiste qui fait ses gammes. Hemingway commençait toujours par faire son courrier avant de passer au plat principal, le roman en cours. Kerouac a tenté d'esquiver le problème en utilisant un rouleau de papier pour écrire son premier roman. Il ne s'arrêterait que quand il serait au bout du rouleau. Pour ne pas angoisser, je me mets à lire un écrivain que j'aime particulièrement. J'ai un de mes amis qui, pour se mettre en train, a besoin de lire un écrivain si mauvais que ça lui donne l'impression de pouvoir faire mieux. Au fond, ce que cette page blanche symbolise, et c'est pour cela qu'elle effraie tant, c'est l'angoisse. La terrible angoisse de l'écrivain face à cet univers qui n'existe que dans sa tête et qu'il va tenter de mettre au monde. Sans personne pour l'aider. Donc, si vous sentez un certain vide en vous, eh bien, c'est normal. Nous l'avons tous ressenti. L'écrivain américain Henry James exprime mieux que personne ce sentiment tragique dans la nouvelle «Les années médianes»: «Nous vivons dans l'obscurité, nous faisons ce que nous pouvons, le reste est la folie de l'art.» C'est la face cachée de l'écriture symbolisée par l'obsession du capitaine Achab (*Moby Dick*, Hermann Melville) qui poursuit cette baleine blanche à travers les mers tout en sachant qu'on ne revient pas indemne d'une pareille traque. Personne ne nous oblige à aligner ainsi les émotions les unes à la suite des autres. Nous n'avons aucune idée de ce qui nous pousse à le faire. Et nous reviendrons sur le chantier pour poursuivre inlassablement le travail jusqu'à noircir la dernière page blanche.

> Plus vous mettez de choses dans votre livre, moins on sentira votre présence.

16. MONOLOGUE DU MATIN

Chaque matin, depuis des années, c'est la même chose. J'ai ce type devant moi qui conteste tout ce que je fais. Sans me laisser le moindre répit. Il devine mes arguments et les rejette avant même de les entendre. Il parvient parfois à m'ébranler en insinuant le doute dans mes plus solides certitudes. Inlassable dialogue, parfois plus proche du duel, entre le moi critique et le moi écrivain. Aujourd'hui, il tente de saper cette idée d'écrire un roman qui m'enthousiasme depuis une semaine. Mais ce n'est pas un roman, me glisse-t-il tout de suite, c'est notre époque mercantile qui fait appeler n'importe quoi roman. Et d'abord, il faut des personnages. Je lui réplique calmement, et cela, même si je bouillonne à l'intérieur, que j'en vois au moins deux. Qui ? Le narrateur et moi. Vos personnages se ressemblent drôlement, me fait-il en éclatant de ce rire sec qui vous coupe les jambes. Pourtant, ils ne sont pas pareils, ajouté-je sans trop pavoiser. Il revient à l'attaque avec cette formule expéditive : un roman se fait dans la passion, un essai dans la raison. Cette dichotomie n'a aucun sens. De plus, je ne connais pas de passion plus obsessive que l'écriture, et c'est un livre sur cette passion-là. Ça vous réveille la nuit, vous dévore et vous angoisse le reste du temps. Rien de plus hors du monde qu'un écrivain au travail. Il passe son temps à répondre «hein?» aux gens, s'étonnant même qu'on lui adresse la parole. Et l'aventure? L'aventure, l'aventure, on n'est pas dans Dumas ou dans Stevenson, on ne court plus les mers pour découvrir de nouvelles terres. L'aventure, c'est de rendre possible la découverte de nouveaux paysages intérieurs. Il répète: et l'aventure? La grande aventure, aujourd'hui, c'est l'écriture. Dans certains pays, qui font aussi partie de cette planète, le fait d'écrire peut vous conduire en prison. Sur un plan plus positif: on écrit, et on est lu dans des langues qu'on ignore. Une des pures conquêtes de l'esprit. Tout ce que je peux dire, c'est que vous n'êtes pas le premier à mettre «roman» sur un livre qui n'en a pas l'air. Tu as bien dit «qui n'en a pas l'air»: c'est ça le défi, faire en sorte qu'il le devienne en parvenant à stimuler la zone imaginative du lecteur, en le faisant autant rêver que penser.

Faire parfois semblant de ne pas aimer ce qu'on fait, sinon ça fait trop mal d'être autant déçu de soi-même.

17. L'ÉNERGIE

On gaspille son énergie à passer trop de temps devant la page blanche. Au-delà de quatre heures de travail intensif, on commence à brûler nos meilleures idées. Lorsqu'on est fatigué, et on l'est bien avant de sentir la fatigue, le récit devient un tunnel qu'on cherche à quitter au plus vite. Quand ça arrive, au lieu de s'entêter à continuer, on devrait noter pour le lendemain les idées intéressantes qui nous viennent à l'esprit. Mais si, malgré tout, on se sent assez d'énergie pour continuer à travailler, vaut mieux passer à la correction. Mon moment favori. J'adore corriger. Il suffit parfois de changer un mot dans une phrase pour que celle-ci s'éclaire d'une lumière particulière. On travaille à mains nues, sans les affreux gants jaunes du jardinier qui arrache inlassablement les mauvaises herbes. Ne pas passer son temps à chasser le moindre mot qui se répète, si on ne veut pas se retrouver dans un espace trop propre. Ce n'est que par un labeur incessant qu'on parviendra à fixer sur la page ce qu'on perçoit si nettement dans son esprit. Ces images qui nous brûlent par leur intensité. On sera étonné d'apprendre que les écrivains qu'on admire pour la fraîcheur de leur style n'arrêtent jamais de jardiner. En un mot, certains travaillent pendant que d'autres croient qu'en fréquentant le milieu littéraire, ils finiront par s'infiltrer dans un réseau qui leur permettra de monter en grade. Peut-être, mais je ne connais aucun éditeur qui refuserait un bon manuscrit : un récit servi par un style qui épouse ses moindres mouvements. Un écrivain n'a pas besoin de connaître trop de gens – je parle de ceux qui pourraient l'aider. Il se doit même de protéger son côté sauvage. Ce qui lui appartient en propre, c'est cette énergie qui le fait se réveiller, au milieu de la nuit, pour noter une idée sans queue ni tête.

Une journée est parfaite quand on se met subitement à danser avec la chaise sur laquelle on s'était assis pour écrire.

18. La lettre de ma mère

Éviter d'écrire selon une idée préconçue de la littérature. La littérature, c'est chaque fois une surprise. Donc le contraire d'une enfilade de poncifs. On n'écrit pas pour impressionner les autres, mais pour découvrir en même temps que le lecteur notre façon de voir le monde. Éviter d'écrire en nouveau riche qui veut étaler tout ce qu'il sait. Il faut permettre au lecteur de découvrir qui on est. Et c'est par le style que cela est possible. Moins vous faites de littérature, plus vous êtes dans l'écriture. Il faut écrire au plus près de soi, c'est la seule façon d'être original. Même si on a l'impression que notre histoire n'est pas assez étonnante. Lorsque j'ai écrit mon premier roman (*Comment faire l'amour avec un Nègre sans se fatiguer*), j'ai hésité durant des mois avant de l'envoyer à ma mère, à Port-au-Prince. Si je l'ai fait, c'est qu'il était dans les librairies à Montréal, j'imaginais que certaines personnes le lisaient déjà à Port-au-Prince. Et je n'avais pas envie que ma mère apprenne par une de ses connaissances que j'avais écrit un livre. Un livre avec un pareil titre. Je lui ai donc envoyé le roman par un ami qui rentrait en Haïti. Un mois plus tard, j'ai reçu, à Montréal, une lettre de ma mère. Elle a cherché et trouvé dans le livre tout ce que je ne lui avais pas dit dans les lettres que nous échangions. Je lui disais ce qu'elle voulait entendre. Nous avons tous fait ça et je pensais qu'avec le temps, les mères étaient au courant de ce petit subterfuge. En tout cas, pas la mienne. Elle a patiemment relevé tous mes mauvais coups. Aucun lecteur n'est plus concentré sur un livre qu'une mère en train de lire son fils. D'après elle : durant tout un été, je n'étais pas allé chez le coiffeur. Je ne mangeais pas assez de légumes, encore moins de carottes. Jamais de lait qui est pourtant «un aliment complet». Je me couchais trop tard, et me levais encore plus tard. Et surtout, le nom de Jésus n'était pas mentionné une seule fois dans le livre, alors que je ne cessais de lui répéter dans mes lettres que je faisais régulièrement ma prière du soir.

Tout avait été scruté à la loupe. Un travail aussi scrupuleux que celui d'un éditeur. Sur la vie quotidienne et son cortège de détails nécessaires à la survie, on ne peut pas mentir à une mère. Des années plus tard, en me relisant, j'ai compris que mon livre aurait été meilleur si j'avais tenu compte de tous ces détails dont ma mère relevait l'absence criante. C'est ce qui fait vibrer un roman. J'accordais trop d'importance aux idées. Sans lui dire qu'on est en train d'écrire un livre, ce n'est pas mauvais de se renseigner auprès de sa mère sur ces questions relatives à la vie quotidienne.

> La mère de l'écrivain est si souvent mise à contribution qu'elle devrait exiger un contrat particulier avec l'éditeur.

19. LE TON

Il faut donner l'impression que l'histoire qu'on raconte prend sa source dans la vie, et qu'elle ne vient pas d'une idée abstraite. Même si nous sentons bien que ce sont les idées qui soutiennent l'échafaudage. N'annoncez pas trop vite la couleur. Prenez surtout votre temps. Quand on commence à raconter une histoire en déclarant qu'elle est extraordinaire, on ne fait qu'enlever à celui qui l'écoute son droit de jugement. Et ça l'agace. C'est la même chose pour l'écriture. L'autre est là, juste derrière la page. Vous pouvez l'ignorer, mais ne doutez pas de sa présence. Sans ce lecteur invisible, on ne peut envisager de livre. Et ce n'est pas en vantant notre camelote qu'on parviendra à le séduire. Il faut déterminer une distance entre soi-même et le livre qu'on est en train d'écrire si on veut trouver son ton.

Et surtout l'établir dès la première phrase. Cette première phrase n'a pas besoin d'être trop éclatante. C'est toujours mieux de garder, au début, ce ton modéré qui permettra à l'histoire de se déployer par la suite. Si on part sur un ton trop haut, on risque de plafonner très vite. On n'a pas de livre tant qu'on n'a pas trouvé son ton.

> Cette étrange cérémonie où l'écrivain se voit seul tout en sachant qu'une foule invisible l'entoure en silence.

20. ÉCRIRE LA VIE

J'ai toujours été attiré par ce rapport possible entre la vie et la littérature. On tricote la fiction de telle manière qu'elle puisse avoir un impact sur notre manière de vivre. Les rares fois où je suis allé au théâtre, dans mon adolescence, j'étais toujours déçu de constater que les acteurs ne tentaient même pas de se conduire dans la vie quotidienne avec le même panache qu'ils le faisaient sur la scène. Je m'étonnais que cet homme si terne que j'observais en train de dévorer un sandwich, après la pièce, ne profitait pas de l'énergie du personnage qu'il venait d'incarner si brillamment pour rendre sa vie moins ennuyeuse. Je me pose encore aujourd'hui la même naïve question : pourquoi ne profite-t-on pas de nos expériences pour changer notre vie ?

> « Est-ce que c'est vrai, tout ça ? » Si on se pose une pareille question face à une œuvre de fiction, c'est qu'on est plus lecteur qu'écrivain, mais cette question qui agace parfois l'écrivain est une des raisons qui poussent les gens à lire.

On n'aime pas toujours les histoires qui commencent par le début. Ça fait peur. On sent qu'on va s'emmerder. Et surtout s'il s'agit d'une description de paysage. La meilleure technique, c'est d'enlever les deux premières pages dans le cas d'une nouvelle de vingt pages, et le premier chapitre s'il s'agit d'un roman (j'ai fait un stage dans une pharmacie, ce qui m'a donné l'habitude de tout doser). On tombe alors dans le vif du sujet. Quitte à placer un peu plus loin le morceau qu'on vient d'enlever. Prenez quelques écrivains que vous aimez et regardez comment ils commencent leurs romans. On va faire l'exercice. Prenons *L'Amant de lady Chatterley* de D. H. Lawrence : « Nous vivons dans un âge essentiellement tragique ; aussi refusons-nous de le prendre au tragique. » Deux fois le même mot (tragique) dès la première phrase, on sent qu'il est sûr de lui. Maintenant, *Le Liseur* de Bernhard Schlink : « À quinze ans, j'ai eu la jaunisse. » Banal, mais efficace. *Les Désarrois de l'élève Törless* de Robert Musil : « Une petite gare sur la ligne de Russie. » Très visuel. *Les Nouvelles pétersbourgeoises* de Gogol : « Rien n'est plus beau que la perspective Nievski, du moins à Pétersbourg ; elle est tout pour lui. » Émouvant. *L'Hiver de force* de Réjean Ducharme : « Comme malgré nous (personne n'aime ça être méchant, amer, réactionnaire), nous passons notre temps à dire du mal. » Ironique et torturé. Il y a de tous les tempéraments. Je le redis : ne pas hésiter à feuilleter de temps en temps les livres que vous aimez pour voir comment font les écrivains que vous admirez, à les consulter sur certains points. Comment celui-ci commence-t-il un récit ? Comment celui-là termine-t-il un roman ? Eux aussi avaient fait la même chose avec leurs devanciers. En peinture, on pousse les élèves à faire des copies de toiles de maître afin de mieux étudier leur manière de travailler. Si cela se fait en peinture, pourquoi pas en littérature ? On devrait recopier entièrement un livre qu'on aime jusqu'à sentir sur sa nuque le souffle de l'écrivain. Un début banal avec un rien de mystère est plus intrigant qu'un début où l'on sent que l'auteur cherche trop à attirer notre attention.

L'État devrait exiger qu'on paie des taxes sur les dépenses faites dans un livre afin d'apprendre à l'écrivain le prix des choses.

22. La description d'un paysage

Éviter les longues descriptions. Le lecteur d'aujourd'hui n'a pas la patience de celui du siècle dernier, qui ne bénéficiait pas d'autant de propositions de loisirs. Mais si vous tenez absolument à tant dire à propos d'un personnage ou d'un paysage, mieux vaut entrecouper la description de réflexions. Le lecteur a l'impression d'être largué s'il ne sent pas la présence constante du narrateur. Une description émaillée de réflexions intimes lui paraît moins impersonnelle. Il a l'impression que le paysage est vu par un narrateur qu'il apprend de ce fait à mieux connaître. Mon rapport avec les descriptions a évolué. Enfant, cela me faisait le même effet que cette mixture (l'huile de foie de morue) que ma mère me faisait boire pour mes bronches fragiles. Depuis quelques années, je relis avec plaisir ces mêmes descriptions de paysage qui me faisaient mourir d'ennui autrefois. Et je perçois plus nettement l'écrivain dans la description qu'il fait d'un paysage ou d'un personnage (le choix de mettre en exergue tel aspect, par exemple) que dans les dialogues où il semble pourtant en dire plus. On croit saisir l'écrivain dans les formules éclatantes qui émaillent son récit alors qu'il se révèle davantage par les paysages et les ambiances brumeuses qu'il décrit avec minutie (Simenon, Modiano). Pas besoin de tout dire. Décrire un paysage comme si on le traversait en voiture (Morand).

> On n'écrit jamais mieux qu'en perdant la notion du temps.

23. LE MONOLOGUE INTÉRIEUR

Si vous n'avez pas la main sûre pour les descriptions, mieux vaut utiliser le monologue intérieur. Presque tout *L'Étranger* de Camus est écrit sous ce mode-là. Des phrases courtes. Un style rapide. Comme si on avait introduit une caméra dans la tête du narrateur – un certain Meursault. On a un rapport immédiat sur ce qu'il regarde et on est en même temps branché sur ses émotions. L'avantage d'une telle méthode, c'est que la description du paysage n'est pas objective – aucun risque de s'ennuyer comme parfois dans les romans de Balzac. On ne perd jamais de vue le narrateur. Le désavantage, c'est qu'on n'a qu'un point de vue : celui du narrateur. Sa personnalité doit être assez riche pour pallier pareille déficience. Dans le cas d'un monologue intérieur, la voix reste dans la tête du narrateur, contrairement au discours où la voix doit sortir du corps. Il faut une bonne raison pour utiliser le monologue intérieur. Le narrateur de *L'Étranger* de Camus ne connaît personne à qui se confier. De plus, il est encore sous le choc de la mort de sa mère. Il ne parle pas, il rumine des choses dans sa tête, s'enferme dans son mutisme. On entend alors mieux la voix intérieure.

Toutes ces idées que vous n'avez pas notées vous
reviendront un jour sous la forme d'une subite
inspiration.

24. LE DIALOGUE AMÉRICAIN VERSUS LE MONOLOGUE FRANÇAIS

En Amérique, on aime le dialogue. Le lecteur se sent ainsi
de plain-pied dans le livre. C'est un dialogue souvent bourré
de salutations, de clichés, d'expressions venant directement
de la rue. D'où le succès des polars chez les Américains. On
voit les gens vivre. En Europe, disons plutôt en France, le
dialogue se pratique au cinéma à coup de mots d'auteurs,
de répliques assassines. On a envie de les retenir. Pendant
longtemps, on allait au cinéma, comme au théâtre, pour
s'instruire. Les personnages étaient toujours intelligents
et on notait dans sa tête les répliques qu'on aurait aimé
se rappeler au moment opportun. Mais c'était trop littéraire pour qu'on arrive à les placer dans une conversation de la vie quotidienne. Dans le cinéma français, c'est
donc la vivacité du dialogue (mots d'esprit) qui compte.
Aux États-Unis, le dialogue épouse le rythme de l'action. Le roman français privilégie les longues narrations
qui enveloppent le paysage, les états d'âme et les désirs
des personnages. Alors qu'en Amérique, les personnages
ressemblent plutôt à des adolescents qui se dépêchent de
quitter le toit familial pour vivre à leur gré. Bien sûr qu'ils
sont tenus par des règles strictes, même s'ils donnent l'impression d'agir selon leur volonté personnelle. D'où une
certaine réticence des Américains à traduire les romans
français. Et le fait que beaucoup d'intellectuels français
lèvent le nez sur les romans américains, toujours remplis
d'actions et de dialogues plutôt sans relief. Certains

écrivains français croient trouver la solution en écrivant des romans sur des thèmes français, mais dans une structure américaine (Philippe Djan). Je doute que cela puisse les aider à avoir du succès aux États-Unis, car la différence est trop profonde. Alors pourquoi l'Europe achète-t-elle les romans américains et non l'inverse? Simplement parce que l'Amérique (en mélangeant commerce, talent et puissance militaire) a su pousser le reste de la planète à consommer sa culture. Est-ce une bonne ou une mauvaise chose? On a déjà eu Rome, et le latin est aujourd'hui une langue morte.

> Dans la dernière partie du travail d'écriture, on se sent comme un administrateur impitoyable qui n'arrête pas de renvoyer des ouvriers compétents et honnêtes, mais qui ne cadrent plus dans la nouvelle direction qu'il veut donner à l'usine.

25. LA POÉSIE

La fausse poésie, c'est comme la fausse monnaie: cela ressemble à l'original, mais ne sert à rien. Pour donner de la valeur à son poème, on croit qu'il faut l'enguirlander de fleurs bleues. La vraie poésie est invisible. Elle naît du désir du lecteur de continuer la lecture quand aucun élément de suspens ne le contraint à le faire. Il arrive qu'elle se loge dans cette énergie qui traverse un récit. La poésie se manifeste – «Art happens», disait Whistler. On ne peut pas mettre le doigt dessus. On a changé un mot et le poème se met à vibrer. La poésie est partout, et pas toujours dans un poème. C'est une fièvre qui monte.

Si vous ne notez pas tout de suite cette idée que vous venez d'avoir, vous risquez de l'oublier, car la mémoire est une secrétaire qui prend congé quand elle le veut.

26. UN BON ROMAN

Je connais un type pour qui tout est bon dans la vie. Il a vu un bon film hier soir, et après la séance, il a eu une bonne discussion avec de bons amis, avant de rentrer chez lui boire un bon verre de lait, et se mettre au lit avec un bon roman. Après l'avoir côtoyé, je n'arrive plus à employer le mot *bon* sans sourire. Il y a des gens qui écrivent naturellement, sans vouloir impressionner personne. Tout coule jusqu'à ce qu'ils commencent à se demander ce qui manque à leur roman. Ils ont l'impression qu'il est tout nu et qu'il faut l'habiller. Le parfumer aussi. Voilà leur idée de la littérature. À mon avis, la poésie n'est pas un collier qu'on passe au cou d'une jeune femme juste avant d'aller à une soirée mondaine. Justement, on ne doit pas faire trop attention en écrivant. Il faut chercher à oublier qu'on est en train d'écrire. Je me rappelle ce jour, au début des grandes vacances. J'avais dix ans à peu près. Je jouais au football avec les copains. Au crépuscule, on a continué à jouer dans l'obscurité. On ne voyait plus le ballon. On avait l'impression de faire quelque chose qui n'avait jamais été fait auparavant. Cela m'était arrivé, comme à d'autres, et j'aurais pu l'oublier. C'est à l'intérieur de soi qu'il faut chercher de telles images qui sont des pépites qui nous attendent patiemment dans l'herbe haute de la mémoire. Et les garder dans leur lumière naturelle. Sans chercher à élever la voix. Car plus on élève la voix dans un pareil contexte, moins on vous entend. Nous vivons dans une culture de bruit et de cynisme où l'on croit qu'il faut en mettre plein la vue pour attirer le chaland, alors que ce qui semble manquer, c'est un peu de candeur. Un bon roman n'est pas loin d'un poème en ce sens qu'il laisse traîner chez le lecteur un sillage nostalgique. On reste, un long moment, sans bouger. Comme si on venait de voir remonter à la surface un monde que l'on croyait depuis longtemps englouti.

> On écrit parce qu'on a oublié qu'on a été un jour Hugo, Homère, Shakespeare, Cervantès, Faulkner ou Dante, mais aussi le plus médiocre écrivain qui ait jamais existé.

27. COMMENT UTILISER LES IDÉES DANS UN ROMAN

On a envie de donner son opinion, mais on découvre assez vite que ce n'est pas facile. Cela demande un sens aigu de la proportion. Certains rappeurs finissent par ruiner leur concert en faisant de trop longs discours politiques. Ils oublient que les gens qui viennent les entendre non seulement connaissent leurs idées, mais les admirent pour cette raison-là. Tout de même, ils ne sont pas venus à un meeting. Ils sont venus voir un artiste, quelqu'un capable de leur donner une autre vision du monde. Ils veulent quelque chose de plus qu'un discours : un chant. Ils ne sont pas contre le discours dans la mesure où il s'enroule autour du chant, comme une plante grimpante autour d'un arbre. On doit sentir que c'est l'arbre qui supporte la plante et non l'inverse. Pour dire ça clairement : évitez les trop longs discours. Même le vieux Tolstoï, qui avait des choses à dire, s'est fait avoir. De son vivant, il y a eu sept versions de *Guerre et Paix*. Voulant parler directement aux gens de son époque, parfois pour les fustiger, il a failli détruire son grand roman. Et quand l'artiste, en lui, se réveillait, il se mettait à sabrer aveuglément cette forêt de phrases, afin de se frayer un passage vers la sortie. Il ne se calmait que lorsqu'il avait l'impression que le discours n'étouffait plus l'action. L'idéal serait de trouver un dosage parfait, car les idées contiennent en elles cette puissante énergie qui irrigue l'action – ce que Tolstoï savait. On ne peut poser aucun geste (même se lever du lit) sans l'avoir pensé au préalable. La bataille, dont parle Tolstoï dans *Guerre et Paix*, qui est la forme absolue de l'action, ne peut se faire sans stratégie. Stratégie sur le terrain pour faire bouger ce monstre à mille têtes qu'est une armée, et aussi stratégie hors du champ de bataille, dans les palais où s'affrontent des intérêts liés à cette guerre. Les généraux sur le terrain manipulent les soldats, tandis que les princes dans leur palais manipulent ces mêmes généraux. Mais il n'y a pas que la guerre; le désir aussi peut être un fabuleux moteur. Il arrive que ce soit la charge érotique d'une femme (Hélène) qui fasse bouger une armée, ainsi que l'a raconté Homère dans *L'Iliade*. Et la force attractive d'une autre (l'immobile Pénélope) qui signale à un valeureux guerrier qu'il est temps de prendre le chemin du retour (Antoine Blondin a résumé en cinq mots *L'Odyssée*: «Ulysse, ta femme t'attend»). L'idée, dans ces deux cas, prend la forme d'une femme. On peut utiliser une pareille métaphore, mais il ne faut pas en abuser. De toute façon, les femmes ne sont pas des appâts ou des plantes, elles bougent aussi. Toujours donner l'impression au lecteur de maîtriser le flot de ses idées, et cela même si on ne sait pas trop où l'on va. Alterner idée et action, sans le faire de manière trop mécanique. Le narrateur ne doit pas toujours avoir raison, car on n'est pas dans un essai.

On ne cesse de penser dans la vie, il est donc normal que cela se reflète dans les romans que nous écrivons ou que nous lisons.

> Si la littérature consentait, au moins une fois, à remercier le pouvoir pour tous les bons livres qu'elle a pu tirer de son ventre, on ferait un pas du côté de la sincérité.

28. Un zeste de science

Peut-on se contenter d'une description trop naïve, uniquement soutenue par le regard du narrateur, dans ce monde où l'on tente de mettre les sciences à notre portée? On ne peut rien dire d'une maladie sans que le lecteur se précipite sur Internet pour en savoir l'origine, les causes et les conséquences. Le ton scientifique étant à la mode, l'écrivain d'aujourd'hui doit faire un peu plus attention dans ses descriptions. N'étant pas au fait de ces choses, on finit par reproduire la description proposée par Wikipédia pour se retrouver à la sortie du livre avec une accusation de plagiat. L'écrivain d'aujourd'hui ne peut pas ignorer l'engouement du public pour la science. Les scientifiques, jaloux de la célébrité des rockstars, ont entrepris, à la suite d'Einstein, une opération de séduction tous azimuts, en faisant croire aux gens qu'on n'avait presque pas besoin d'être initié pour comprendre les découvertes les plus complexes. On sait tous que l'équation qui structure notre vie depuis la guerre se résume à $E=MC^2$. Quoi de plus simple. On n'a pas besoin de savoir comment ce malin d'Einstein s'y est pris pour en arriver là. Chaque année amène son romancier scientifique. Les biologistes ratés, les mathématiciens qui font rire leurs pairs vont se recycler dans le roman. Bien sûr que cela épate un certain lectorat qui croyait le roman trop léger pour nécessiter l'attention de ces graves scientifiques. Je ne peux pas dire ce qui restera de ces romans qui ont étonné, un moment, les lecteurs. Je me souviens de cette époque artisanale, d'avant Internet, où certains écrivains, qui voulaient dire, autrement, d'une femme qu'elle avait de beaux yeux, se renseignaient dans les encyclopédies sur la nature de l'œil. Thomas Mann, pour écrire *La Montagne magique*, a dû fréquenter les sanatoriums. Les écrivains écumaient les librairies spécialisées à la recherche de ces collections qui expliquaient les notions de base de l'atome, de la menuiserie, de la mécanique ou même du jardinage. Sur leur table de travail s'étalaient des magazines de mode et des catalogues de décoration d'intérieur qui les aidaient à varier le métier de leurs personnages. Ce qui a permis de renouveler le vocabulaire. C'est toujours une bonne chose si on n'abuse pas des emprunts pour éviter une prose trop sèche et utilitaire. On ne peut pas être tous ce Stendhal capable d'être fluide et précis.

> J'écris de plus en plus dans les lieux de transition (les aéroports, les avions et les chambres d'hôtel), mais pour lire, je préfère mon lit ou ma baignoire.

29. Du bon usage du plagiat

Le problème n'est pas le plagiat, comme vous le savez, mais le mensonge. Il suffit de dire où vous avez piqué cette idée brillante qui illumine votre page, et ça passe. De toute façon, ça se voit, comme le nez au milieu de la figure, que ni l'idée ni sa formulation ne viennent de vous. On devra reconnaître que vous avez été assez charitable pour accueillir une idée qui s'étiolait dans un coin poussiéreux. Une pensée qui reste trop longtemps dans un livre fermé finit par sentir le rance. Vous lui avez permis de se réchauffer au soleil. De plus, on vous concédera une certaine modestie, car il y a des écrivains qui se croient si haut placés qu'ils ne s'abaisseront jamais à cueillir dans le jardin de l'autre. Mais ces qualités ne suffisent pas à vous acquitter malheureusement. Nous vivons dans une société affreusement orgueilleuse où les gens sont facilement vexés qu'on les prenne pour des ignorants. Beaucoup plus que le mensonge qu'on accole au plagiat, c'est la blessure d'orgueil qui fait vraiment réagir. Quand le plagiaire est pointé du doigt (on l'a pris la main dans le sac), certains font semblant d'avoir déjà lu quelque part la citation qu'il a oublié d'encadrer de guillemets. Je suis toujours étonné que l'enquête n'aille pas plus loin, car on pourrait découvrir que le plagié avait copié le même segment chez quelqu'un d'autre. Bon, que fait-on? Nous savons tous qu'il y a un nombre restreint d'idées originales, et que plus on écrit plus le plagiat a de sens. Comme la marijuana, il faudra considérer sa légalisation. On doit en arriver là, car avec le temps et la quantité de livres publiés, il n'y a plus de phrases originales. Toutes les phrases que vous pouvez écrire l'ont été déjà des milliers de fois. De plus, les poètes et philosophes qui nous ont précédés ont fait main basse sur tous les thèmes juteux. Imaginer qu'Ovide réclame un copyright sur l'amour. Homère sur la guerre. Dante sur l'enfer. Euripide sur la vengeance (Médée). L'Évangile sur l'Apocalypse. Et tant d'autres encore. Comme vous le voyez, il n'y a pas un seul sujet intéressant qui ne soit pas déjà pris. On se retrouverait avec quoi? Presque rien. On se met pourtant à traquer les phrases. Dès qu'un de ces chasseurs de têtes tombe quelque part sur une formulation brillante, il va sur Google, et la source apparaît. Il s'empresse alors de crier au plagiat. Si tous les écrivains refusaient de pratiquer le moindre plagiat, la diffusion de la littérature serait en danger. On sourit en pensant à tous les plagiats passés inaperçus. Même pas 10 % ont été relevés. Ainsi, les idées et les phrases circulent clandestinement depuis la nuit des temps.

> Les gens veulent toujours savoir d'où viennent toutes ces idées qu'ils voient dans les livres. Ça ne leur est jamais venu à l'esprit qu'elles viennent d'eux, mais sans cette modestie du lecteur, il n'y aurait pas de littérature.

30. La sauce de García Márquez

García Márquez m'a toujours fait penser à un cuisinier sans cesse en train de battre la campagne à la recherche de bonnes vieilles recettes populaires. Il se mouille et c'est ce qui fait la renommée de son restaurant. Les portions sont généreuses. On vient de partout, en famille, pour goûter à sa cuisine. García Márquez est aux fourneaux, et sa femme, à la caisse. Quand on le rejoint à la cuisine, tout paraît sens dessus dessous, mais il vous accueille avec chaleur. C'est le genre à vous expliquer, en détail, comment il prépare sa sauce : « Je ne sais jamais combien de pages je vais pouvoir écrire ni ce que je vais écrire. J'attends d'avoir une idée, et quand j'en ai une que je considère assez bonne pour la coucher sur le papier, je la tourne et la retourne dans ma tête et je la laisse mûrir. Et quand je sens qu'elle est prête (ce qui me demande parfois des années, comme pour *Cent ans*

61

de solitude auquel j'ai pensé pendant dix-neuf ans), quand elle est prête, disais-je, je m'assieds et commence à l'écrire, et c'est là que vient le plus difficile et le plus ennuyeux. Car ce qui est merveilleux, c'est de concevoir l'histoire, de la polir, de la retourner dans tous les sens, si bien qu'à l'heure de s'asseoir et de l'écrire elle n'est plus très intéressante, ou du moins elle ne m'intéresse plus beaucoup; l'histoire qu'on tourne et retourne dans sa tête. » (*Je ne suis pas ici pour faire un discours*, Grasset, 2012.)

> Il y a deux façons de faire sa valise, comme il y a deux manières d'écrire : vous prenez votre temps pour tout bien ranger, ou vous jetez pêle-mêle les choses en espérant qu'elles finiront par trouver leur place. Ce qui importe, en définitive, c'est qu'on parvienne à fermer la valise.

31. LE DIALOGUE

N'abusez pas des dialogues. On reconnaît un bon dialogue quand on sait qui parle avant de finir la réplique. Le personnage s'exprime selon une articulation entre ce qu'il est et ce qu'il fait. Il ne peut pas dire ce qui n'est pas dans son caractère. Ce n'est pas parler que de simplement expliquer les choses. Ça doit passer par le corps. On le fait souvent pour dire quelque chose qu'on ne peut plus garder pour soi. Les dialogues les plus difficiles sont ceux qui ont l'air banal, bien que le lecteur sente qu'il se dit là des choses beaucoup plus profondes que les formules creuses que l'écrivain cherche parfois à placer. Justement : éviter les dialogues trop brillants, cela paraît qu'ils ne sont pas vrais. On ne parle pas ainsi dans la vie. Je sais qu'on n'est pas dans la vie, mais si on fait semblant, il faut s'en rapprocher. On peut faire de bons dialogues si on est assez astucieux pour ne pas perdre ce ton désinvolte. Ce n'est pas nécessaire de souligner à gros traits le bon mot qu'on vient de lancer. Mieux vaut glisser dessus. Et ne vous inquiétez pas, le lecteur a bien remarqué votre jolie formule. Glissez, glissez. Ne vous retournez pas. Continuez votre chemin. C'est dangereux de faire parler des gens assis, cela peut freiner la course du récit. Si deux personnages se parlent, assurez-vous que l'un d'eux bouge. Veillez à insérer entre des réponses brillantes, des démonstrations trop réfléchies, quelques borborygmes. Dans la vie, on ne peut pas être brillant sans cesse. Et si vous avez un personnage plus brillant que les autres, donnez-lui quelque chose à faire avec ses mains afin qu'il ne devienne pas totalement abstrait. Lisez Diderot pour les dialogues. *Jacques le fataliste* donne une leçon de vitesse, de fantaisie et de bonne humeur. Diderot y entreprend quelque chose de très risqué, le roman à thèse. Sur la fatalité des choses, un peu comme ce que son ami Voltaire avait fait sur le déterminisme avec *Candide*. Et pourtant, les deux sont parvenus à créer des types, malgré tous les obstacles placés sur leur chemin (pas le chemin des personnages, mais bien celui des auteurs). On sait que les romans qui cherchent à prouver quelque chose sont des produits périssables, mais pas quand c'est Voltaire et Diderot qui tiennent les rênes. Ils connaissent tous les trous de la route. Ils misent beaucoup plus sur le style que sur le contenu, ou même l'argumentation, se disant que même si les idées exposées venaient à perdre de leur pertinence, la postérité hésitera à jeter à la poubelle une si belle mécanique. Cela nous est arrivé à tous de garder un objet qu'on a ramassé par terre tout en sachant qu'il ne nous servira à rien.

Il y a deux sortes d'écrivains, ceux qui laissent parler les gens dans leur livre (Hemingway), et ceux qui parlent à leur place (Proust) – mais en réalité, Hemingway fait semblant de leur laisser la parole, et Proust de s'exprimer à leur place. Il n'y a pas de règles, mais des natures.

32. LE MAL N'EST PAS UN SUJET, MAIS UN OBJET

Si l'écrivain est parfois vaniteux, le lecteur ne l'est pas moins. Quand ce dernier tombe sur un passage intelligent, il le croit né de son esprit perspicace, alors que ce qui est bête ne peut venir que de l'écrivain. Par contre, s'il y a quelqu'un qui amène toujours un souffle d'intelligence dans un roman, c'est le diable. Ne dit-on pas que c'est diablement intelligent. Il est la ruse en personne. On l'a vu à l'action dans *Le maître et Marguerite* de Boulgakov où il s'agit d'un chat qui parle. Mais si le diable, disons en chair et en os, est devenu désuet, le mal, lui, continue à rayonner. L'Allemagne hitlérienne a produit un certain nombre de bons romans sur le sujet. Norman Mailer a échoué lamentablement avec *Un château en forêt* en tentant de montrer, dans cette biographie d'Hitler, le visage nu du Malin. Il n'a pas écouté le conseil que Dieu a donné à Moïse sur le mont Sinaï de se retourner afin de ne pas voir son visage. Voici trois romans remarquables de cette liste : *Le Liseur* de Bernhard Schlink, *Les Bienveillantes* de Jonathan Littell et *Le Choix de Sophie* de William Styron. Ces romans sont efficaces parce qu'ils permettent au lecteur de s'approcher du Mal. Dans *Les Bienveillantes*, c'est le Malin lui-même qui se confesse, c'est un homme ordinaire dont la vie a pris une tangente qui l'étonne tout au long du roman. Il semble insinuer que cela peut arriver à n'importe qui, tenant ainsi le lecteur en haleine. *Le Liseur*, c'est le contact physique d'un adolescent avec le mal sous la forme d'une passion sexuelle pour une femme croisée sur son chemin. Le lecteur ne quitte pas une seconde la confession de ce candide jeune homme. Est-on coupable d'avoir côtoyé le Malin ? Est-ce qu'on peut l'éviter ? Fait-on le poids face au diable ? Telles sont les angoissantes interrogations que suscite le livre de Schlink. Le livre de Styron, lui, se passe à New York, pas en Allemagne. Sur une terre où il n'y a pas eu d'affrontements majeurs durant le XXe siècle. Styron plante l'histoire dans un quartier où le loyer est bon marché – d'où une majorité d'artistes. Les personnages ne sont pas fictifs puisqu'on reconnaît aisément l'auteur et la romancière Mary McCarthy. Styron y a transposé les horreurs de la guerre – ou plutôt ses résonances – sous les traits d'une jeune femme qu'un accent étranger rend encore plus séduisante. On apprend qu'elle a vécu dans l'antre du Malin. Styron ne dévoile rien au début, il nous raconte plutôt ses propres débuts d'écrivain. On découvre les choses au fur et à mesure. Et on comprend surtout que la vérité et le mensonge sont si étroitement imbriqués qu'on ne saura rien de ce qui s'est réellement passé. Dans tous les cas, le contact avec le lecteur se fait par l'intelligence du récit. Le diable, quand il est présent quelque part, contribue à élever le débat. Le bien tranquillise la conscience, tandis que le mal l'aiguillonne. Dans les romans des pays du tiers-monde, c'est rare qu'on mette le mal en scène (Edwige Danticat l'a tenté avec *Le Briseur de rosée* et Emmanuel Dongala avec *Johnny chien méchant*) ; on se contente plutôt de le dénoncer ou de le folkloriser (le vaudou). On perd là une possibilité de remettre en question notre confort moral.

On a peur de ces écrivains qui excluent toute cruauté de leurs livres, comme on a peur de ces ménagères qui n'arrêtent pas de frotter les moindres recoins de leur maison avec des gants de caoutchouc jaunes.

33. LE TEMPS SELON MORAVIA

L'écrivain Alberto Moravia aime bien réfléchir sur son métier. Il a amorcé sa carrière avec *Les Indifférents* (1929) qui l'a immédiatement imposé dans la littérature italienne contemporaine. C'est un ami proche de Pasolini et le compagnon d'Elsa Morante. Ses romans, qui furent si populaires de son vivant, se font plus rares aujourd'hui dans les librairies. Il garde encore quelques lecteurs en province. Le voici en train de converser avec Jean Duflot.

«DUFLOT : Quelle distinction établissez-vous entre prose et poésie, dans le récit?

MORAVIA : Je crois qu'il y a une définition d'Etiemble qui répond à la question que l'on peut se poser sur leur valeur respective dans le récit romanesque : l'une s'adresse aux yeux, l'autre aux oreilles. Les «yeux» signifient la perspective, l'intelligence, la raison ; et «les oreilles», le son, la musique, le rythme... Bien entendu cette définition ne concerne que les caractères dominants de la prose et de la poésie. En réalité ces deux langages se complètent et mêlent leurs qualités. D'autre part, je pense que la grande différence entre la prose et la poésie se situe au niveau du temps, de la durée. La poésie se place hors de la durée. Si vous abolissez la durée, vous abolissez le roman.» (*Entretiens avec Alberto Moravia*, Jean Duflot, Éditions Belfond, 1970).

On n'est pas obligé d'être dans l'ambiance de son manuscrit, et le chapitre qu'on est en train d'écrire ne doit pas forcément être gai parce qu'on est de bonne humeur.

34. LA MÉMOIRE

L'écrivain ne doit jamais perdre de vue le lecteur – ce qui ne veut pas dire qu'il doit chercher à lui plaire. Même s'il fait semblant de ne pas s'apercevoir de la présence du lecteur, il sait que son livre finira, si tout va bien, par se retrouver un jour entre ses mains. Sa dernière adresse. Mais ce lecteur (il fut un âge où il pouvait se perdre dans un livre) n'a pas que ça à faire. Il a des préoccupations plus concrètes que votre univers de papier. Donc il faut l'aider. Quatre ou cinq fois dans le texte, à intervalle régulier, l'écrivain glisse un rapide résumé de l'histoire. Il doit le faire de manière discrète afin que le lecteur croie que sa mémoire et sa concentration sont excellentes. D'autres lecteurs aiment bien apprendre, mais ce n'est pas une raison pour leur faire sentir qu'ils sont des ignorants. Bernard Werber, par exemple, sait tout des fourmis, mais aucune fourmi ne sait qui est Bernard Werber. On n'est pas un idiot parce qu'on ignore les mœurs des fourmis. Pas besoin de nous les présenter une à une. On se sent plus à l'aise avec un auteur qui ne donne pas l'impression d'être le seul à savoir ce qu'il sait. Au début, le lecteur est tout admiratif de ce narrateur omniscient qui connaît le nom latin de chaque plante du jardin. Après un moment, cela commence à l'agacer. L'écrivain devient un pédant à ses yeux. On ne tolère les snobs que dans les romans de Proust. Rien ne vous empêche d'introduire, pour faire équilibre, un personnage qui, lui, ne sait pas tout. Et qui se moque même du pédant. Vous permettrez au lecteur d'entrer dans votre univers par la porte-cochère. Le contraire n'est pas mieux, car on n'aime pas toujours les romans où tout devient un « truc » ou une « chose ».

Ne pas toujours se fier à l'intelligence, car il arrive qu'un peu de bêtise nous aide à voir les choses sous un nouvel angle (lire *Bouvard et Pécuchet* de Flaubert).

35. UNE LEÇON D'ÉCRITURE

Je me souviens, il y a quelque trente ans, je fréquentais une amie à New York. Elle tenait salon. Chaque samedi soir, des écrivains, surtout des poètes, se réunissaient chez elle. Sa fille était obligée d'assister aux rencontres, et elle vivait cela comme une corvée. Elle n'arrivait pas à comprendre qu'on puisse se gargariser ainsi de mots. J'allais m'asseoir à côté d'elle, et elle semblait étonnée que je partage son avis. On riait de ces tons emphatiques, de cette poésie pompeuse. Les poètes se prenaient parfois un peu trop au sérieux. On aurait dit que leurs vers descendaient du ciel. Pourtant, ils ne perdaient pas le nord, car ils surveillaient tous ceux qui causaient pendant qu'ils déclamaient – et leur faisaient la gueule tout le reste de la soirée. Comme la fille de mon amie détestait lire, j'ai voulu l'initier à « ce vice impuni » de Larbaud. Je l'ai mise en scène dans une petite nouvelle composée durant la semaine – avec son nom, son caractère, ses traits physiques. Elle a commencé la lecture avec cette moue de chatte qui regarde la pluie tomber. Cela ne m'a aucunement ému, car je sais que les gens ne sont pas insensibles au fait d'apparaître dans une fiction. Dès qu'elle s'est reconnue, elle s'est mise à glousser, et ça n'a plus arrêté. Elle m'a confié à la fin, les yeux encore vifs, qu'elle ignorait qu'on pouvait se servir d'une personne réelle comme personnage de fiction. Surtout quelqu'un, comme elle, qui déteste la lecture. Elle se croyait bannie d'un tel univers. « Tu n'as rien changé de ce qui s'est passé l'autre jour ! » s'est-elle exclamée, encore abasourdie. « J'aime capter les choses au vol. » « Tout est là. Et c'est comme magique », a-t-elle fait en se jetant sur le divan. Elle ne pouvait plus se contenir. « Toi aussi, tu peux écrire ce que tu penses de ces gens qui te font mourir d'ennui depuis des années. Ce serait ta vengeance. » Elle m'a fait un étrange sourire. « Mais je ne suis pas écrivain. » « Comment le sais-tu si tu n'écris pas ? D'ailleurs, tes observations sont souvent très justes. Tu n'as pas besoin de faire de jolies phrases. Tu n'as qu'à noter tes opinions le soir avant de te coucher. » La voilà folle de joie. « J'ai tant à dire. » Je n'en doutais pas une seconde. « Vas-y franchement, ne fais pas comme ces poètes ennuyeux qui ne parlent que de beauté avec des yeux pleins d'eau. » « La haine est permise ? » « Absolument, et c'est parfois recommandé pour secouer ce monde endormi. » Sachant que ça allait se terminer ainsi, je lui avais apporté un petit carnet noir qu'elle s'est vite empressée de glisser dans sa poche. Un peu plus tard, je suis allé aux toilettes. À mon retour, elle n'était plus là. Elle devait être dans sa chambre en train de brocarder toute cette faune. Moi, le premier. En littérature, on mord toujours la main qui nous nourrit.

Jouer au modeste peut aider à gagner le paradis, mais pas à écrire une ligne.

36. Pour qui écrivez-vous?

Ces deux questions reviennent souvent dans les rencontres de l'écrivain avec le public : d'abord, pourquoi écrivez-vous? Ensuite, pour qui écrivez-vous? Ce sont de fausses jumelles. Des questions de lecteurs, car les écrivains évitent de pareilles angoisses. Quand on se pose ces questions, c'est qu'on n'a pas l'intention d'écrire sérieusement. Écrire sérieusement, ça veut dire écrire sans penser au tiroir-caisse ou à ce que le statut d'écrivain pourrait vous rapporter. Mais entrons dans le débat avec la question « Pour qui écrivez-vous? » On se doute que vous le faites pour vous exprimer. Ou pour la chose, comme le dit Céline. Mais disons qu'il y a un lecteur au bout de l'aventure. Sans lecteur, il n'y a pas de livre. Le livre est un trait d'union entre l'écrivain et le lecteur. Connaissez-vous ce lecteur? Alors là, non. On se trompe à chaque fois. On pense à telle personne en écrivant un livre, on se dit que c'est tout à fait son genre, puis on découvre qu'on s'est royalement trompé. Quand j'ai écrit *L'Odeur du café*, j'ai pensé que ma mère allait l'aimer, mais elle ne m'en a jamais dit un mot. Pourtant, ce livre devrait l'intéresser, pour deux raisons : cela parle d'une période de ma vie qui lui a échappé puisque j'ai passé mon enfance loin d'elle, avec ma grand-mère, et cela parle de sa mère, qu'elle adorait. Et pourtant, silence. Ce que j'ai compris plus tard, c'est qu'elle avait mal vécu cette époque où elle avait eu l'impression de m'avoir abandonné – on ne sait pas ce qui se passe à cet âge dans le monde des adultes. Lui rappeler ce moment de sa vie la rendait triste. De plus, on aime aussi ce qui est différent de nous. Il arrive qu'un misanthrope se passionne pour une demi-mondaine. Le goût n'est pas toujours raisonnable. Vous écrivez, c'est évident, pour le lecteur, mais vous ignorez de quel lecteur il s'agit. La pire bêtise, c'est de croire que les gens qui mènent une vie linéaire aiment les univers réalistes, ou que les mathématiciens aiment les romans logiques. Ou encore, ce qui est pire, que les pauvres aiment lire les histoires où l'on raconte en détail leur misère. Pourquoi cela les intéresserait-il? Ils vivent dedans. Je connais une dame très gentille, pieuse même, qui était folle du marquis de Sade. C'est ma mère.

> Un écrivain travaille surtout quand il ne pense pas à ce qu'il est en train d'écrire.

37. Le flou artistique

Il faut savoir ce que l'on veut dans la vie. On l'entend souvent, celle-là, mais il y a du vrai là-dedans. Le menuisier sait faire une table. L'athlète se prépare pour la médaille d'or et le clame sur tous les écrans. Si vous demandez à cet homme s'il est plombier et qu'il se lance dans des explications sans fin, c'est sûr que vous n'allez pas lui confier votre salle de bains. Alors si vous écrivez, de grâce ne tournez pas autour du pot, dites que vous êtes écrivain. Un écrivain, c'est quelqu'un dont l'activité principale est d'écrire. Tout se ramène chez lui à l'écriture. Répondez clairement quand on vous pose la question pour qu'on puisse passer à autre chose. La dame qui vous demande, dans un salon, si vous êtes écrivain ne s'attend pas à passer la soirée sur le sujet.

— J'écris, mais je ne peux pas dire que je suis un écrivain.

Là, vous prenez une mauvaise pente.

— Pourquoi?

— Je ne sais pas écrire.

— Donc vous êtes un mauvais écrivain ?

Vous voilà tout à la fois étonné et meurtri par sa manière directe d'aborder la chose. Vous faites silence.

— Dois-je comprendre que vous vous estimez un bon écrivain ?

— Non.

— Vous êtes quoi alors ?

— J'écris pour le savoir.

— C'est bien compliqué votre affaire, Monsieur.

Quelqu'un fait opportunément dériver la conversation sur le sport.

Cet air renfrogné, ces sourcils froncés, ces petits yeux de félin : c'est un écrivain sur la piste d'une émotion.

38. LE CHANT DU MONDE

C'est étonnant que de moins en moins de gens disent qu'ils écrivent pour donner une voix à ceux qui sont sans voix, ce qu'Aimé Césaire n'a cessé de claironner dans son *Cahier d'un retour au pays natal*. Dans ma jeunesse, c'était la première réponse à l'angoissante question : à quoi sert la littérature ? L'idée d'amplifier la voix de ceux qui ne peuvent que murmurer (j'avais une tante qu'on entendait à peine dans la maison) me séduisait ; ce que je ne comprenais pas, c'était la notion de peuple muet que cela sous-entendait. Alors que le bruit de la rue me paralysait. La voix stridente des marchandes couvrait la mienne. Les engueu-lades des voisins m'empêchaient de dormir. La chorale de l'église m'étourdissait. Les gens se sont toujours exprimés, et cela, par toutes les formes possibles : peinture, musique, proverbe, théâtre improvisé dans les marchés, dialogues épicés, conversations privées, danses, folklore, carnaval, sexe, injures, rires, larmes, obscénités. Tout ça converge vers un vocable unique : la culture. Toute culture vient de la terre. Les plantes comme les gens. Et le murmure inces-sant qui court à sa surface devient le chant da la vie.

> Césaire sait-il que ce petit cahier d'écolier qu'il tient en main est en fait une torche qui sert à éclairer un chemin ou à incendier une plantation coloniale ?

39. UNE VOIX SINGULIÈRE

C'est en tentant de se décrire le plus justement possible qu'on finit par peindre les autres. Surtout ceux de sa géné-ration. Il ne s'agit pas de regarder son nombril, mais de s'observer en train de bouger parmi ses contemporains. On s'est analysé durant toutes ces années, une telle expé-rience devra être mise à contribution dans ce projet de dénuder la vie. On délimite d'abord son terrain d'obser-vation, car on entend parler de ce qu'on sait. À peine a-t-on commencé à se raconter que des milliers de mains se lèvent pour dire qu'ils se retrouvent dans ce parcours. Que faut-il comprendre du fait que ceux qui viennent de se reconnaître en vous cherchent du même coup à s'éloi-gner ? On reste sensible à ce qui nous relie au groupe, sans perdre de vue notre singularité. En écrivant pour le peuple (il faudra, un jour, définir sérieusement ce vocable à la racine de tout discours démagogique), on prive ce dernier de sa propre curiosité. Il devient simple sujet ou, si l'on veut, muse. Pourquoi s'intéresserait-il à ce qu'il sait déjà trop, cette misère qui gruge son espace vital et le retient d'aller vers l'autre? Faites-lui une fenêtre sur le monde afin qu'il puisse s'intéresser à autre chose qu'à sa déprimante réalité. Vous-même, vous lisez parfois pour vous détendre. C'est pareil pour tout le monde. Je crois que c'est le moment de réfléchir sérieusement (un dandy n'emploie pas de tels adverbes) sur le destinataire de nos livres. Ce ne serait d'ailleurs pas étonnant que ce destinataire détermine le choix de nos thèmes. Des thèmes, on le sait bien, qui toucheront certaines personnes en en laissant d'autres indifférentes. Si on n'affronte pas honnêtement une si grave question, on risque de patauger longtemps dans le mensonge. Comme celui de savoir qui va nous lire. Le métier d'écrivain requiert déjà assez de talents divers pour ne pas y ajouter la divination. On écrit au plus près de soi, et c'est ce qui nous rapproche le plus des autres. Je ne vois pas l'intérêt de la littérature si elle devient simple manipulation. Si on peut prévoir ce qui va arriver. Je comprends la responsabilité sociale, mais il y a d'autres genres plus propices à cela: l'essai, le pamphlet, la presse de propagande, le tract. Le roman est encore une île vierge et l'auteur ne sait pas ce que va donner, au bout du compte, une pareille accumulation d'émotions. Parfois une voix singulière se glisse dans le chant général.

A-t-on jamais pensé au fait qu'il y avait assez de livres et qu'on pouvait passer à un autre jeu? dit-il sans cesser d'écrire le sien.

40. La drogue

Des amis m'ont invité à passer une nuit chez eux, près d'un lac. On se baigne, on cause, on mange. Le soleil glisse lentement derrière ces collines aux courbes si douces. Je le regarde faire en buvant un verre de vin rouge. On finit de souper à l'intérieur, poursuivis par un escadron de maringouins. Conversation au salon qui s'éteint doucement. Un dernier plongeon dans le lac. On nage nus dans l'obscurité. Sommeil profond dans une étroite chambre. Au réveil, ce goût d'écrire. Pas de papier ni de crayon sur la petite table de chevet, ce qui augmente mon appétit. Le vent qui fait balancer doucement les grands pins verts. Le clapotis de l'eau. Rien ne peut apaiser cette faim d'écrire. On déjeune au soleil. Je me sens plus apaisé. On cause en évitant de parler de littérature. Ce n'est pas facile pour des écrivains. On regarde le lac tranquille de midi. Vie d'encre. On parle de la nature, et ça m'endort après un moment. Je suis venu ici pour échapper à la littérature, et après deux jours, je suis en manque. Je ne pense qu'à rentrer chez moi pour me remettre devant la machine à écrire. Mon amie a besoin de ce calme pour écrire, et moi, du bruit de la ville. Je remarque que cette halte est nécessaire pour me rendre à nouveau frénétique.

> L'habitude exerce la plus forte influence sur nous, et on gagne à travailler avec elle plutôt que contre elle.

41. Borges, l'aveugle de Buenos Aires

On a commencé par lire avant d'écrire. Tout lecteur n'est pas obligé d'écrire, mais tout écrivain est d'abord un lecteur. C'est parce qu'il a tant aimé lire qu'il a voulu écrire. Et c'est d'abord pour lire qu'il écrit. On écrit le livre qu'on aimerait bien lire, mais qu'on ne trouve pas. Il y a plusieurs attitudes face à la lecture. Certains écrivains regardent leur bibliothèque avec une certaine méfiance dès qu'ils entament l'écriture d'un roman. Ils ont peur de réécrire d'une façon ou d'une autre l'histoire qu'ils viennent de lire. Ils croient souffrir de mimétisme. Une vraie panique. Mais quand on sait que c'est la même histoire (avec quelques variantes) qu'on raconte depuis le début de l'écriture, il ne faut pas s'étonner des redites. Il y a très peu de récits vraiment nouveaux. Ce qui est nouveau, c'est le fait que ce récit-là passe à travers votre sensibilité. Vous n'êtes pas seulement un individu, vous êtes aussi une époque. Il y a aussi l'écrivain dont on se demande s'il ne préfère pas lire à écrire. C'est le cas de Borges qui ne parvient pas à dissocier l'un de l'autre. Il pratique cet art magique : « l'érudition merveilleuse ». Il plonge dans la bibliothèque, comme dans la mer, pour ramener à la surface les poissons des grands fonds qui s'appellent Dante, Coleridge, Quevedo, Cervantès, Whitman, Wilde, Chesterton (l'un de ses favoris), De Quincey, Kafka, Keats, Lugones, Ruben Dario, Layamon, et naturellement Shakespeare. De fins portraits de ces écrivains pullulent dans ses brillantes *Enquêtes 1937-1952*. Borges raconte qu'un jour il est entré dans la bibliothèque de son père et n'en est plus jamais ressorti. Ses écrits fourmillent d'écrivains, de réflexions sur les livres qui s'empilent sur sa table de chevet. L'étonnant, c'est que ce lecteur intrépide est aveugle – ce sont de jeunes amis (Alberto Manguel fut l'un d'eux) qui lui font la lecture. Il m'a fait connaître les Anglais. C'est grâce à lui que j'ai découvert le *Vathek* de William Beckford et le *Biathanatos* de John Donne. Et les écrivains argentins (Borges, lui-même argentin, est né à Buenos Aires en 1899), dont Lugones (le poète national) et Hernández (l'auteur de *Martín Fierro* le plus célèbre poème gaucho). Est-il un lecteur qui écrit ou un écrivain qui lit ? En tout cas, il est resté le type même du lecteur. (J'ai toujours rêvé qu'il nous soit revenu – il est mort en 1986 – sous la forme d'un livre.) S'agissant de Borges, c'est l'image du lecteur qui restera, je crois. Si Socrate est le philosophe qui n'a rien écrit, Borges est un lecteur à qui il arrive d'écrire.

> Cette idée, à première vue étrange, que tous les livres n'ont qu'un seul auteur se révèle pleine de bon sens quand on y pense sérieusement. García Márquez l'a senti quand il affirme que *Cent ans de solitude* est fait de cent mauvais romans sud-américains.

42. LIRE, LIRE, LIRE

Je conseille à tout jeune écrivain de lire surtout des classiques, tout en restant attentif à ce qui s'écrit dans son époque. C'est la seule façon de former son goût. Le malheur, c'est qu'on fait trop semblant de lire. On se contente de connaître le sujet. Cela ne suffit pas. Le style est fondamental. Il faut voir comment Horace ramasse en peu de mots des idées complexes. Comment Homère a compris que même un demi-dieu de papier a besoin de manger : Ulysse dont le ventre gronde (« car c'est le ventre qui parle ») parce qu'il a faim. On retrouve chez ces écrivains des pensées et des comportements si contemporains qu'on se demande si c'est eux qui sont venus vers nous ou nous qui avons reculé jusqu'à eux. Le temps n'est plus linéaire. Chez Sénèque, on apprend à penser avant d'apprendre à écrire. Et Tacite nous aide à mieux comprendre ce qui se passe autour de nous. On le dit, mais il faut les lire pour voir à quel point c'est vrai. Je me souviens qu'un jour, j'ai voulu en avoir le cœur net sur ce point. C'était au début de l'été 1977. Je suis allé m'acheter une bonne vingtaine de bouquins de ces écrivains de l'Antiquité (ils coûtent moins cher que les autres ; les mauvais livres coûtent toujours trop cher) et je les ai ramenés à la maison avec une caisse de bière que j'ai mise au frigo. J'avais faim et soif. Je suis entré dans la salle de bains pour ne plus en sortir. Horace était mon favori, mais, comme Borges, j'ai trouvé Virgile exquis. À propos de la lecture elle-même, je recommande ce bref texte de Proust : *Sur la lecture*, sa préface d'un livre de John Ruskin. Il y raconte que le temps passé à lire n'est pas hors de la vie.

> On sait qu'un chapitre est bon si on a envie d'aller pisser après l'avoir terminé.

43. LA BIBLIOTHÈQUE

On demande toujours à l'écrivain d'où il vient. L'individu vient du pays où il est né. Le citoyen peut choisir le pays où il veut vivre. Le pays de l'écrivain est plus complexe. Il vient d'un lieu qui serait l'endroit où il a passé les premières années de sa vie. Pour beaucoup d'écrivains, l'enfance est un lieu idéal. On peut parfois comprendre certains choix de sujets d'un écrivain en découvrant quel genre d'enfance il a eu : heureuse ou malheureuse. On sait aujourd'hui que l'enfance est un sujet aussi imaginaire que les passions des dieux de l'Olympe. Mais, en supposant qu'elle existe, nous dirions alors qu'elle a un impact déterminant sur le reste de la vie. L'écrivain habite aussi ce pays rêvé où il a l'habitude de se réfugier pour échapper à la menaçante réalité. Richard Brautigan a écrit un joli roman (*Un privé à Babylone*) qui met en scène un détective si minable qu'il doit emprunter un revolver, et qui, de plus, fait faillite parce qu'il passe trop de temps à Babylone où il lui arrive de s'échapper au milieu d'une enquête dans le monde réel. Babylone est cet endroit où il va quand tout va trop mal ici. De quoi je parlais avant de filer à Babylone moi aussi? Ah oui, je disais que pour vraiment connaître un écrivain, il faut aussi visiter sa première bibliothèque – pas besoin que soit une grande affaire. Combien faut-il de livres pour que l'on considère que c'est une bibliothèque? Au moins dix, je dirais. C'est exactement le nombre de livres qu'il y avait sur cette petite étagère au-dessus de ma tête dans la grande maison de Petit-Goâve (la maison de l'enfance est toujours trop grande). C'est là que toute ma sensibilité d'écrivain s'est formée. Bien sûr, il faut ajouter le paysage, qui comprend les plantes, les gens et les animaux. Je lisais couché sur le dos, dans le petit lit, sous la penderie. À cette époque, je lisais déjà en écrivain, me demandant, anxieux, comment l'auteur avait fait pour me refiler en douce tant d'émotions.

On le sait en prenant ce troisième rhum avant d'aller à la fenêtre pour regarder les gens passer dans la rue que ce sera une journée longue et improductive.

44. Quelque chose dans l'air

Cette chose a cheminé en moi, comme une plante grimpante cherchant à m'étreindre le cœur. Depuis ce premier soir où j'ai tapé ma première phrase, en me disant «c'est parti», ça n'a pas arrêté. J'ai tenté une fois d'arrêter la machine, mais je n'ai pas pu. En fait, c'est revenu avec plus de force. Comme quand on tente de contenir un torrent avec un barrage trop fragile. On me pose souvent la question : quand est-ce que t'es devenu écrivain ? On ne peut savoir ça. Je pense qu'on ne le devient pas, on naît écrivain. À mon avis, ce n'est pas un métier. C'est une façon de se tenir dans le monde. Comme d'autres soulèvent des haltères pour se garder en forme physiquement, certains soulèvent des idées et des émotions pour que leur esprit ne s'étiole pas. Mais cela ne suffit pas pour être un écrivain, comme soulever des haltères ne suffit pas pour faire de vous un athlète. Il y a des gens qui écrivent de bons livres et qui ne sont pas de vrais écrivains ; et d'autres qui écrivent des livres maladroits et qui sont de véritables écrivains. Pas mauvais, plutôt maladroits. La maladresse est une force ivre qu'il ne faut pas chercher à contrôler par trop d'adresse. L'adresse s'apprend. On a beau descendre au fond du puits noir, on ne dénichera pas la pépite si elle ne n'y était pas déjà. C'est difficile de comprendre pourquoi, certains jours, contrairement à tant de mauvais jours, on a l'impression d'être habité. De ne pas être seul. La sensation que cette histoire ne nous est pas venue à l'esprit par hasard. On dirait que ce sont des idées, comme des émotions, qui cherchent un esprit à coloniser. Sinon comment expliquer que l'on puisse passer d'une demi-journée de panne sèche à ce flot continu d'images rutilantes ? On se sent fébrile. On essaie de ne pas bouger. Et brusquement, on rejoint la chaîne d'écrivains qui, depuis l'aube des temps, cherchent à dire quelque chose que les autres ne parviennent pas à comprendre. Et cela, malgré le fait qu'ils s'expriment dans un langage accessible. Pourquoi donc ce livre, s'il n'y a rien à y apprendre ? Je n'en sais rien.

> Ce sentiment de culpabilité qu'on traîne, depuis trois jours, pour n'avoir pas écrit une seule ligne sera l'étincelle qui fera repartir la machine.

45. Le chemin

Une femme d'une soixantaine d'années m'écrit qu'elle vient de terminer un livre, et qu'elle espérait avoir mon avis et « peut-être une petite préface ». Elle dit « petite » pour me rassurer : elle ne voudrait pas trop prendre de mon temps. Je sens quelqu'un d'à la fois timide et volontaire. Une pareille décision lui a coûté « des mois de réflexions ». Finalement, un matin, elle s'est assise sur la galerie de son chalet d'été, en face du lac, et a écrit la lettre, et cela, sans même connaître mon adresse puisqu'elle l'a adressée à mon éditeur. Tout écrivain a, un jour, reçu une pareille missive. N'empêche, un tel courage m'émeut. Elle veut mon opinion sur son livre (« la chose qui me tient le plus à cœur au monde ») parce qu'elle aime mes livres. Elle fait confiance à ma sensibilité pour comprendre la sienne. Faut-il préciser que l'écrivain est parfois différent du lecteur, et cela même si les deux personnages cohabitent dans le même espace mental et émotionnel. On n'aime pas forcément les livres qui semblent faits pour nous. C'est souvent le contraire. Je suis toujours étonné d'entendre quelqu'un dire à un autre, pour le convaincre de lire un livre : « Il est fait pour toi. Le personnage principal, c'est ton jumeau. Tout le long de la lecture, j'ai eu l'impression de t'entendre. » Mais qui a envie de s'entendre sur tant de pages ? Borges conteste ainsi l'idée d'alter ego pour définir l'ami : « Parce qu'un ami n'est pas un autre moi. S'il était un autre moi, il serait très ennuyeux, il doit être une personne avec ses caractéristiques propres. » J'adore Borges, mais je ne souhaite pas écrire comme lui. De plus, c'est bien au-dessus de mes moyens. Aurais-je eu l'audace d'envoyer un manuscrit à Borges afin de connaître son avis ? Jamais. Pour deux raisons : d'abord, il était aveugle (toute lecture devait lui coûter beaucoup) ; ensuite, Borges vole trop haut au-dessus de ma tête. Je n'ai pas la force ou le talent pour aller le rejoindre dans les nuées. Surtout qu'il m'arrive d'avoir le vertige à plus de trois mètres du sol. Je bricole donc mes trucs, dans un coin, à l'abri des regards, me contentant du plaisir que me procure la lecture de ses livres. Ses livres, écrits dans une si généreuse perspective, répondent amplement à mes questions. Le vieil aveugle n'a cessé sa vie durant de satisfaire la curiosité de ses lecteurs, même ceux qui sont avides d'anecdotes, alors pourquoi serais-je allé l'embêter personnellement ? Par fétichisme ? Pour jouir du fait qu'il aurait peut-être été en train de me lire ? J'aurais eu trop peur de l'empêcher d'avancer sur son propre chemin. L'un des poèmes de la trilogie poétique (*Dialogues de mes lampes*, *Tabou* et *Déchu*) de Magloire-Saint-Aude se termine par : « Bonne route, pèlerin. » C'est ce qu'on devrait dire à ceux que nous aimons.

Vous avez remarqué que les gens ne se saluent plus dans les livres, et qu'on ne dit plus bonjour, bonsoir, au revoir, de peur de ralentir l'action. Je me demande ce qu'on cherche ainsi à économiser : le temps ou l'émotion ?

46. LE DÉSIR

Ce n'est pas toujours l'appétit du sexe qui crée le désir. C'est parfois ce puissant courant qui traverse le livre en entraînant le lecteur dans son sillage. Cette énergie peut se faire si douce qu'on oublie sa présence, mais sa force entraînante demeure. Et elle peut reprendre de la vigueur quand on s'y attend le moins. Il arrive qu'on se sente subitement emporté par une tranquille description de paysage. C'est qu'on vient de découvrir toute la charge sensuelle qui court dans ces phrases longilignes qui s'étirent, comme des boas paresseux, jusqu'à la dernière ligne. Il suffit alors de la plus légère allusion au corps pour que la page prenne feu.

> Ne jetez rien, car ce qui n'est pas bon pour ce livre pourrait l'être pour un autre. « Saviez-vous que Balzac faisait ça ? » C'est assez amusant de voir les gens lancer ainsi un nom fameux pour imposer une banalité. Balzac pissait-il aussi ?

47. L'ÉNIGME DU POURQUOI

Tout d'abord, pourquoi veut-on raconter une histoire ? D'où vient cette manie de vouloir manipuler des événements disparates de la vie quotidienne afin d'en faire un récit cohérent ? C'est qu'on veut mettre de l'ordre dans un monde qui nous semble décousu. Nous ne savons véritablement rien de l'origine de l'univers, et nous ignorons tout de sa destination finale. Nous passons notre temps à tenter de résoudre des énigmes qui nous conduisent à d'autres énigmes. Quand nous avançons ici, nous reculons là-bas, car si « la médecine fait des progrès, la maladie en fait tout autant ». Si la science a apporté quelques éclairages dans cette ténébreuse histoire, certaines zones restent encore nébuleuses. On se demande comment le cœur, qui doit pomper le sang dans tout le corps (un organe très occupé), trouve le temps de battre si fébrilement à la vue d'une robe jaune. Peut-être que le secret de la fable réside non pas dans son contenu, mais bien dans la manière de la raconter. Celui qui, avec des mots simples, parvient à nous faire croire que ce qu'il raconte est la réalité même devient tout de suite, selon Malraux, «le rival de Dieu». Le problème est que la vie semble avoir moins de règles, mais plus de surprises que la littérature. En d'autres termes, la vie est souvent plus imprévisible que le roman. Mais la question se pose aussi dans la rue. Pourquoi cet homme prend-il tant de plaisir à vous raconter une banale histoire qui vient de lui arriver? Pourquoi cette femme espère-t-elle qu'un écrivain reconnaîtra en elle un personnage de roman? Et pourquoi l'enfant, pour s'endormir, réclame-t-il souvent la même histoire? Finalement, pourquoi continue-t-on à écrire quand les librairies et les bibliothèques regorgent de bouquins qui ne seront jamais lus? Quel est le sens d'une telle passion? Tant de questions qui ne trouveront peut-être jamais de réponse. Les poètes surréalistes français avaient l'habitude de se réunir dans un café parisien. Un homme au comptoir, toujours présent, semble grandement s'intéresser à leurs discussions. L'un des poètes, agacé, va le voir (je cite de mémoire): «Pourquoi nous suivez-vous ainsi? Êtes-vous de la police?» Un instant interloqué, l'homme finit par répondre: «Non, je n'arrive simplement pas à comprendre ce qui vous passionne tant dans l'écriture. Pourquoi écrivez-vous?» Amusés, les surréalistes envoyèrent la question à tous les écrivains de leur connaissance. Beaucoup tentèrent d'y répondre de manière personnelle, comme si la question les touchait uniquement dans leur réalité quotidienne. Alors qu'à mon avis, si cela vaut quelque chose, ça concerne beaucoup plus l'écriture que l'écrivain. Pour Burroughs, ce n'est pas la came que l'on vend au camé, mais plutôt le camé que l'on vend à la came. L'empereur Hadrien, lui, remarquait que «cette chose aimait à arriver», soupçonnant ainsi que la «chose» qu'on n'ose nommer avait une vie propre. C'est étrange parce que, tout de suite après la secousse, on a désigné le séisme comme «la chose» dans les quartiers populaires de Port-au-Prince. Il y a toujours chez nous le goût du pourquoi même si nous savons bien qu'aucune réponse ne pourra nous satisfaire. Plus modestement, je privilégie plutôt le comment, qui n'éclaire pas plus. Peut-être qu'il faut simplement attendre que la chose arrive.

> Il y a cet instant magique où l'on est en train de lire un livre qui nous passionne et où l'on se dit en hochant vigoureusement la tête: «Ça, je peux le faire!»

48. LE CRITIQUE EN VOUS

S'il y a un personnage dont il faut se méfier, c'est le critique. Le critique en vous. C'est un lecteur aguerri. Il a lu des centaines de livres. Et il a un avis sur chacun d'eux. Souvent hâtif, mais il n'en pense pas moins. Il a l'habitude de juger les plus grands. Son opinion est sans appel. Il a une fois jugé *Madame Bovary* ennuyeux. Et rien ne lui est arrivé. La police n'est pas débarquée chez lui. Ce n'était même pas une infraction mineure. La vie a continué comme si de rien n'était. Il s'est enhardi et a critiqué *L'Iliade*, qu'il trouve trop fourni de stars accros à l'hydromel : Achille, Ulysse, Hector, Hélène, Agamemnon, toute la petite bande de Troie. Ce n'est pas un bouquin, c'est un bottin mondain. Vous dire qu'il parle d'égal à égal avec quiconque. Alors le voilà en face d'un jeune blanc-bec, et ce blanc-bec c'est lui-même. Bien sûr que cet écrivain en herbe ne fait pas le poids face à un critique aussi sévère. Le genre de critique qui ne laisse rien passer. La compassion, il ne connaît pas. Que faire quand l'écrivain à exécuter, c'est soi-même ? Le lot de l'écrivain, c'est de se coucher en génie pour se réveiller en minable gratte-papier qui se jette sur les feuillets, barbouillés la veille, pour les déchirer sans pitié. C'est possible que ce soit aussi mauvais qu'il le croit, mais ce n'est pas une raison pour tenter de tout détruire dans un accès de rage. C'est sûrement mal écrit, mais ça contient quelque chose de précieux pour un écrivain : la première émotion.

Il arrive qu'un lecteur accuse un livre d'avoir mal vieilli sans penser qu'il n'est peut-être plus le lecteur qu'il fut.

49. Une overdose de classiques

L'écrivain doit d'abord apprendre à se calmer. Il se croit souvent plus fort qu'il ne l'est en réalité. En fait, il souffre simplement d'une overdose de classiques (cette défaillance est à la bibliothèque ce que le syndrome de Stendhal est au musée). Ces monstres qu'on a trop lus, et critiqués trop sévèrement, se vengent aujourd'hui. Ils sont là à rigoler dans la pénombre, comme les dieux de l'Olympe qui se moquent des déboires d'Ulysse. Le problème avec les écrivains classiques, c'est qu'on ne les a jamais vus au travail. On ne sait s'ils ont eu des états d'âme comme nous. J'aimerais bien entendre Virgile raconter les difficultés rencontrées dans l'écriture de *L'Énéide* à son vieux copain Horace. J'aimerais entendre une conversation de cuisine entre Gogol et Pouchkine – Pouchkine en train de refiler à Gogol le sujet des *Âmes mortes* pour que ce dernier puisse l'écrire à sa place. Se retrouver assez près pour observer ne serait-ce qu'un silence entre Tolstoï et son jeune ami Tchekhov. Que peut-on conseiller à ce jeune écrivain en désarroi ? D'abord lui dire que tout le monde est passé par là. Ensuite, qu'il ferait mieux de garder ce premier brouillon, car il risque vers la fin de sa vie de découvrir que chacun de ses livres suivants découle de ce mince manuscrit. Avec le temps, on risque d'acquérir plus d'expérience, ce qui n'est pas toujours une qualité, car du coup on perd de sa fraîcheur. Il faut s'obstiner. On ne parviendra à un résultat satisfaisant que si on y met du temps et de l'énergie. Car sous le fatras des mots creux et des phrases toutes faites palpite le cœur de l'œuvre. Un travail de fourmi pour le dénicher. Des nuits blanches vous attendent. Gardez ce premier jet, et vous serez étonné, dans quarante ans, de découvrir tout ce qu'il contient. Vous ne chercherez alors qu'à améliorer ces pages qui ne semblent pas avoir vos faveurs aujourd'hui. Pour une dernière fois, n'écoutez pas ce critique en vous : il a trop lu et il est trop intransigeant pour un jeune écrivain qui tente de quitter son nid. Faites-le taire. Bouchez-vous les oreilles et continuez obstinément à traquer la bête lumineuse. Il faut triompher de cet adversaire impitoyable : le critique en vous. Plus tard, il sera votre plus fidèle allié.

Trouvez-vous normal, jeune homme, de vous enfermer ainsi tout l'été dans une chambre surchauffée à écrire cet essai sur le désir alors que dans la rue c'est l'explosion des sens ? Quelqu'un doit faire le travail, Monsieur.

Faire attention à ne pas multiplier les adjectifs (c'est pire pour les adverbes). Si un drap est déjà blanc, on n'a pas besoin d'ajouter qu'il est lumineux. Plus on multiplie les qualificatifs, moins on nous croit. On reconnaît les bonimenteurs parce qu'ils en font toujours trop. Trop d'arguments provoquent le soupçon de celui qu'on voudrait convaincre. Donnez plutôt l'impression que vous accordez de l'importance à ce que vous dites. Entre deux phrases longues, glissez-en une brève. C'est pour le rythme. Ce sera le signe que vous maîtrisez la chose. Au cirque, on reconnaît un numéro de mauvaise qualité quand on se met à trembler pour le trapéziste. L'acrobate, avant de tenter d'impressionner, doit effacer toute peur de danger de la tête du spectateur. Le lecteur a besoin de s'infiltrer dans le livre pour mieux le sentir. Si c'est trop touffu, il restera à la porte. Prenez une machette, fermez les yeux, et taillez dans cette broussaille. Enlevez un adjectif sur deux, et vous distinguerez déjà mieux les choses. Évitez aussi de toujours utiliser l'adjectif qui convient. Cela fait trop bon ton. Et rien n'est pire qu'une forme sans surprise. Ça sent le professeur de grammaire comme une maison pue le détergent. Mieux vaut laisser traîner dans le jardin quelques plantes sauvages pour éviter de distiller l'ennui qui rendait si suffocants les récitals de poésie de mon amie new-yorkaise. Cela paraît compliqué, mais en fait ce sont des gestes qu'on accomplit sans trop y penser. Ce travail acharné pour dénicher la meilleure façon de dire les choses et l'équilibre nécessaire à établir constamment – car rien n'est plus fragile que cette apparente stabilité –, c'est peut-être ça le style. Si on ne trouve jamais rien, si tout reste toujours terne, si rien ne lève, c'est mieux de retourner à la lecture – on est peut-être plus compétent pour juger Dante que pour écrire une nouvelle. Un vrai lecteur ne se rencontre pas à tous les coins de rue (je veux dire quelqu'un qui lit un livre sans chercher à l'écrire dans sa tête). Et tout écrivain aime apprendre que le lectorat s'agrandit.

> Ouvrez n'importe quel livre de votre bibliothèque, prenez une seule phrase qui vous plaît et mettez-la telle quelle dans votre livre. Cette opération s'appelle : faire payer les riches.

51. LA VRAISEMBLANCE

Ne pas confondre ce qui s'est passé dans la vie avec ce qu'on lit dans un livre. C'est très proche, mais quand on y regarde de près, ce sont des univers avec des codes différents. La réalité nous échappe continuellement. Au moment où on croit la maîtriser, un accident arrive. De plus, nous ne sommes jamais seuls. Il y a les autres qui débarquent, sans qu'on s'y attende, dans notre vie. Je soupçonne qu'on a plus de contrôle sur le récit qu'on est en train d'écrire que sur notre intimité. Bien sûr, il y a une part de surprise dans l'écriture, mais elle est beaucoup moins importante que les imprévus qui nous menacent dans la réalité. Tout dans une phrase est artifice, les lettres de l'alphabet comme la grammaire, mais c'est avec ça qu'on doit raconter cette chose palpitante qu'est la vie. Quand un lecteur vous dit qu'il ne croit pas à votre histoire, ne lui répondez pas : « Et pourtant, cela s'est passé ainsi dans la réalité. » Ce n'est pas la réalité, c'est de la littérature. Il faut savoir que le vraisemblable n'est pas le vrai. Votre travail, c'est de rendre vivant ce monde artificiel en y injectant une forte dose de votre sensibilité.

On écrit avec les mots et non les actes. On parvient à masquer cette déficience avec toute une panoplie d'images, de métaphores, de comparaisons. Une certaine expérience et quelques techniques peuvent suppléer, un moment, à la grâce. C'est mieux (rien n'est définitif) de prendre un ton calme et modeste pour commencer votre histoire. Ne pas se mettre tout de suite à divaguer pour ne pas faire fuir le lecteur. Évitez de quitter trop souvent le chemin que vous avez tracé vous-même. Ne touchez pas à la logique interne du récit (j'aime bien quand, dans la marche à suivre pour monter un appareil électrique, on vous dit – c'est toujours écrit en lettres capitales – de ne toucher en aucun cas à ce bouton rouge). Ne tentez pas de copier la réalité : c'est du temps perdu. Cherchez plutôt le cœur des choses. Voilà un conseil impossible à suivre : cherchez le cœur des choses. Ça veut dire quoi, « le cœur des choses » ? On doit apprendre à faire la différence entre un conseil et une jolie chute.

> L'enfant, qui rejette spontanément le téléphone en plastique rose dès qu'il en voit un vrai, doit savoir quelque chose que beaucoup d'écrivains ignorent.

52. L'HUMOUR

On aime bien faire rire. On croit tenir le lecteur dès qu'il sourit en lisant. S'il rit, alors tout est gagné. Et on veut le garder dans cette disposition. Le rire n'est pas le fond de l'affaire, ce n'est qu'une épice (décidément, je ne quitte pas la cuisine). On peut rire d'un bout à l'autre en lisant un livre tout en le tenant pour un texte de piètre qualité. Le rire comme les larmes. Si le lecteur repère la mécanique, cela ne compte pas. Il faut des enjeux souterrains pour que ça le touche en profondeur. Certains pensent qu'il suffit de raconter une blague pour être amusant. Un humour intégré dans le contexte est plus efficace. Il y a des gens qui font rire malgré eux. Ils ont un langage particulier qui les place toujours à côté des choses. Une réaction en deux temps fait mouche : on sourit, puis on rit plus loin, et cela sans que ce soit prémédité. Certains lecteurs rechignent à rire des gens. Pour rire, il leur faut une ambiance sympathique, sans moquerie. L'ironie passe parfois mal. J'avais un ami qui provoquait un rire de biais. Comme il ne comprenait jamais pourquoi les gens riaient tant, cela déclenchait de nouvelles vagues de rire. Son esprit n'était pas drôle, mais son être l'était tout entier. Sa candeur charmait. L'autodérision peut être très efficace si on n'en abuse pas. Cette forme permet de faire sourire tout en révélant sur soi des choses très intimes. Woody Allen est un des maîtres de ce genre, et *Annie Hall*, son meilleur film, est un chef-d'œuvre de douce autodérision. Son équivalent en littérature n'est autre que Philip Roth, plus amer toutefois. Je ne me rappelle pas avoir autant ri qu'en lisant *Portnoy et son complexe*. Mais l'ironie est une mine qui peut vous sauter à tout moment à la figure. Si vous riez trop de quelqu'un de plus faible, le lecteur risque de se mettre de son côté. L'ironie suppose que celui qui la pratique est très intelligent et le sait. C'est une arme qui peut être aussi dangereuse qu'un revolver ; évitez de dégainer trop souvent. Un bon dosage est nécessaire. L'ironie fonctionne mieux quand elle pointe son canon vers un pouvoir armé. Elle est nécessaire dans ces pays pauvres où le monologue intérieur devient un acte de résistance. Sa puissance réside dans le fait que ceux qui la pratiquent risquent leur vie. Cette proximité du danger lui confère une force supplémentaire. Comme, par exemple, dans le magnifique roman de Mikhaïl Boulgakov (*Le Maître et Marguerite*) où l'auteur se moque de Staline. On imagine le sourire de Boulgakov, dont le livre est paru après sa mort, à l'idée que le pouvoir russe ne pourrait s'en prendre qu'au livre. En se multipliant ainsi (le livre circulait à des milliers d'exemplaires dans toute la Russie), Boulgakov était devenu insaisissable. On oublie trop souvent que l'humour peut aussi faire sourire, et non obligatoirement déclencher le rire. Le lecteur reçoit une pareille subtilité comme une courtoisie.

> Un genre particulier aux écrivains des pays sous dictature : l'ironie d'outre-tombe.

53. L'ANGLE UNIQUE

Le récit linéaire comporte un grave risque : il va d'un point à un autre en droite ligne. Sans aucune porte de sortie. Si on trébuche sur un point du parcours, le récit flanche. Un vieil écrivain rompu à toutes les ruses de la narration peut entreprendre une pareille aventure avec succès. Sa voix est si riche qu'on pourrait l'écouter des heures sans s'ennuyer, bien que cela ne suffise pas pour faire un bon livre. Mais si on ne maîtrise pas les ficelles du métier, cela pourrait devenir une dissertation monotone. C'est mieux d'aborder une histoire sous plusieurs angles. Trois personnes racontant la même histoire avec des sensibilités différentes. Ces voix peuvent venir aussi de milieux différents. Par exemple, pour scruter la rupture dans un couple, le lecteur n'aime pas avoir un seul point de vue. C'est plus intéressant d'en présenter au moins deux. On se demande pourquoi ils sont deux quand ça va bien, mais que c'est la faute d'un seul quand ça va mal. Ce moment si charmant du début de leur relation devient brusquement intolérable. Cette insouciance qui, pourtant, apportait de la légèreté est maintenant perçue comme de l'indifférence. Souvent l'autre n'a pas changé, mais il est vu différemment. Ne pas oublier que le lecteur aime bien jeter un coup d'œil par le trou de la serrure. Soupçonnant l'âme humaine d'être complexe, il n'aime pas qu'on simplifie trop les choses en faisant porter tout le blâme sur un seul membre du couple. Un roman n'est pas un cahier à charges. Si on veut porter plainte contre une certaine forme d'injustice, vaut mieux s'adresser à un tribunal. Le lecteur n'affectionne pas trop qu'on le place dans la position d'un juge.

> Quelle est la dernière fois que vous avez lu un livre, juste pour votre plaisir, sans voir dans son auteur un rival ? Si vous avez perdu le goût de la lecture, vous ne saurez pas pourquoi vous écrivez.

54. LE LIEU

C'est d'abord l'endroit où l'on écrit. Il n'est jamais définitif. Le corps du texte est un organisme vivant. Un livre peut réclamer d'être écrit à un lieu précis, alors que l'écrivain croit avoir trouvé de façon définitive son espace de travail. Il écrit ici. Le livre, lui, veut être écrit là. Cela arrive souvent quand l'écrivain change de condition sociale. Il est tout content d'avoir enfin un espace à lui, sa place d'écrivain dans la maison. Il ne comprend pas pourquoi il ne parvient pas à écrire dans cette pièce. Il avait tant pesté contre l'inconfort qu'il ne pouvait imaginer qu'il était un écrivain de l'inconfort. Il ne peut écrire que dans le couloir, le nez contre le mur. Le bureau restera à sa place pour montrer qu'il a gagné quelques galons, mais l'écriture se passe ailleurs. Il y a des écrivains qui n'écrivent qu'en mouvement. Dans l'avion, dans une chambre d'hôtel, durant un bref passage dans une ville. Il leur faut cette sensation d'intemporalité, provoquée par la perte de territoire, pour trouver l'énergie d'écrire. D'autres doivent s'asseoir sur la même chaise bancale qu'ils stabilisent en glissant un magazine sous une des pattes. Certains doivent avoir un chat sur leur genou; d'autres, être assis près d'une fenêtre. Bien sûr, il y a ceux qui, en hiver, filent au café du coin, pour s'installer près du calorifère. Dans toute cette variété, on remarque deux types forts: les nomades et les sédentaires. Ceux qui doivent bouger pour écrire, et ceux dont les pieds s'enfoncent jusqu'au genou dans la pièce où ils ont écrit toute leur œuvre. C'est là qu'on les découvre endormis, le matin, la tête appuyée contre la table. Ces sédentaires aiment bien les sagas et les romans historiques, de ces livres qui gardent le lecteur en otage pendant des jours entiers. Les nomades écrivent de rapides chroniques, des notes de voyage, des nouvelles, de minces romans qui vous donnent l'impression de voler. Vers la fin, le nomade se sent le goût d'essayer les longs romans sédentaires qu'il a tant décriés sa vie durant, pensant que le lecteur ne le prendra pas au sérieux tant qu'il n'aura pas commis une brique de 600 pages. Un de ces livres qu'on lit sur les plages. Et l'auteur qui a réussi si bien avec ces histoires à multiples passerelles et rebondissements finit par vouloir, lui aussi, faire un de ces brefs récits qui ne tiennent que par le charme du style de son auteur. Encore une fois, rien n'est définitif.

C'est toujours préférable pour un écrivain de vivre dans une ville qu'il n'aime pas. Il pourra passer sa journée à écrire sans avoir l'impression de manquer quelque chose.

Oh la la, le chef-d'œuvre. On n'entend parler que de ce monstre dès la sortie de l'adolescence. Tout de suite après la lecture enfiévrée des romans d'aventures et des polars, on ne remarque plus qu'eux sur son chemin : Voltaire, Cervantès, Goethe, Shakespeare, Dante, Borges, Mishima, Achebe, Whitman, García Márquez, Tolstoï. Bref, les plus grands sont à portée de main. Alors au moment d'écrire, c'est à eux qu'on pense. Il me semble que *Candide* n'est pas si difficile que ça à faire. *Le Fusil de chasse* de Yasushi Inoué, si on s'y met sérieusement, on y arrivera. Dans ces récits, souvent brefs, il y a des phrases courtes, des idées claires, des personnages bien dessinés. Parce que c'est facile à lire, on croit que c'est facile à écrire. C'est là qu'on se trompe. Tout le monde n'écrit pas *Gouverneurs de la rosée*. On n'écrit pas le chef-d'œuvre, il faut laisser ce boulot au temps. C'est hors de notre portée. C'est aux générations futures d'en faire un chef-d'œuvre en s'y référant. Naturellement, la critique d'aujourd'hui est toujours pressée de déclarer tel roman contemporain un chef-d'œuvre et tel écrivain en vogue un classique. On a vu des écrivains dominer la scène de manière spectaculaire pendant des années pour disparaître un jour brusquement. Et des livres plus discrets résister au temps. Le problème est de croire qu'on peut écrire un chef-d'œuvre simplement en suivant la règle des trois unités. Un savant dosage de rires et de larmes, une écriture fine et intemporelle (on évite les néologismes), des thèmes immortels (l'amour, la mort), un ton légèrement pompeux qu'on alterne avec des manières plus directes. On entoure le tout d'un nuage artistique qui donne l'impression qu'on détient un secret. Bon, oubliez cette histoire et contentez-vous d'écrire. Il n'y a rien de plus ennuyeux que de se retrouver avec un chef-d'œuvre qu'on n'a pas envie de lire. Ni rien de plus amusant que le petit livre sans prétention qui caracole en tête sans savoir qu'il a laissé loin derrière lui toutes ces orchestrations complexes avec lesquelles on nous a cassé les oreilles pendant des années. L'exemple parfait, c'est *L'Éloge de la folie* d'Érasme. Un petit livre qu'il a écrit pour amuser son ami Thomas More en rappelant la place de la folie dans nos vies. Une façon de ramener sur terre ceux qui sont grisés par le pouvoir. Et voilà que c'est ce livre qui a traversé aisément les siècles. On le voit encore dans nos librairies, alors qu'Érasme lui-même comptait sur d'autres compositions plus ambitieuses. Je dis ça, mais dès le départ, Dante savait qu'il était en train d'écrire un livre qui pourrait résister à l'usure du temps. Tout cela pour dire qu'il n'y a pas de règles.

> Doit-on considérer un livre comme terminé quand on voit quelqu'un qu'on ne connaît pas en train de le lire ?

56. Revenir à la base

N'écrivez pas quand vous êtes fatigué. Cela ne sert à rien d'écrire quelque chose qu'il faudra jeter au panier le lendemain. C'est même déprimant. Ne croyez surtout pas que vous êtes sur la bonne voie simplement parce que vous nagez dans l'euphorie. Essayez de retrouver votre calme, vous serez alors plus lucide. Quand vous dégagez trop d'adrénaline, vous n'êtes plus capable de prendre les bonnes décisions. La frénésie doit se loger dans le rythme de votre écriture et non en vous. C'est la différence entre le roman et la poésie. La poésie enflamme. Le roman doit être mené comme une campagne militaire. On n'envoie pas toute sa cavalerie à l'attaque. Il faut se garder des forces de réserve. On ne doit jamais trop dévier de son plan initial, et cela même si on gagne certains affrontements. Retourner constamment à la base que sont le sujet et la raison du livre qu'on est en train d'écrire. Dans cette guerre du style, il faudra tenir des sièges, durant de longues journées, ce qui exigera beaucoup de patience. J'essaie de vous faire visualiser l'idée du temps. Quand on entreprend une opération qui dure très longtemps, on peut se décourager. On doit se ménager pour ne pas mener à la défaite une armée qui avait toutes les chances de gagner la guerre. À la fin de *Mémoires d'Hadrien*, son plus important roman, Marguerite Yourcenar raconte comment elle a mené ce combat (l'écriture du livre) pendant des années, sans jamais se décourager. Aujourd'hui ce prologue, dont je ne saurais trop vous recommander la lecture, fait partie intégrante du chef-d'œuvre de Yourcenar. Dans son cas, le mot est exact : son œuvre a un chef et il s'appelle Hadrien.

> Tout le problème vient du fait que l'écrivain soit devenu plus connu que le livre.

57. HOMÈRE ET L'ARGENT

Très peu d'écrivains ont écrit sur l'argent. Zola, Vallès, et quelques autres. Encore aujourd'hui, le mythe de l'écrivain pauvre continue son bonhomme de chemin. Comme si l'influence de l'écrivain dans la société était inversement proportionnelle à sa situation économique. Ce qui est assez faux. Bien sûr que, s'il est pauvre, on le laisse au moins le droit de gueuler. S'il reste pauvre, il atteint moins de gens, car la machine qui se nourrit de papier ne reconnaît que ceux qui l'engraissent. Si votre livre ne se vend pas, les libraires ne pourront pas vous garder longtemps, et cela même s'ils ont beaucoup de sympathie pour vous. C'est une question d'espace. Les livres n'arrêtent pas d'arriver et de repartir. Pour durer en librairie, il faut se constituer un lectorat. C'est là que ça se joue. Et ce jeu se joue à deux : l'écrivain qui écrit le livre, et le lecteur qui le lit – les deux extrémités de la chaîne. Le reste (l'éditeur, le distributeur, le diffuseur, le libraire, les critiques, la publicité) est important dans la mesure qu'il permet à ces deux extrêmes de se rencontrer. Ils (l'écrivain et le lecteur) ne se connaissent pas. Le livre leur sert de témoin. C'est dans l'intérêt de l'écrivain de multiplier le contact avec le lecteur. On dit le lecteur, mais il s'agit d'une multitude. Et ça fait «cling» à la caisse, ce qui permet à l'éditeur de continuer son travail. Dans le cas d'un succès de librairie, l'argent permettra de publier des auteurs plus discrets. De ces livres portés par une certaine exigence qui provoquent des vocations dans le public. Certains livres s'adressent au simple lecteur, peut-être à cause du plaisir que leur lecture procure ; d'autres touchent un public de jeunes écrivains, peut-être à cause du niveau de risque qu'ils contiennent. Ne nous pressons pas pour autant de dire qu'un livre à grand tirage ne peut être que mauvais. Je n'ai pas fait de recherches sur la question, mais il semble qu'Homère doit avoir fait un bon tirage, surtout avec *L'Odyssée* menée par le rusé Ulysse qui est tombé dans l'œil de la télé et du cinéma (*L'Iliade* n'a jamais plu du fait qu'on ne peut pas faire reposer un film sur une tête brûlée comme Achille). Platon : pas encore de film malheureusement, mais ses bouquins marchent bien aussi. Villon a du succès, enfin pour de la poésie. Horace est en baisse aujourd'hui, mais il va remonter le courant. Même Kant vend, et Dieu sait qu'il est difficile, le bougre. Vous voyez, l'équation grand tirage et médiocrité ne tient pas toujours la route. (Bien sûr que les étudiants y sont pour quelque chose. Les mauvaises langues n'hésitent pas à dire qu'un classique, c'est un écrivain lu par des gens – les étudiants – qui sont forcés de le lire. Je voulais simplement faire remarquer que grand tirage ne rime pas forcément avec médiocrité, surtout à une époque où le lectorat s'est considérablement élargi.)

> Dans ce magazine de l'aéroport, je tombe sur une interview d'un chef cuisinier, et je me reconnais dans ce qu'il dit à propos de son métier.

58. L'ARGENT ET MOI

Je voudrais revenir à l'argent lui-même, le métal jaune, celui qui permet d'inviter les copains à prendre un verre sans trop se ronger les sangs. J'ai connu la misère, mais je n'ai aucune nostalgie d'elle. Elle n'a pas été gentille avec moi, donc je ne ferai pas son éloge. Pourquoi, puisque n'importe qui a droit à un minimum de confort, dès qu'un artiste ne se tracasse pas la tête pour payer son loyer, ses propres confrères l'accusent-ils d'écrire moins bien? C'est possible qu'il écrive moins bien, car un individu normal ne porte en lui que trois ou quatre bonnes histoires, mais cela n'a rien à voir avec le fait qu'il se fait un peu de fric. Beaucoup de gens qui gagnent mieux leur vie que certains artistes sont les premiers à opiner à propos de l'argent de l'écrivain. L'écrivain lui-même se livre à de tels raccourcis : on remarque souvent dans ses livres un lien entre argent et corruption. Je connais des pauvres à qui il ne manque que l'occasion pour se corrompre. La corruption n'a pas besoin de beaucoup d'argent en mouvement pour se manifester. Entendons-nous, je sais bien que l'argent provoque des émotions étranges sur son passage, d'où la place centrale faite à l'héritage (l'argent de la vieille) dans les romans du XIXᵉ siècle européen. Trêve de philosophie. Je veux simplement signaler au jeune écrivain à qui je parle depuis un moment de ne pas chercher à diaboliser l'argent quand il est pauvre, car il aura du mal à se relire si l'argent rentre un jour. *Le Capital* de Marx, vous savez, a rapporté beaucoup de fric à ses héritiers. Il faut regarder froidement cet argent et l'utiliser avec lucidité.

> J'ai appris à rêver en regardant tomber la pluie durant mon enfance. Encore aujourd'hui, je deviens tout fébrile quand il pleut.

59. LE VAUDOU AU PRÉSENT

Sujet difficile à traiter parce que surexposé. Chacun a son avis là-dessus, même ceux que ça n'intéresse pas – ils en ont au moins peur. C'est comme un plat national qu'on peut passer sa vie à consommer sans risquer pour autant une overdose. De toute façon, il y a toujours mille et une façons de l'apprêter. L'important, c'est que le vaudou soit assez riche pour être regardé sous divers angles. On peut le prendre dans son sens sacré comme dans son sens profane. On n'est pas obligé de l'utiliser uniquement pour défendre son identité. Ni de l'aborder comme un adepte. Le narrateur peut le contester ou l'accepter, cela dépend de ses croyances ou de l'utilisation qu'il prévoit en faire.

Sa foi n'est pas non plus assujettie à celle de l'auteur (toujours revenir à cette donnée de base : le narrateur n'est pas l'auteur). Ce qui est intéressant dans le vaudou, c'est le fourmillement de dieux, de rythmes et de codes. Il y a une aussi une trame secrète. De la même manière que les Occidentaux ont utilisé pendant si longtemps les dieux grecs (des millénaires) qu'ils ont fini par les faire entrer dans la psyché universelle. Des dieux comme Zaka, Legba, Ogou et les deux Erzulie (Erzulie Dantor et Erzulie Fréda Dahomey) intriguent dans un univers virtuel afin de faire sentir le poids de leur pouvoir dans notre monde réel. Des dieux portant des noms de deux syllabes finissent toujours par s'imposer en littérature. Leur fonction est très définie, comme l'est leur place dans le panthéon, et comme ce fut le cas pour leurs confrères grecs. Si les dieux grecs sont, à mes yeux, des dieux du jour, ceux du vaudou qui me visitent en rêve sont donc des dieux de la nuit. Si j'utilise ces noms (Legba, Zaka, Ogou), c'est d'abord parce que j'aime leur sonorité vaguement japonaise. Legba est mon favori – il se retrouve dans la plupart de mes romans à cause de sa posture moderne. Il est le dieu qui se tient à la frontière du visible et de l'invisible. Celui qui vous ouvre la barrière si vous cherchez à passer d'un monde à un autre. C'est lui le dieu des écrivains. Erzulie aussi me plaît, par son audace : une femme qui occupe pareille position à une table d'hommes puissants. Elle a sa cour, ses rites. Elle est furieusement indépendante. Ce n'est pas une vierge comme Marie, et elle n'attend pas tranquillement qu'on l'aborde. Sa sexualité n'est pas établie, car elle couche autant avec les hommes qu'avec les femmes. Sa modernité d'allure et sa liberté sexuelle ouvrent des possibilités infinies aux rapports entre les humains si on accepte de la sortir de la sphère sacrée où on l'a toujours gardée.

J'aimerais voir comment elle se débrouillerait dans la vie quotidienne et quel serait l'impact de son comportement libertin dans une société plus conservatrice. La manière d'introduire le vaudou dans les romans me paraît à la fois intempestive et pédagogique. Pas besoin de développer une thèse ni de faire entendre un roulement de tambour chaque fois qu'un dieu pointe son nez. On n'a qu'à le présenter comme on le ferait avec n'importe qui : Zaka, voici Gérard ; Gérard, c'est Zaka – son pouvoir est ailleurs. Ce sont des personnages si nettement dessinés que leur universalité semble une évidence. Si on veut les garder en vie, il faut s'amuser à leur faire porter d'autres masques. Sinon, ces dieux vont mourir tout doucement. Bon, les croyants voient différemment les choses, mais on ne doit avoir peur d'une confrontation entre art et religion. J'attends de voir apparaître un jeune écrivain qui tutoiera les dieux sans crainte de représailles. Et cela n'a rien à voir avec une dénaturation. Le vaudou appartient à tout le monde – aux croyants comme aux artistes non croyants, à ceux qui sont nés dans le pays comme à ceux qui viennent d'ailleurs. On doit faire fructifier un tel héritage. Sinon on va laisser toute la place à Hollywood avec ses clichés stupides, et aux vendeurs de poupées vaudou qui, pour faire du fric, ont inventé quelque chose qu'on n'a jamais vu dans le vaudou. J'ai toujours rêvé d'une série de portraits des dieux vaudou par Basquiat. Son regard aurait pu les rendre plus accessibles aux jeunes.

N'abusez pas du mystère dans ce monde où il y a déjà trop de gens crédules.

60. LA DISTANCE

Il est recommandé de garder le texte au frais un moment. À force de le corriger, on perd toute objectivité. On ne distingue plus ce qui est bon de ce qui est mauvais. On n'a aucune distance. On le met au fond d'un tiroir pour le reprendre deux mois plus tard – au moins. Entretemps, on essaie de penser à autre chose. On laisse travailler le temps à notre place. En le reprenant, il arrive qu'on en découvre instantanément les défauts. Ces défauts viennent parfois du fait qu'on a voulu garder trop longtemps un personnage secondaire qui nous est sympathique, mais qui nous a obligé à jouer dans la mécanique du récit. Ou une page trop belle pour la jeter. Elle est peut-être belle, mais elle crée des problèmes. Il faut se résigner à l'enlever, ce qu'on n'a pas voulu faire avant. On a préféré tripoter dans le moteur du récit jusqu'à tout bloquer. La distance permet surtout de voir les points faibles et de les renforcer. De couper dans les trop longues digressions. Et d'appliquer une nouvelle couche, uniquement à force de corriger par-ci par-là, d'ajouter une phrase ici et là, de simplifier une idée biscornue ou de raffiner une formule trop primaire. Le cas le plus étonnant de manque de distance est celui de Norman Mailer. Mailer, on se souvient, avait écrit un énorme roman (*Les nus et les morts*) sur la guerre de Corée. Ce premier roman écrit à vingt-cinq ans l'avait tout de suite placé parmi les écrivains américains les plus importants de son époque. Il a voulu récidiver avec un roman sur la guerre du Vietnam (*Pourquoi sommes-nous au Vietnam ?*). Il a écrit les premiers chapitres et, pendant des années, il a voulu continuer le livre, mais n'a pu y ajouter un seul paragraphe, jusqu'à ce qu'il découvre, un jour, que le roman était terminé. Dans *Pourquoi sommes-nous au Vietnam ?*

(il a gardé le titre), il n'y a aucune mention du Vietnam, sauf à la dernière ligne où Mailer se pose l'angoissante question sur laquelle repose le livre. Malgré tout, on sent que c'est cette énergie primitive, cette brutalité constante, cette absence de garde-fous dans la vie ordinaire qui finit par déboucher sur la guerre du Vietnam. On comprend que si Mailer avait relu son manuscrit avec objectivité, il aurait vu plus tôt que c'était terminé. Au lieu de cela, il est resté avec l'idée d'un roman-fleuve. Il ne l'a jamais vu pour ce qu'il était réellement : un roman maigre.

Qui aura le courage de nos jours, quand on ne sait rien de l'avenir du livre lui-même, d'écrire un texte en exigeant qu'il ne soit publié que vingt-cinq ans après sa mort ?

61. L'ACCUMULATION

Un texte riche est fait de nombreuses couches superposées. Si les mots sont à la surface, on doit sentir toute une vie au fond – contrairement au texte journalistique qui reste souvent dans l'immédiat. Le lecteur du journal n'est pas celui du roman, même s'il s'agit de la même personne. L'un est pressé tandis que l'autre semble avoir tout son temps. On lit vite son quotidien avec un café noir. Un bon roman est conçu pour ralentir ce rythme survolté. Entre les strates, il y a des silences. C'est important d'aménager dans cette architecture des espaces agréables, comme des parcs où le lecteur vient réfléchir et rêver. Chaque fois qu'on laisse reposer le texte et qu'on le reprend, on ajoute une couche nouvelle. À un moment donné, cette accumulation crée quelque chose qui nous dépasse. Cette somme d'émotions produit une sensibilité nouvelle. Brusquement, c'est l'inattendu. Cet univers est trop riche pour qu'on le résume aisément. On peut alors dire qu'on tient un livre en main. Veillez à ne pas trop le surcharger. Quand je dis que la disposition du lecteur de journal n'est pas pareille à celle du lecteur de roman, je pense au début du livre d'Italo Calvino *Si par une nuit d'hiver un voyageur*. Calvino explique, dans ce début mémorable, dans quelle ambiance doit se trouver le lecteur avant d'entamer son roman. On ne parle pas ici de disponibilité intellectuelle, mais de l'ambiance physique. On ne lit pas un roman entre deux portes. Il faut vous installer près de la fenêtre, et avoir du temps devant vous, car vous allez commencer le nouveau roman d'Italo Calvino.

> Un lecteur, c'est quelqu'un qui n'arrive pas à finir une lettre de sa mère, mais dévore 600 pages de quelqu'un qu'il ne connaît pas.

62. C'est votre opinion ?

Je sais bien qu'on aime la discussion. Quelqu'un n'a qu'à émettre une opinion un peu controversée pour que tous les regards se tournent vers lui. On veut lui répondre. C'est urgent. Où est l'urgence ? Pourquoi tant de précipitation quand toutes ces paroles irréfléchies vont s'évaporer dans l'air avant la fin de l'après-midi ? C'est toujours mieux de rentrer en soi-même pour chercher une pensée autonome. Bien sûr que cette idée ne naîtra pas d'elle-même, mais elle aura le mérite de ne pas tenter de répondre, dans l'immédiat, à une autre. Elle aura été pesée, méditée, et appréciée pour ce qu'elle est, et non par rapport à une autre. Apprendre à réfléchir hors de toute confrontation. Je ne dis pas qu'il faut se taire en public, mais il est évident que le goût de convaincre nourrit ces conversations impromptues. Et à trop accorder d'importance à ces joutes verbales, on devient membre, sans le savoir, d'une meute. Ces conversations dont le seul intérêt est d'épier l'autre, ces discussions épuisantes et vides, ces palabres qui ne mènent à rien (ça, je ne suis pas contre), c'est sur un tel fumier que poussent les tics de langage, les modes et les attitudes qui définissent une époque. On se croit original, mais on n'a qu'à tomber sur une photo qui date d'à peine une vingtaine d'années pour découvrir, ahuri, qu'on est pareil aux autres, strictement pareil. Ce serait intéressant de noter (sans oublier de mettre la date) dans un petit carnet toutes les opinions entendues aujourd'hui (pas besoin d'attribuer les comportements et les opinions à quelqu'un en particulier) : cela nous donnerait, plus rigoureusement qu'un relevé de météo, le climat intellectuel de notre époque.

On peut bien réfléchir seul, mais pour bien comprendre ce qu'on a pensé, il vaut mieux en discuter avec un autre.

63. Les amis

Dans le cas d'un premier roman, on n'est jamais seul. Les amis nous entourent. Ils connaissent tous les recoins de l'histoire jusqu'à avoir l'impression qu'elle leur appartient. Il arrive qu'on glisse de petits portraits d'eux dans le livre. Ils en sont fiers. Ils trouvent ça drôle, et vous devenez leur idole. Certains soirs, ils se paient votre tête, mais dès le lendemain, ils s'excusent et vous font savoir tout le respect qu'ils vouent à votre livre. C'est juste un manuscrit, mais pour eux c'est déjà un livre. Ils vous comparent à chaque nouvel écrivain qui apparaît sur la scène littéraire – et toujours à votre avantage. Vous découvrez, quelque temps plus tard, avec un certain étonnement d'ailleurs, que tous ces compliments vous retardent au lieu de vous aider à avancer. Vous voilà devant un mur, et il vous faut autre chose que la chaleur de l'amitié pour progresser. Vous remarquez qu'il n'y a personne autour de vous avec qui discuter vraiment le coup. Surtout le trou noir. Vous sentez le besoin de plus en plus impérieux de rencontrer des gens qui connaissent le métier et qui savent combien c'est devenu difficile, pour ne pas dire impossible, de se faire publier. Disons-le carrément, vous êtes perdu – tout seul, vous n'y arriverez pas. Vous en avez marre de vous faire flatter, vous avez besoin de savoir la vérité sur votre travail, sur votre métier, sur la vie. Il vous faut dialoguer avec quelqu'un en mesure d'évaluer la chose. Mais vous ne connaissez personne. Vous comprenez qu'il vous faut terminer le roman, l'envoyer à un éditeur (souvent des éditeurs), qui va soit le refuser (dans la grande majorité des cas), ou vous demander de le réécrire sous sa supervision (on ouvre le champagne), ou vous offrir de le publier avec enthousiasme (on sort nu dans la rue). Et là, on tombe en pleine campagne militaire : d'abord la presse, puis la librairie, enfin le lecteur. Quelle histoire! Vous avez compris que pour y parvenir, il faut quitter l'espace protégé de la famille et des amis. Sinon, vous ne réussirez pas à imposer votre voix. Ah, tous ces gens qui veulent faire entendre leur voix. Ce qui vous manquait jusqu'à maintenant, c'était de la lucidité. Une certaine distance. Mais à qui vous adresser puisque votre livre n'est pas terminé? On ne doit pas croire que tous les écrivains agissent ainsi. Il y a différentes catégories. À l'autre extrême, il y a les silencieux. Celui qui écrit son roman en secret. Et un vendredi soir, ses amis ouvrent la télé pour le découvrir en train de discuter de son premier roman. «Ainsi donc ce fainéant, toujours en pyjama, était un petit génie!» lance la mère de l'un d'eux.

C'est un métier où l'on reste actif longtemps après sa mort. Dans le journal d'aujourd'hui, on annonce un inédit de Dumas.

64. L'écrivain raté

Disons-le, l'écrivain raté, c'est celui qui voit son livre partout. Il passe son temps à éplucher les critiques dans les journaux afin de découvrir tous ceux qui copient son style, qui pillent dans son manuscrit des idées, une tournure, une couleur. Rien ne lui échappe. Bref, son livre est partout, mais on ne voit son nom nulle part. Cela fait quinze ans qu'il envoie son manuscrit à tous les éditeurs (petits et grands) de la place. On ne lui répond même plus. Que constate-t-il? Ces éditeurs ne font que refiler son manuscrit à leurs écrivains-vedettes, en panne d'idée et d'énergie, pour qu'ils le pillent et prennent ainsi sa place dans les librairies, dans les médias, et dans la considération des lecteurs. Bien sûr, il y a des moments où ses amis doivent admettre qu'il dit vrai. Par exemple, cette brûlante histoire d'amour au cœur de son manuscrit : que voit-on dans le roman d'Untel? Une histoire d'amour semblable. Un professeur marié depuis vingt ans (avec trois enfants, je précise) quitte sa femme pour une de ses étudiantes : c'est tel quel dans son manuscrit depuis la première version. Impossible que ce soit une coïncidence. Tous ces détails (professeur, marié, trois enfants, étudiante) laissent songeurs. Ses amis le prient de réagir, d'autant plus que le livre caracole en tête des ventes, et qu'on parle de film, de prix. Si ce n'est pas du vol, c'est de l'abus, c'est sûrement un crime, ça n'a pas de nom. Il écrit une lettre rageuse à l'éditeur pour demander réparation. Il a pris soin de laisser une fenêtre ouverte : il accepte de faire silence si on publie son livre en mettant le même soin à son succès. L'éditeur n'a pas jugé bon de lui répondre. Il téléphone au critique qui a le plus louangé le livre. Ce dernier l'écoute un bon moment pour finalement lui dire qu'il n'y a là aucune preuve de plagiat, car : « monsieur, votre livre n'est pas publié ». Il lui fait savoir, en élevant la voix, qu'il a des preuves que son manuscrit a été envoyé à cet éditeur précisément. Quand ? Il y a quinze ans. Il entend alors ce petit rire qu'il ne pardonnera jamais à ce critique qui était à ses yeux compétent et honnête. « De toute façon, conclut le critique, je ne peux rien faire pour vous, j'ai déjà trop à faire avec les livres publiés. » Ces mots, « livre publié », c'est pire qu'un couteau qu'il lui enfoncerait dans le cœur. L'écrivain prend un avocat qui lui fait comprendre que ce sera très difficile à prouver. Il ne voit pas ce qui est difficile : prof, marié depuis vingt ans, trois enfants, jeune étudiante. « Je vois, dit l'avocat, mais ça risque de vous coûter cher et je ne suis pas sûr du résultat. » Il appelle l'éditeur pour lui dire qu'il a un avocat maintenant et qu'il sera obligé de lui répondre, mais la secrétaire, qui a reconnu sa voix, l'éconduit. Il tourne en rond dans sa chambre. Il n'a plus qu'un seul sujet en tête, ce qui trouble ses amis. Il se brouille avec eux. Finalement, il décide de passer à l'attaque. Partout où l'écrivain doit prendre la parole, il se pointe et fait un scandale. Il l'accuse publiquement de plagiat, de vol, de crimes de toutes sortes. Comme les gens n'étaient pas venus l'entendre, les gardiens de sécurité le forcent à quitter la salle. Il se bat avec eux. Il revient, se fait de nouveau jeter. Le voilà seul dans sa chambre. Il finit par ouvrir le livre de l'auteur incriminé. Il le lit, pense un moment à se procurer un revolver, mais choisit de déchirer le roman avant de s'endormir. En fait, il n'avait pas dormi depuis presque trois mois. Beaucoup plus que d'un roman, il avait besoin d'une bonne nuit de sommeil.

Il y a quelqu'un que vous devez absolument convaincre de votre talent, et il se trouve dans cette pièce où vous vous croyez seul.

65. CORRESPONDANCE

Je me suis toujours demandé ce que deux grands écrivains pouvaient se dire. Surtout à propos du style, une chose si intime. Et voilà que je tombe sur cette lettre de Stendhal à Flaubert, datée du 30 octobre 1840 : « Je cherche à raconter avec vérité et clarté ce qui se passe dans mon cœur. Je ne vois qu'une règle : être clair. Si je ne suis pas clair, tout mon monde est anéanti. » J'ignore ce que Stendhal entendait par « vérité et clarté », car je suis sûr que les mêmes mots dans la bouche d'un Malraux auraient un sens différent. Je suis ému de savoir que Stendhal a voulu confier de pareilles angoisses à Flaubert. On se demande comment une lettre qui semble presque banale peut se terminer par un rugissant « monde anéanti ». On comprend alors que ce n'était pas que des mots. Stendhal jouait sa tête. Mais ce qui m'a le plus touché, c'est la date du 30 octobre 1840. J'aimerais pouvoir reconstituer entièrement cette journée afin de retrouver, dans toute sa fraîcheur, le moment où Stendhal a ouvert ainsi son cœur à Flaubert.

Pourquoi je me sens si proche, ce soir, d'un poète mort depuis longtemps? Si la poésie fascine encore, c'est parce qu'elle fait triompher l'émotion du temps.

66. Un objet intriguant

Il faudrait réactiver cette chose délicieuse qui consiste à réfléchir. sans se croire obligé d'accrocher au bout de sa pensée une opinion. Nous n'arrêtons pas d'opiner, et cela fait un bruit exaspérant. On devrait se lever tôt le matin et, sans quitter son lit, se mettre à rêver doucement sur un sujet qui vient de quitter l'actualité sans avoir été résolu. On tenterait alors de l'examiner sous plusieurs angles comme s'il s'agissait d'un objet intrigant, trouvé dans un tiroir, dont on n'arrive pas à déterminer l'utilité.

On éteint, une à une, les petites lumières de notre cerveau jusqu'à atteindre l'obscurité totale, car ce dont on a le plus besoin en ce moment, c'est de ne plus penser.

67. L'amer et le sucré

Est-on ainsi depuis toujours ou est-ce possible de changer en cours de route? Qu'est-ce qu'on gagnerait à devenir sucré alors qu'on est amer? Je viens de lire dans le magazine des libraires du Québec une interview qu'Henri Vernes, quatre-vingt-quatorze ans, a accordée à Stanley Péan et où l'auteur de Bob Morane continue de poursuivre son compatriote belge, Hergé, l'auteur de Tintin, de sa haine tenace – tout en évitant bien sûr de trop se dévoiler. À une question qui impliquait les deux plus célèbres personnages de la littérature jeunesse belge (Bob Morane et Tintin), Vernes répond calmement : « Si vous voulez vraiment mon avis, Tintin s'est vite démodé ; il n'y a jamais de femmes. Vous m'excuserez si ça vous choque, mais, malgré son succès, je trouve Tintin très quelconque. » Il faut dire que durant sa longue vie, il a dû souvent entendre parler d'Hergé. Et même après la mort de ce dernier (il y a près de trente ans), cela a continué de plus belle. Peut-être qu'à un certain moment, Hergé, lui aussi, a été agacé par le succès de Vernes. Mais il est clair que Tintin est une figure plus universelle que Bob Morane qu'il est mal vu de lire après l'adolescence. Tintin, c'est de sept à soixante-dix-sept ans, comme le dit la publicité, qui n'est pas, cette fois, mensongère. Aujourd'hui, Vernes continue seul sa guerre contre Hergé. Et je me suis demandé si ce n'est pas ce sentiment, si noir et dense que rien ne peut l'altérer, qui lui a permis de survivre physiquement à son vieux rival. L'amer sied-il mieux à un artiste que le sucré ?

> Employer un style presque banal quand il s'agit de raconter une tragédie finit par frapper plus fortement l'imagination du lecteur que ce ton emphatique généralement utilisé dans un pareil cas.

68. LE GRAND ÉCRIVAIN

Quelle étrange expression ! *Legrandécrivain.* Cela voudrait-il dire qu'il ne peut plus rien écrire de mauvais ? Il sait bien qu'il est impossible d'écrire quoi que ce soit sans cette angoisse qui prend la forme d'une petite boule dans sa poitrine. Il n'y a pas d'écrivain zen. On peut faire semblant de l'être. Celui-là oublie la raison qui l'a poussé à vouloir si ardemment exprimer ce qui le ronge. Dire son rapport au monde. On parle beaucoup du lien qui unit l'écrivain au lecteur, mais il arrive qu'écrire soit un monologue aussi. L'écriture permet de le faire sur une longue période. Un tête à tête qui peut durer des années sans qu'on cherche à vous passer de force une camisole. On n'écrit pas seulement pour impressionner l'autre. On le fait parfois pour mettre un bémol sur cette «passion de soi» qui nous aveugle. Pour régler le problème, on plonge encore plus profondément en soi. On n'en finit pas d'être avec soi-même. À force d'avoir conscience de soi, on devient un monsieur ou une dame. Legrandécrivain ou *lagrandedamedeslettres*. Qu'est-ce qui se passe quand ça arrive? Rien. On vous demande de faire des préfaces pour des collections de luxe ou des catalogues d'exposition. Des conférences pour un public choisi dans les salons des quartiers huppés. Tout ça bien rémunéré. C'est ainsi que votre éditeur espère vous garder dans sa maison. Vous devenez une garantie de qualité, ce qui fait que vous êtes de moins en moins lu. On vous impose aux adolescents du baccalauréat, qui ont d'autres chats à fouetter ou qui s'intéressent aux écrivains qui traduisent leur époque. Ils vous lisent en diagonale, vous citent à table quand il y a des invités, ce qui fait plaisir à leur père, mais vous évitent soigneusement. Les écrivains contemporains ont peur de vous, car votre parole vaut encore quelque chose auprès de certains critiques influents et de quelques professeurs de littérature devenus libraires. La génération qui vous suit n'attend que votre mort pour mieux respirer. Tout le monde semble vous connaître. Dès qu'il s'agit de littérature, on vous cite. Votre nom a fini par pénétrer dans des zones où la littérature n'est pas plus connue que la physique nucléaire. Les gens vous saluent bien bas dans la rue en vous donnant votre titre de grand écrivain.

Et passent leur chemin. Vous ont-ils lu? Ils répondent oui et vous citent même un titre ou deux. Vous savez que non, car les préfaces aux œuvres classiques vous rapportent plus que vos livres. Et Dieu sait que vous en avez écrit. Les gens ne vous racontent plus leur vie, ils s'intéressent plutôt à la vôtre. En journalisme, on dit qu'un reporter qui devient la nouvelle doit démissionner. Un écrivain peut-il démissionner? Quitter son poste? Tant qu'il y aura un seul lecteur pour se souvenir de vous, vous serez de service. Et cela, même si vous n'avez écrit aucun livre digne de ce nom depuis plus de vingt ans. Vous ne pouvez rien faire d'autre à part attendre le Nobel qui ne viendra peut-être pas. Mais vous commencez à y penser, malgré vous, depuis que cette vieille femme, croisée dans la rue, vous a dit qu'elle croyait que vous méritiez le prix Nobel. Elle ne vous a jamais lu, c'est ce qui fait d'ailleurs la crédibilité de son jugement. C'est une parole qui vient d'en haut. En effet, votre nom flotte dans l'air depuis un moment, et on commence à le respirer. On parle de vous un peu partout, même dans les milieux politiques. Cela finira par atteindre les oreilles du jury du Nobel. Certaines personnes sont farouchement contre, ce sont pour la plupart des écrivains de votre génération. Ils s'épuisent à démonter pièce par pièce votre œuvre. Le public, qui a fait son choix, les traite de jaloux. Ils finissent par se taire. Plus d'opposition, plus de bruit autour de vous. Votre nom glisse dans l'anonymat, pour réapparaître un matin en première page. Crise cardiaque survenue hier soir, après le souper. Legrandécrivain laisse derrière lui son chat et une œuvre abondante. Dernier coup vicieux: vous mourez le jour où votre pire ennemi publie ce grand livre sur lequel il travaille depuis trente ans. Cette fois encore, il devra attendre.

N'espérez pas devenir un écrivain sans vanité, car ceux qui ont tenté le coup sont devenus, au mieux, des mystiques.

69. Un vif plaisir

Il faut arrêter d'écrire dès qu'on a sommeil. C'est le signal que l'esprit veut se reposer. On ne pourra plus rien tirer de lui, têtu comme il est. On ferme les volets. On éteint la télé, la radio, tous les bruits ambiants. On essaie de ne penser à rien. Juste des choses concrètes reliées à des sensations. J'ai l'habitude, pour faire la sieste, de remonter à ma prime adolescence. J'allais pêcher, avec mes cousins, des crevettes, dans la petite rivière, derrière le cimetière. Une fois, une petite anguille s'est enroulée autour de ma cheville. Une sensation si étonnante qu'elle m'habite encore. Je me sens tout à coup submergé par les mille nuances de ce vif plaisir niché au fond de ma mémoire et que j'aimerais bien glisser dans ce livre.

Ne cherchez pas à convaincre, mais à séduire.

70. Le roman de l'année

J'ai envie de regarder l'année comme si c'était un vaste roman. Ce roman, qui nous rappelle les grands romans russes du XIXe siècle et dont la lecture durerait 365 jours, commence généralement dans une cavalcade de naissances pour se terminer par une chevauchée de morts. Les journaux ont pris la bonne habitude de publier les visages des premiers bébés de la nouvelle année. Ces visages éblouissants qui vont illuminer la nuit polaire et qu'on verra dans les parcs au printemps prochain forment un premier chapitre ensoleillé. Mais les médias, électroniques surtout, ont pris la mauvaise habitude de terminer le roman, vers la fin de décembre, avec un chapitre où on ne voit que des morts célèbres alors que la fonction première de la mort, c'est de nous rappeler que nous sommes anonymes et éphémères. Si on naît en janvier dans ce roman de l'année, on ne peut que mourir en décembre. Tout se passe donc entre janvier et décembre. Entre naissance et mort. Unité de temps et de lieu. Je veux rester dans cette littérature russe du XIXe siècle parce qu'avec ces trois écrivains (Tolstoï, Dostoïevski et Gogol), je trouve la matière qui compose ce grand roman de l'année. Comme chez Tolstoï, c'est un roman où le paysage influence les personnages beaucoup plus qu'ils ne le croient. Tolstoï est l'un des premiers à avoir remarqué que l'être humain est structuré par le paysage. Nous n'agissons pas, nous réagissons face aux saisons. L'être humain qui se croyait le personnage central doit reconnaître qu'il n'est qu'un arbre de plus dans le paysage – un arbre qui marche. Et la seule façon pour lui de reprendre les commandes, c'est de se constituer en foule. Selon Tolstoï, le personnage déterminant, c'est le peuple, le seul capable de provoquer un changement dans le paysage. Et pourquoi? La souffrance, répond Tolstoï. Le moteur de l'histoire, c'est le malheur des petites gens. L'historien Pierre Miquel, auteur de *La Grande Révolution*, le dit nettement: «L'histoire n'est pas l'histoire des grands, ceux qui font l'histoire, mais celle des petits, des oubliés, qui la subissent. Parce qu'elle est faite de leurs malheurs». Quand les médias ne font que montrer, à la fin de l'année, les visages des morts célèbres, ils passent à côté du vrai roman. Quant à Dostoïevski, il nous fait pénétrer dans une zone impalpable, celle des névroses individuelles, des meurtres ordinaires, des petits crimes de la vie quotidienne qui finissent par faire, à la fin de l'année, une hécatombe. Si Tolstoï nous présente la forêt, Dostoïevski, c'est le bûcheron qui coupe les arbres, un à un, et à la hache. On entre dans une nouvelle année, comme dans un nouveau roman, avec toute notre candeur de lecteur curieux et attentif sans savoir ce qui nous attend. Avec Dostoïevski, on quitte le paysage extérieur avec ses grands espaces pour pénétrer dans une zone autrement plus étrange : le paysage intérieur de l'arbre humain. Tous les sentiments sont exacerbés : l'amour, la jalousie, le pouvoir, la compassion, l'envie, la haine, la guerre, la joie. Et tout cela se passe sans que l'ordre des saisons soit touché. On peut aimer ou tuer, le printemps viendra toujours après l'hiver. Une telle sérénité du paysage face à l'incessante agitation de l'arbre humain aurait dû lui souffler à l'oreille qu'il n'est pas le sujet principal du roman, mais l'homme semble incapable d'humilité. C'est peut-être ce qui l'a aidé à survivre dans cette jungle. C'est à ce moment qu'arrive le troisième larron russe : Nicolas Gogol. Désespéré de n'être pas le sujet principal du roman, Gogol va y introduire l'élément folie, cette capacité de devenir un autre – ou un nez. Gogol remarque que l'esprit humain ne s'arrête pas uniquement aux sentiments, même aussi exacerbés que ceux des personnages de Dostoïevski. L'esprit permet au personnage de s'évader. Il lui permet d'imaginer un monde plus conforme à ses rêves. Mais là encore, la réalité des saisons le rattrape, car sans manteau, le personnage de Gogol meurt de froid et Gogol, lui-même, bascule dans la spiritualité débilitante. Il y a des forêts qui se contenteraient bien de ces trois arbres à la fois, si semblables et pourtant si différents.

> La position du penseur de Rodin est la pire pour
> réfléchir, et c'est elle qui nous a fait croire qu'on
> ne peut penser qu'en effaçant le paysage autour
> de soi.

71. Un puissant lecteur

C'est souvent à l'adolescence, une adolescence qui va
jusqu'à vingt-cinq ans dans mon cas, qu'on lit avec le plus
de ferveur. On n'a pas peur d'affronter les monstres. On
dévore pêle-mêle *Don Quichotte* (Cervantès), *La Montagne
magique* (Thomas Mann), *Les Affinités électives* (Goethe),
les dialogues de Platon, quelques pièces de Shakespeare,
Fictions de Borges, des curiosités littéraires éparpillées dans
des malles, *Les Trois Mousquetaires*, quelques Balzac et
Zola, Lezama Lima, Cortázar, Dante (oui), Hemingway,
surtout Steinbeck, Salinger, Jorge Amado, Italo Calvino,
une flopée de poètes parmi lesquels Neruda et T.S. Eliott.
On s'arrête à quelques mystiques pendant un moment.
On a honte de trouver tant d'intérêt au *Prophète* de
Khalil Gibran. On n'arrive pas à terminer un seul livre de
Virginia Woolf. On est impressionné par l'*Hadrien* de
Yourcenar. On adore *Candide*. On n'aime que *Paris est
une fête* d'Hemingway – ses autres livres nous tombent des
mains. On se lance dans une danse endiablée en refermant
Cent ans de solitude. On ne comprend pas tout ce raffut
autour de *L'Étranger* de Camus. On évite comme la peste
ces Nordiques blafards (Ibsen et Strinberg). On reste longtemps chez les Russes (Boulgakov, Maïakovski, Lermontov,
et même Gorki). Finalement, on passe la majeure partie
de son temps à lire, ce qui fait de nous un lecteur capable
d'avoir une opinion sérieuse à propos de ce Tolstoï qui
nous habite tant, tout en nous ennuyant tellement quand

il dérape dans ses délires mystiques. Trente ans plus tard, on n'a plus la même forme. On ne lit plus de livres sérieux, juste ceux dont on parle dans les journaux. Si on les lit, c'est pour en parler dans les cafés ou au bureau. Et nos commentaires ne valent pas tripette, parce qu'on est devenu un lecteur mou en réflexion, mais dur en opinion. Moins on sait lire, plus durement on juge. On ne sait plus entrer dans un livre. On en parle de l'extérieur : on aime ou on déteste. Comme si ça faisait quelque chose au livre qu'on l'aime ou pas. Il ne nous entend pas. Allons-nous enfin comprendre qu'il ne s'agit pas du livre, mais bien de nous. Quand on lit, on est lu. Le livre, lui, est déjà ailleurs, dans d'autres mains.

> Prenez un livre qui compte pour vous. Lisez-le. Ne le lâchez pas avant de l'avoir terminé. Vous jouez ici votre tête de lecteur.

72. LE LIVRE SUR MESURE

Afin de donner bonne conscience au lecteur paresseux, Pennac lui dit de laisser tomber un livre qui ne l'intéresse plus. L'argument, c'est qu'avec tant de livres qui vous attendent, pourquoi perdre votre temps avec celui-là ? Un écrivain pourrait dire la même chose : tant de livres sont déjà écrits, pourquoi perdre mon temps à écrire celui-là ? Si c'est Kafka qui le dit (et il l'a dit), on est cuit ; si c'est Shakespeare qui le dit (il se cache encore), on est fait ; si c'est Platon qui le dit (les idées ne sont pas de lui, mais de Socrate), on est mort. Pennac parle comme si le lecteur avait besoin de sa bénédiction pour jeter un livre. Il y a bien sûr les confessions que l'on chuchote à un écrivain connu, après lui avoir fait tant de compliments, durant une séance de signature : « Monsieur, j'ai honte de n'avoir pas terminé tel livre ». C'est souvent Joyce ou Proust. On est si fier à ce moment-là d'avoir supplanté Joyce, dans l'esprit de cette lectrice, qu'on sourit : « Madame, laissez tomber Joyce s'il vous emmerde ». Et l'autre insiste, car elle a l'attention de la star : « Mais je me sens coupable… C'est un si grand écrivain. » Et la vedette du jour de caresser un moment la main de la lectrice en ajoutant : « On ne devrait jamais se sentir coupable. » Faux. Faux. Faux. On se sent constamment coupable, et ce n'est pas parce qu'on est judéo-chrétien. Je ne parle pas de ces choix cruciaux à faire entre tuer et ne pas tuer, trahir et ne pas trahir, avoir un enfant ou pas ; je parle de toutes ces petites tracasseries qui parsèment notre vie quotidienne. Du genre : je termine ce livre ou pas ? Bon, on le laisse tomber. On en prend un autre qui se révèle bien pire, et on le lance par la fenêtre. Si ça continue, ce ne sera plus un livre qu'on jettera, mais la lecture elle-même. C'est à cause de ce genre de conseil qui n'a pour but que de faciliter la vie des autres (Pennac en a dix sur la lecture) qu'un écrivain doit constamment se justifier dans les cocktails littéraires : « Monsieur, j'ai aimé votre livre, mais c'était difficile au début, ce n'est qu'à la page 50 que j'ai pu entrer dedans. » Et on attend une réponse. « Si vous avez aimé, il faudrait relire les cinquante premières pages. C'est la partie bis. » « C'est quoi la partie bis ? » « C'est fait pour être lu deux fois. » Un silence. « Je ne savais pas. Je vais essayer. » Sourire. « Et vous m'en donnerez des nouvelles. » Un mois plus tard, vous attrapez une conversation au vol dans un salon : « C'est la partie bis, Suzanne, tu n'es pas censée comprendre Joyce du premier coup . » On a envie de dire que, dans le cas de Joyce, ce n'est pas seulement la partie bis, c'est le livre bis, mieux encore, c'est l'auteur bis.

Pour le comprendre, il vous faudra une vie bis. Ce que je veux dire, c'est que même Tolstoï, dans ses moments de doute, a été tenté plusieurs fois de jeter le manuscrit de *Guerre et Paix* par la fenêtre. S'il l'avait fait, nous ne l'aurions même pas su (peut-être qu'il a jeté au feu d'autres manuscrits durant ces longues soirées d'hiver russe), alors soyons plus discrets avec nos petites misères de lecteur. On n'a pas besoin de vous suivre à chaque étape de votre lecture. Ces difficultés que vous rencontrez en lisant un livre, eh bien, c'est cela la lecture. Écrire se révèle difficile, parfois lire aussi. Je ne défends pas l'écrivain ici, mais la dignité du lecteur. Quand Pennac lui dit de laisser tomber un livre pour en prendre un autre, il crée la notion de lecture jetable. On peut être sûr qu'il n'agit pas lui-même ainsi, sinon il ne serait pas Pennac. Il ne me donne pas l'impression d'être du genre à jeter un manuscrit au premier doute. Pennac, l'entêté. L'abondance ? Whitman, lui, croit que celui qui touche un livre touche un homme. Dans un autre registre, disons que dans un pays où il manque de livres, on n'a pas le même rapport avec la lecture.

> Cette idée de postérité qui ne retient que les bons livres est fausse, comme toute idée de pureté.

73. Un corps nu

On peut écrire selon son caractère, comme on peut écrire aussi pour être quelqu'un d'autre. Quel que soit le choix que l'on fait, on sera seul à savoir si on est intègre par rapport à soi-même. Il reste qu'écrire vous donne la possibilité de déborder du cadre ordinaire. Ce qui ne veut pas dire qu'il faille devenir scandaleux à tout prix. On peut à tout bout de champ se mettre à danser nu si on a le talent de rendre la chose naturelle. Ma voisine est ce qu'on appelle une jeune comédienne sérieuse, ce qui veut dire qu'elle joue dans des pièces où c'est le texte qui compte. Elle a décortiqué pour moi, un soir, le mécanisme de la corruption – elle y a été confrontée une fois. Souvent la jeune actrice s'effarouche quand elle découvre une scène de nudité dans le scénario, surtout si cette scène apparaît inopinément dans la version qui suit la signature du contrat. Est-ce pourquoi elle refuse de se déshabiller « sauf si nécessaire » ? Le réalisateur l'invite alors à prendre un verre pour lui expliquer ce qui fait de cette scène un moment incontournable du film. Après deux bouteilles de vin (elle n'a pris que trois verres) et quelques arguments où le mot *art* est cité plusieurs fois, elle finit par accepter de jouer la scène osée, contre l'avis de son agent qui n'était pas présent lors de la discussion arrosée de chianti. Au moment de jouer ladite scène, elle va plus loin que ce que le réalisateur espérait. La voilà qui s'étonne à la sortie du film du fait que le public écarte les subtilités qu'elle croit avoir glissées dans son jeu pour ne voir qu'une scène porno. C'est qu'un beau corps nu annule toute capacité de réflexion. Quand on tente quelque chose d'un peu scandaleux, c'est toujours mieux de ne pas se cacher derrière un écran de fumée intellectuel. Car ce qui vous a paru sulfureux au départ, et qui vous a fait longuement hésiter avant de donner votre accord, ne manquera pas de sauter à la face du public. Et cela, malgré les nombreuses analyses freudiennes qu'on voudra plaquer dessus comme une feuille de vigne. Le film a eu un certain succès et l'a fait connaître. Elle s'est même payé un mois de repos à Bora-Bora. J'ai une bonne bouteille de chianti, on peut fêter ça ? Non, merci, je dois répéter tout à l'heure.

Il y aura de mauvais livres tant qu'il y aura de mauvais lecteurs.

74. SUR UN BANC DE PARC

Je l'ai rencontré à ce parc où je vais souvent l'après-midi. Toujours en train de lire. Rien de plus rassurant qu'un lecteur tranquillement assis dans ce monde surexcité. Son visage serein m'avait poussé à croire qu'il était en train de lire de la philosophie. Je me penche pour tenter de voir le titre du livre. Il le retourne, avec un léger sourire, dans ma direction : un livre de mathématiques.

– Comment pouvez-vous lire un livre rempli de formules, d'équations et de théorèmes ?

Il sourit de nouveau.

– Pour moi, c'est un roman. Vous ne pouvez pas savoir combien de passions il y a derrière la moindre équation.

– Je ne vois pas comment on peut relier mathématiques et passion.

– Et pourtant, il se passe des choses derrière ces formules en apparence calmes. Ce livre rempli d'équations est aussi palpitant qu'une histoire d'amour, de jalousie et d'aventures. On croise des tueurs sur la route des nombres, vous savez.

Le ton est calme. On le sent pourtant frénétique. C'est un univers qu'il fréquente depuis l'enfance puisque son père et son grand-père ont enseigné les mathématiques. À seize ans, il a eu le coup de foudre pour une équation, ce qui l'a envoyé à l'hôpital. Le médecin a diagnostiqué une dépression nerveuse. Je ne comprendrai jamais ce qui peut pousser quelqu'un à raconter sa vie ainsi à un inconnu. Je le fais pourtant comme écrivain. Mais un à un, c'est impossible, je ne trouverais rien à dire.

– Des meurtres! Est-ce qu'il y a des meurtres aussi, comme dans le livre d'Umberto Eco?

– C'est un langage qu'il faut savoir déchiffrer. J'aime cet univers où les gens communiquent avec les chiffres, les équations et les théorèmes, comme d'autres le font avec les émotions. Simplement, ils voient le monde d'une autre manière que ceux qui manipulent les lettres. Ils croient qu'il y a une équation qui explique le monde. Ils cherchent le code secret de la vie.

– Donc, pour ces mordus du nombre, on ne connaîtra pas l'harmonie tant qu'on n'aura pas trouvé le sens mathématique des choses. N'est-ce pas un peu mystique?

– Ce n'est pas aussi simple, car certains sont des athées. Ils cherchent quelque chose, beaucoup plus qu'un sens. Une porte, et une clef pour ouvrir la porte. C'est à la fois très abstrait et très concret. C'est un univers proche de celui de la musique. Pythagore est mon préféré.

– Peut-on prendre autant de plaisir à lire un livre de mathématiques qu'à lire un roman de Dumas?

Il réfléchit un bref moment.

– Plus même… fait-il dans un éclat de rire. Certains passages chez Dumas me semblent aujourd'hui un peu datés, alors qu'il n'y a rien à jeter dans un théorème de Pythagore.

– Est-ce que, d'une manière ou d'une autre, vous êtes déjà tombé sur des théorèmes suggestifs?

– Suggestifs ?

– Disons érotiques...

Il semble étonné, mais pas désarçonné.

On ne peut pas savoir ce que ressent un mathématicien qui vient de trouver une formule si élégante qu'il pense qu'elle traversera les siècles.

Un ami vient le rejoindre. C'est un musicien. Déjà la conversation me dépasse.

> Il y a au moins trois êtres en nous : un contemplatif, un homme d'action, et le troisième qui attend le moment opportun pour se manifester.

75. Un temps perdu

Je suis en train de lire *Guerre et paix*. Je n'ai pas dit que j'étais en train de le relire. C'est maintenant que je le lis. C'est comme *Les Misérables* : si on ne l'a pas lu à l'adolescence, c'est presque impossible de le faire après. Une fois adulte, on vous fait toutes sortes de propositions, mais personne ne vous téléphone pour vous sommer de lire Tolstoï. C'est une lecture qu'on doit préparer, car on ne peut lire *Guerre et paix* sans avoir du temps devant soi. Et le temps, c'est la chose qui nous manque le plus. Autrefois, c'est Tolstoï qu'on glissait dans sa valise quand on partait au sanatorium pour se soigner ou à la montagne pour sa convalescence. Des romans écrits à Iasnaïa Poliana durant les interminables hivers russes. À l'époque, on pouvait passer trois mois à l'hôpital ou trois ans à la guerre. Aujourd'hui, presque personne ne peut se permettre de si longues convalescences. On n'a donc plus de ces interminables livres introspectifs qui vous clouent sur une chaise longue au soleil. Pour quelqu'un qui n'était pas vraiment malade (enfin, on ne sait jamais avec lui), Proust a connu la plus longue convalescence de la littérature. Pour bien comprendre son univers, il faut savoir rester longtemps couché. Il voit le monde à l'horizontale. Me voilà donc en train de lire *Guerre et paix*, et je découvre quelque chose que j'avais quelque peu oublié : le simple plaisir de la lecture. On ouvre un livre, et un monde s'offre à nous. On a envie de donner des nouvelles de ces gens qui s'agitent sous nos yeux. Au début, ils ne sont pas plus gros que les lettres de l'alphabet qui les dessinent. Au fur et à mesure qu'on avance dans la lecture, ils grossissent jusqu'à prendre leur dimension naturelle. Puis, brusquement, ils deviennent plus grands que nous. Et on les regarde vivre. On souffre avec eux, et on rit avec eux. On rêve de pouvoir faire apparaître un monde nouveau fait avec les débris de l'ancien. Pour ça, il faut de la patience. Ne pas sauter les pages. Et ne pas écouter les flatteurs qui vous disent qu'à cause de cette perspicacité qui vous permet de saisir les choses au vol vous n'avez pas besoin de tout lire pour bien comprendre. Vous saisissez tout de suite que vous n'aurez pas compris Tolstoï tant que vous n'aurez pas fini de digérer chaque ligne de ce volumineux roman. D'autres, sans avoir lu ces descriptions d'une fête, d'un paysage, d'un sentiment, estiment qu'ils peuvent les sauter – que c'est bête ! Tolstoï alterne les soirs de fête avec les jours gris où l'ennui s'installe. Et l'ennui révèle une époque plus que toute autre chose. Si on ne l'intègre pas dans notre façon d'appréhender la vie, on ne fera plus que consommer. C'est l'ennui qui permet la contemplation, un luxe que ne peut plus s'offrir la littérature. Un temps vide situé entre deux moments intenses. Un moment qu'on ne cherche pas à combler. Un temps perdu. De toute façon, le lecteur d'aujourd'hui, pressé de vivre comme s'il soupçonnait qu'il n'en aurait pas pour son argent, ne voudrait surtout pas de cet ennui. Tolstoï, lui, voit le monde de son cheval.

> Notre manière de marcher (de nager, de rire, ou de danser) peut donner une certaine indication sur notre façon d'écrire.

76. La guerre des mots

Pour vous éviter de croire que Tolstoï n'est qu'une montagne d'ennui, je reviens sur *Guerre et paix*. En le lisant, je découvre, avec étonnement, comment il remplace le suspens par le malaise dans la conversation. Le suspens n'a qu'un but: tenir le lecteur en haleine jusqu'au bout. Mais c'est une ligne droite. On sait qu'il y a un crime, il faut donc trouver le criminel. Et on cherche à deviner, par un mélange d'intuitions et de déductions, qui a commis le crime avant de l'apprendre dans le texte. C'est différent chez Tolstoï. Bien sûr qu'on va vers une fin, mais c'est plus la fin d'un monde que du récit. Et pour décrire ce monde, Tolstoï alterne de longs moments sereins où le paysage bouge à peine, et où les sentiments semblent endormis. Brusquement c'est le réveil, qui coïncide avec une nouvelle saison, et les sentiments éclatent comme des bourgeons au printemps. Tolstoï sait bien que ce rythme lent qui épouse celui des saisons ne suffira pas pour garder les gens en haleine, et qu'il doit trouver autre chose. Il remarque cette capacité des gens à créer des instants de malaise dans l'espace clos et protégé d'un salon. Il choisit d'observer ces gens, si étranges à ses yeux de campagnard, dans le lieu le plus artificiel qui soit : un salon aristocratique russe. Un salon nourri de culture française et pratiquant l'art le moins utile et le plus meurtrier qui soit, celui de la conversation. Et voilà que Tolstoï se promène avec sa caméra dans ce lieu fait de cercles infranchissables – les aristocrates ne sont pas tous de même taille ni les princes de même poids. Pour parader dans ces salons pétersbourgeois, il faut avoir une bonne ascendance, mais surtout une fortune familiale. Le club des oisifs. Tolstoï nous les présente, tout en nous montrant le mouvement de la parole et ses effets sur les gens. La conversation ne se restreint pas bien sûr au salon, elle déborde jusque dans la chambre à coucher, en passant par le jardin. Et Tolstoï fait avancer le récit à coups de malaise. On ouvre sur une scène de fête, et pendant que les gens se réjouissent dans la grande salle, il se joue un drame à côté. Tout se tient dans cette parole capable de changer la couleur de l'ambiance. Jusqu'à ce que l'on comprenne que cela se joue à l'intérieur des gens. L'homme qui n'aime que faire le tour de son domaine à cheval découvre un nouveau territoire : le cœur humain. Il y a d'un côté la chose dite, et ensuite les interprétations qu'elle suscite. La parole exprimée comme la parole silencieuse. Les personnages n'arrêtent pas d'interpréter des murmures. On a l'impression que la guerre se déroule dans ces salons où les oreilles sont constamment aux aguets. Ce n'est pas ce que vous dites qui compte, dans ces cercles, mais bien ce qu'on aura entendu.

Les gens qui ne savent pas lire ignorent qu'ils se retrouvent plus souvent dans les livres que toute autre catégorie de gens.

Il faut respecter l'espace romanesque, car il ne vous appartient pas. On ne peut pas en faire ce qu'on veut. Un livre est un espace public, ou doit le devenir. Tant qu'il est à vous, ce n'est pas encore un livre. Un bon livre est à celui qui l'ouvre. Un classique est à tout le monde, même ceux qui ne l'ont jamais ouvert. On ne peut pas s'en servir pour faire de la propagande, ou pour faire passer ses idées personnelles. Bon, on tolère une certaine quantité de réflexions sur l'époque. Un peu de fiel donne du tonus. Mais attention à l'overdose, toujours mortelle. La fiction peut absorber une certaine quantité d'idées. Au-delà, c'est un roman à thèse, la pire des choses. Sinon, c'est préférable d'écrire un essai, que le lecteur achète parce qu'il partage le point de vue de l'auteur. On lit un essai pour se conforter dans ses idées. Les gens qui s'intéressent à une vision différente de la leur sont rares. On regarde la quatrième de couverture d'un essai et cela nous décide à le prendre. Souvent, c'est un auteur que l'on connaît déjà. Pour le roman, il faut éviter les quatrièmes de couverture trop explicites afin de donner une chance au lecteur qui ne partage pas vos idées. Les choses importantes à dire, dans un roman, c'est mieux de les montrer plutôt que de les dire. Ou si vous y tenez vraiment, distillez-les discrètement dans le texte. Si vous voulez faire connaître vos sentiments, je vous conseille d'écrire un *Ce que je crois*. Vous y allez directement et on n'en parle plus. Et après, vous pourrez reprendre le roman. Un roman est réussi quand, à la fin, il est différent de qu'on a prévu au début. Ce n'est pas une démonstration. Un narrateur est vivant quand l'auteur ne partage pas toutes ses idées. Ce qui est dit dans un roman n'est pas tout à fait ce qu'en pense l'auteur. Cette petite différence constitue toute la surprise de la littérature. Le cas le plus célèbre, c'est Balzac, qui voulait faire de *La Comédie humaine* un hommage à la Restauration (la monarchie). Heureusement, son grand roman (en quatre-vingt-dix livres) échappe à toute catégorisation. Pourtant, la question qui revient le plus souvent à la sortie d'un livre, c'est : « Vous dites dans ce roman... » Justement, ce n'est pas moi, mais le narrateur, et n'allez pas croire que je me cache derrière lui pour dire ça.

> Lire et écrire sont deux choses différentes, et de bons lecteurs deviennent de mauvais écrivains parce qu'ils n'arrivent pas à accepter ce fait.

78. LE STYLE SELON RÉMY DE GOURMONT

Je lis, en pyjama, Rémy de Gourmont. Et je retrouve tout ce à quoi je ne cesse de penser depuis un moment. Il le dit de manière si définitive que je ne peux que le citer. Parle-t-il si bien du style parce qu'il se croyait laid ? Face à cette injustice de la nature qui le tenait loin de la lumière (il ne sortait que la nuit tombée), il a tout misé sur l'esprit. Gide, d'ordinaire si réticent, disait de lui qu'il savait « le juste prix des œuvres ». Alors, je note ce que Gourmont dit du style dans *La Culture des idées* : « Le métier d'écrire est un métier, et j'aimerais mieux qu'on le mit à son ordre vocabulaire, entre la cordonnerie et la menuiserie, que tout seul à part des autres manifestations de l'activité des hommes. À part, il peut être nié, sous prétexte d'honneurs, et tellement éloigné de tout ce qui est vivant qu'il meure de son isolement ; à son rang dans une des niches symboliques le long de la grande galerie, il suggère des idées d'apprentissage et d'outillage ; il éloigne de lui

les vocations impromptues ; il est sévère et décourageant. »
Plus loin : « Le métier d'écrire est un métier ; mais le style
n'est pas une science. » Plus loin encore : « Écrire, c'est très
différent de peindre ou de modeler ; écrire ou parler, c'est
user d'une faculté nécessairement commune à tous les
hommes, d'une faculté primordiale et inconsciente. On ne
peut l'analyser sans faire toute l'anatomie de l'intelligence ;
c'est pourquoi, qu'ils aient dix ou dix mille pages, tous les
traités de l'art d'écrire sont de vaines esquisses. La question est si complexe qu'on ne sait par où l'aborder ; elle a
tant de pointes et c'est un tel buisson de ronces et d'épines
qu'au lieu de s'y jeter on en fait le tour ; et c'est prudent. »
Tout en notant ces pensées, je me suis demandé si je n'étais
pas en train de scier la branche sur laquelle j'étais assis.
Tout de même, je me sens un peu différent de Rémy de
Gourmont, en ce sens que je n'ai pas cette prudence venant
d'une ancienne culture dont les codes, si rigides, ont fini
par engourdir les esprits les plus déliés.

Il arrive qu'on écrive à propos d'une chose tout
en pensant à une autre.

79. Le temps de la femme

J'ai croisé dernièrement une jeune amie romancière qui en
est à la rédaction de son deuxième livre. Moment décisif.
Son problème, naturellement, c'est le temps. Elle a deux
filles et un mari, sans compter sa mère. Elle m'a lu, sur un
banc de ce petit parc ensoleillé, par cette journée de fin
d'été, son premier chapitre. Le talent est là, mais visiblement on y sent un manque de concentration. Le roman
n'est pas aussi dense qu'il devrait l'être. La solution est

simple : il faudra ajouter de nouvelles couches d'émotions et de sensations. Pour cela, il faut du temps. On a passé son horaire au peigne fin. Son seul moment libre, c'est tard le soir. Elle est alors épuisée. La vie quotidienne lui bouffe tout l'espace de rêve. Les gens qui promènent leur chien ne savent pas que nous sommes en train de préparer une révolution. Un réaménagement du temps d'une jeune mère qui veut écrire. Je lui conseille de faire une petite sieste l'après-midi (vingt minutes) avant de se mettre à écrire. L'important, c'est d'être dans la bonne énergie au moment de l'écriture. L'idée de la sieste l'a effrayée. Un tel luxe lui semble hors de portée. Ce serait mieux de préparer les repas la veille, ce qui lui donnerait un temps libre au milieu de la journée. Cette option semble plausible, mais elle se sent coupable de faire passer son rêve personnel avant la qualité de vie de ses enfants. On a évoqué l'idée aussi de prendre une chambre en ville afin de pouvoir travailler sans être dérangée chaque minute. Elle a éclaté de rire, en ajoutant qu'elle en profiterait pour prendre un amant. À son rire si spontané, j'ai su que le désir avait un rapport avec l'écriture. La révolution n'est donc pas loin.

L'envie d'écrire ou de faire l'amour ne peut se manifester n'importe où et n'importe quand sans créer de remous. C'est étonnant que de telles actions personnelles aient autant d'impact sur la vie collective.

80. LE SECRET

C'est toujours dangereux de garder trop longtemps un secret dans un roman. Si on n'a pas la dextérité des auteurs de polars, on risque de décevoir le lecteur. Vaut mieux rester flou jusqu'à créer le désir chez le lecteur, qui voudra sortir de ce brouillard. Et juste à la sortie, on l'attrape à la gorge avec un bon secret. Han! Sinon il y a la technique de la poupée russe. On cache un secret à l'intérieur d'un autre secret. Quelqu'un qui porte un secret n'a pas besoin de sembler soucieux. J'ai connu une jeune fille très rieuse qui pourtant hébergeait tant de cadavres en elle qu'on aurait dit que sa mémoire était un cimetière. Des morts violentes pour la plupart. Et elle avait un rire éclatant comme si vos mots la chatouillaient. Un soir, elle a voulu me montrer l'autre face. On était dans la chaleur du mois d'août dans une chambre sans air conditionné, et pourtant j'ai eu froid jusqu'aux os. Mais tous les secrets ne sont pas sanglants, ni même morbides. Il y a de jolis secrets que leur banalité protège.

> Il y a des gens si discrets que leur vie reste secrète, ce qui ne veut pas dire qu'elle ne soit pas scandaleuse, et les écrivains sont friands de ce genre de personnage.

81. LES CLICHÉS SOCIAUX

Un riche n'est pas forcément un salaud. Il y a des gens qui deviennent riches sans exploiter les autres – je sais que Balzac pense qu'il y a toujours un crime derrière chaque fortune. Il y a une échelle chez les riches et c'est bien d'en tenir compte. Le mot *riche* est trop vague pour désigner des fortunes si diverses. Un pauvre n'est pas forcément un chic type non plus. Il y a des pauvres qui sont de vrais salauds. Un écrivain travaille en premier chef sur la nature humaine. Il n'y a pas que des rapports de classes dans la vie. Il faudrait arriver à décrire un riche qui ne soit ni un imbécile ni un salaud. Si on parvient à le faire, c'est qu'on a franchi une sacrée barrière. L'habitude de décrire un révolutionnaire qui nage comme un poisson au milieu du peuple est aussi à revoir, car tous ceux qui, dans la réalité, ont cru à cela s'en sont mordu les doigts. Le romancier haïtien Jacques Stephen Alexis en premier lieu. Il a débarqué en Haïti, avec quelques camarades, pour renverser la dictature de Papa Doc, croyant que les paysans se rallieraient spontanément à ses idées. Visiblement, il avait trop lu de textes théoriques et pas assez de romans. Les paysans qu'il était venu libérer l'ont livré aux sbires du dictateur, qui l'ont assassiné sur le champ. Bon, ces paysans ont analysé les rapports de force pour conclure qu'avec quatre ou cinq personnes, ces révolutionnaires n'avaient aucune chance face à l'armée. Et sachant que le dictateur s'en prendrait à eux après, ils ont préféré sacrifier celui qui était venu les défendre. Le romancier a voulu faire coïncider la fiction avec la réalité, oubliant que c'est dans ces régions où la misère fait rage que le pouvoir recrute la majorité de ses espions. Comment? En les payant – peu d'ailleurs. Le lecteur s'attend à un peu de lucidité de la part d'un jeune romancier. Celui-ci doit éviter de prendre parti comme s'il s'agissait d'une discussion dans un café. Le roman aime la nuance. Il y a un grand débat à faire sur ce sujet, car on sait bien qu'il y a mille façons d'écrire. Cette coloration politique, toujours évidente, ne plombe-t-elle pas nos romans? Ne doit-on pas être plus discret là-dessus pour permettre à de nouveaux thèmes de faire surface? Deux grands discours traversent la littérature haïtienne avec une plus grande intensité depuis la dictature des Duvalier: l'engagement politique et le vaudou. L'écrivain haïtien est naturellement contre le pouvoir, et ne cesse de le dire. Quant au vaudou, c'est le tronc culturel commun. On ne lit que ça depuis cinquante ans, des descriptions de cérémonies vaudou. Il faudrait changer de perspective un peu. Je ne dis pas de changer de sensibilité politique, juste d'essayer de voir ces thèmes sous un nouvel angle. C'est la prérogative de l'artiste de casser les moules. Un regard plus impertinent. À contre-courant. Sinon, c'est toujours le même ronron qu'on n'écoute plus, même si c'est un point de vue qu'on partage. Il faudrait lire les écrivains qui font feu sur leur propre culture : le *Journal* de Witold Gombrowicz et les ouvrages de Thomas Bernhard, même si sa haine de l'Autriche est parfois suffocante.

« Parce que je suis pauvre, j'ai droit au talent » est une mauvaise appréciation de la bonté divine.

82. UNE SOIRÉE CHEZ CLAUDE

L'autre jour chez un ami écrivain, j'ai passé l'après-midi à boire du vin tout en évoquant le milieu littéraire. On a parlé des écrivains avec qui on a débuté et qui sont encore dans le coup. Un grand nombre de ces jeunes romanciers qui piaffaient d'impatience au début des années 1980 ont raccroché leurs patins. Ce ne sont pas forcément ceux sur lesquels la critique avait jeté son dévolu qui ont survécu. On a compté les morts et les vivants. J'ai remarqué qu'on a changé de sujet chaque fois qu'une nouvelle bouteille de vin apparaissait. On a parlé des livres électroniques pour conclure que le papier finira par triompher. On est passé à ces écrivains dont les livres deviennent moins bons au fil du temps, et cela sans qu'ils s'en aperçoivent. On s'est promis de se le dire, si on remarque une baisse d'intensité chez l'autre. J'aime bien ces conversations où chacun sait que l'autre ment. Cela me paraîtrait bizarre d'appeler un ami pour lui dire que c'est le temps d'arrêter d'écrire. On ne peut pas le savoir : il y a des écrivains qui retrouvent leur souffle après une longue traversée du désert. Il y a aussi le fait qu'on est toujours plus dur avec l'autre qu'avec soi-même. On a ouvert une dernière bouteille pour parler de ces écrivains qui ont démarré avec un livre éblouissant pour trébucher sur un deuxième moins bon, et s'arrêter net après le troisième. Finalement, on a parlé de sexe, de qui couche avec qui, et c'était le temps de partir, car on était déjà saoul.

> Chaque mauvais livre qu'on n'a pas écrit enrichit notre œuvre.

83. DES OUVRIERS ET LEURS MACHINES

Je cherchais une information sur Internet quand je suis tombé sur ce site de Nathalie Lenoir montrant des écrivains devant leur machine à écrire. Cela m'a fait tout drôle de les regarder, comme s'ils venaient d'un monde ancien, complètement perdu, alors qu'il n'y a pas longtemps, j'étais si fier d'avoir une Remington 22. Je me sentais à la pointe de l'avant-garde d'écrire à la machine, même si je n'utilise qu'un seul doigt pour taper depuis le début, et encore aujourd'hui sur cet ordinateur. C'est grâce à Nathalie Lenoir, qui les a rassemblées, que j'ai pu découvrir ces photos d'ouvriers devant leur machine. Ce que je découvre, c'est que la photographie est incapable de reproduire un écrivain au travail. L'appareil-photo (un objet mobile dans les mains du photographe) a du mal à trouver le cœur battant de la machine à écrire. Tout ce qu'on voit, c'est du bois mort. Visiblement, les écrivains sont trop habillés et cela ne sent pas la sueur. Malgré tout, on ne peut pas parler de littérature contemporaine sans évoquer cet objet qui a eu tant d'impact sur le style.

George Bernard Shaw

Il est habillé de pied en cap comme s'il partait faire du cheval dans un petit boisé non loin de Dublin (ou de Londres, ne soyons pas nationaliste). Sa machine est minuscule. Le visage concentré, la nuque tendue. Pas de papier dans la machine. Il semble emprisonné dans cette étroite pièce. Cela ressemble plus à l'heure du thé qu'à celle de l'écriture. On sourit à l'idée que c'est de cette redoute que l'ironiste incisif (*Pygmalion*) qu'est G. B. Shaw lance ses roquettes contre le conformisme de son époque.

Ernest Hemingway

Lui, c'est le pire. Je n'arrive pas à croire que ce soit Hemingway, ce pantin dans un pantalon trop serré. Il a l'air d'un danseur de claquettes avec ses cheveux gominés. Et d'un péon avec cette moustache touffue et noire. Tout est faux, et cela même s'il y a une feuille blanche dans le tambour de la machine. Il ne peut pas écrire avec un verre dans la main droite. On boit ou on fait l'amour, a dit Bukowski qui rêvait d'être Hemingway. Avec cette pose, Hemingway veut nous faire croire que lui, il peut boire et écrire en même temps. Il porte une veste neuve de navajo. Ses yeux se font petits pour bien fixer la page et donner ainsi une image définitive de sa concentration proverbiale. En fait, on sent qu'il attend le déclic de l'appareil-photo pour se mettre au repos. Il y a aussi un feuillet roulé en boule sous la table, à l'extérieur de la cabane de chasseur.

Carson McCullers

Une petite robe noire pour un soir plutôt frais. La tête solidement vissée sur son épaule, une cigarette à la main droite : elle regarde l'objectif sans faire semblant d'écrire. C'est déjà plus honnête. On n'en attend pas moins de cette grande fille un peu perturbée qui a trouvé les titres de livres les plus nostalgiques de sa génération : *Le Cœur est un chasseur solitaire* et *La Ballade du café triste*. C'est à vous pousser à boire, et elle l'a fait. Une thermos sur la table de marbre : ce n'est sûrement pas du thé qu'il y a là-dedans. Ah oui, la chaise semble solide. Cette détermination qui émane de Carson McCullers, c'est la force d'un alcoolique qui rassemble toute son énergie pour traverser le salon sans trébucher. Les Américains donnent parfois cet air de santé alors que tout est miné à l'intérieur. Son œuvre dit son désarroi. Et sa beauté sombre a éclipsé la machine à écrire.

William Faulkner

Je croyais que c'était Hemingway le pire, avant de voir Faulkner. Personne ne lui a dit qu'on ne s'habille pas comme ça ? On dirait une imitation de Hunter S. Thompson. Et cela même si Faulkner est né en 1897 et Thompson en 1937. (Borges soutient quelque part qu'un écrivain pourrait influencer son prédécesseur.) Mais c'est un Thompson avec un petit ventre. On le voit torse nu avec des lunettes noires. Des chaussettes de laine qui lui arrivent à mi-mollet dans des chaussures de daim. La machine à écrire est ridiculement juchée, en équilibre, sur un coussin posé sur table basse, le genre avec des formes compliquées que l'on retrouve sur les vérandas dans le sud des États-Unis. C'est parfait pour les alcooliques solitaires. J'ai l'impression de faire une thèse sur le rapport de la machine à écrire avec l'alcool. La machine pousse à boire. Personne ne peut croire que ce type soit en train d'écrire. Il n'a pas pris la peine d'insérer une feuille de papier dans la machine.

John Cheever

John Cheever a une bonne tête d'écrivain alcoolique (ce qu'il est bien entendu). Je ne parle pas de boire un coup pour voir l'espace trembler un peu. Ces types-là boivent pour d'autres raisons. Je ne sais pas comment il a fait pour trouver dans son agenda un matin sobre pour cette photo. Êtes-vous occupé? lui demande le photographe. Oui, je bois. Quand pourrai-je venir pour la photo? Attendez que je consulte mon agenda. Venez le quinze de ce mois, entre midi et deux heures. Après cette trêve, je replongerai sous les eaux pour trois mois. Noyer son angoisse dans l'alcool. Cheever ne se donne même pas ce prétexte bidon. Ses belles mains un peu sèches. Mains d'un homme aux jambes fragiles, mais au cœur solide. Il doit aimer son voisin, qu'il refuse de voir. Ses mains encadrent la machine comme pour la réchauffer. Son seul contact. Il y met toute sa tendresse. On dirait un acteur avec ce visage voilé de tristesse. Une tristesse sobre. Je pense à Bogart qui aurait été parfait pour jouer son rôle à l'écran.

TENNESSEE WILLIAMS

Tout est double chez Tennessee (deux n, deux s, quatre e). Il ne prend que du double scotch. Il a l'air, d'ailleurs, avec cette chemise hawaïenne et ce sourire forcé, de revenir d'une longue tournée de bar ou de s'apprêter à en commencer une. J'opte pour la seconde situation. Il est assis devant sa vieille machine déglinguée qui, visiblement, ne fonctionne plus depuis un moment. Cette colline de papiers froissés qui joue le rôle de manuscrit. Tout cela vite repoussé au bout de la table pour faire de la place à la machine. Le photographe n'en demandait pas tant, mais Tennessee tient à son image de gentil garçon qui cherche à faire oublier qu'il est l'auteur de classiques du théâtre contemporain, comme *Un tramway nommé désir* ou *La Ménagerie de verre*. On doute qu'il écrive à cette table et dans cette tenue. La robe de chambre fripée serait plus son genre.

FRANÇOISE SAGAN

C'est la première fois que je la vois aussi mal vêtue. Le petit ensemble en noir et blanc est beau, mais ce n'est pas pour Sagan. En tout cas, pas celle que les médias nous ont vendue. Celle de la vitesse, de Bardot, de Saint-Tropez, du whisky (tout le monde boit dans cette secte) et du casino. Trop de choses qui accrochent l'œil dans cette photo. Couchée par terre avec la moitié du corps sur un coussin. La machine à écrire qu'elle touche nonchalamment d'un doigt. On la dirait en train de jouer avec un chat. L'autre main à son menton. On ne voit que ses yeux, lucides, un peu agrandis par la contre-plongée (elle venait de publier *Bonjour tristesse*) qu'un léger sourire adoucit. Sagan a toujours soigné son image de jeune femme qui n'a pas de temps à perdre. Il ne faut pas qu'on imagine qu'elle écrit. La machine à écrire remplit la même fonction que la voiture devant sa porte. C'est pour dire qu'elle est habitée par la vitesse. Pourvu que le chagrin ne la rattrape pas. Sinon, c'est l'enfer des drogues. La seule chose capable de l'immobiliser, c'est le cliché. Ce photographe la mitraille depuis une heure.

NICOLAS BOUVIER

Ce voyageur bougon qui n'arrête pas de se plaindre a l'air frêle dans ce chandail de fil beaucoup trop grand. On y sent un grand besoin de tendresse. Une cigarette au bec, des carnets de notes un peu partout sur la table, et un cendrier près d'un verre vide. Son verre est toujours vide, car il boit vite, et sans cesse. Il boit, fume et tape à la machine des histoires de voyage. Sinon il remplit ses carnets de notes. On sent qu'il fait l'effort d'écrire vraiment sur cette photo, obsédé qu'il est par cette éthique d'intégrité.

PATRICIA HIGHSMITH

Si contente de son dernier paragraphe qu'on dirait qu'elle est en train de bouffer sa cigarette. Beau chandail qui va avec sa masse de cheveux. C'est une femme habituée à ne pas paraître à son avantage, ce qui donne d'elle une impression de présence réelle. Son bras gauche trop collé à son flanc montre qu'elle n'est pas bien à l'aise dans cette position. On la sent habituée à la douleur. Elle doit croire qu'il n'y a aucune douleur qu'un verre ne pourrait apaiser.

141

PHILIP ROTH

Il a l'air, sur cette photo, d'être dans la jeune quarantaine. Un mondain qui se punit en menant une vie d'ermite. Sûrement blessé, à l'époque, par un écrivain qu'il respecte. Il regarde de biais la page qu'il est en train de recopier, comme s'il s'agissait de la vie. Une vie de biais pour ce jeune homme aux longues jambes qui refusent d'arpenter les trottoirs de Manhattan. Mais on l'avait assez vu (entre autres au bras de Jackie Kennedy) pour qu'il ne puisse concurrencer Salinger. La machine à écrire semble si naturelle devant lui qu'elle fait penser à un briquet dans les mains d'un fumeur invétéré. Je viens de constater que j'ignore si Philip boit ou fume. Je ne puis m'acclimater à ce corps qui me fait croire qu'il a un rapport difficile avec la gravité. L'impression qu'il va s'affaler par terre à tout moment. Il y a cette fierté qui le garde debout. Sur la photo, sa main gauche tient son bas-ventre comme un cow-boy qui s'apprête à donner un coup de pied sur la porte du saloon. Quelqu'un sort au même moment, et Roth reçoit la porte sur le nez. Ce fameux nez dont la description a fait les plus belles pages de *Portnoy et son complexe*, son plus célèbre roman.

HUNTER S. THOMPSON

C'est un Faulkner vingt ans plus tard et, pour une fois, sans ses lunettes noires. Sa machine à écrire a l'air d'un requin blanc s'apprêtant à ouvrir sa large gueule remplie de dents coupantes que sont les lettres de l'alphabet. Je n'arrive pas à savoir où cette photo a été prise. Dans une cave à vin? Un garage ou un grenier dont Hunter S. Thompson était en train de fouiller les coffres à la recherche d'un déguisement pour l'Halloween? C'est qu'il aime faire peur au monde. Il manie la machine à écrire comme si c'était une kalachnikov. Les yeux fermés, il mitraille cette Amérique conservatrice, et sans pudeur, où les salauds font la leçon aux honnêtes gens.

Woody Allen

C'est un Woody Allen dans la soixantaine dont les traits sont ceux d'un enfant qui déballe son cadeau d'anniversaire. On ne sait pas s'il est content ou tout simplement surpris. En fait, il l'a raconté dans un documentaire, il utilise la même machine à écrire depuis son premier scénario. Il a l'air de lui parler, et à mon avis il lui dit : « Toi et moi, c'est pour la vie. » Je ne peux réprimer un sifflement d'admiration devant une machine qui a vu naître *Annie Hall*, *Manhattan* et d'autres films qui ont formé notre sensibilité contemporaine.

> Depuis la quasi-disparition de la cigarette et celle définitive de la machine à écrire, avec son bruit particulier, il ne reste plus que l'alcool pour rappeler un genre d'écrivain complètement disparu : celui capable de se faire sauter la cervelle parce qu'il a perdu le goût de chasser la « bonne phrase ».

84. La mauvaise herbe

Ne pas abuser des synonymes. Vous avez le droit de répéter un mot ou de dire « truc », « chose », « ça ». On le sent quand un écrivain craint les mots qui courent les rues. Sa prose devient trop lisse. De plus en plus, les correcteurs vous signalent toute répétition de mots. Et avec Internet qui met rapidement à votre disposition le dictionnaire des synonymes, on ne répète plus un mot. Voilà, je viens de répéter le verbe *répéter* et je ne suis pas mort. Quand on ne répète jamais deux fois un mot (ça fait cinq fois que j'écris «mot»), on a l'air de ces jardiniers qui chassent furieusement la moindre mauvaise herbe qui pointe sa tête. Et il arrive que le lecteur se sente plus à l'aise avec un auteur débraillé. C'est ce qui a fait la fortune d'écrivains comme Bukowski, Miller, Cendrars et, plus près de nous, le romancier cubain Pedro Juan Gutiérrez. Tous ces gens qui entendent faire entrer la rue dans leurs romans. Je me souviens de ma découverte du mot *ça*. Ce petit mot qui semble si innocent a révolutionné ma manière d'écrire. Ça m'a permis d'adopter un style désinvolte plus proche de ma sensibilité. Ça m'a pris du temps avant d'écrire ce petit mot. Dans ma tête, ce n'était pas assez littéraire. Je le trouvais vulgaire même. Petit à petit, il m'a apprivoisé. Aucun mot n'est vulgaire en fait, seuls les comportements peuvent l'être. Par contre, l'arrogance me semble d'une vulgarité sans nom. Bon (le mot *bon* aussi m'a permis de faire des liens rapides), je ne voudrais pas laisser croire qu'il n'y a qu'un style. Le style débraillé ne fait pas de vous un meilleur écrivain. La poésie s'habille comme elle veut. Je la préfère en minijupe, mais ça ne regarde que moi.

> Cela peut prendre toute une vie pour écrire avec la gravité d'un enfant qui joue.

85. MÉTAPHORES ET CITATIONS

Les jeunes écrivains en abusent jusqu'à oublier de dire simplement les choses. Le truc, c'est filer la métaphore comme on le sent, et après de l'enlever. Si on comprend ce que vous voulez dire sans cette métaphore, c'est qu'elle n'était pas nécessaire. Je n'ai rien contre la métaphore, mais c'est lassant à la longue. Pour certains, c'est un mode d'expression courant. Ils n'arrivent à rien dire directement. Ils doivent passer chaque fois par un intermédiaire. L'une des fonctions de la littérature (si celle-ci existe), c'est de déchirer le voile des apparences. La métaphore ressemble à un voile. Sa force est plus grande quand elle se fait plus rare. La même chose pour la citation (mon propre défaut). Dire ses émotions en se cachant derrière un auteur célèbre. Argumenter qu'il le dit mieux que vous ne marche pas toujours. C'est qu'on aimerait entendre votre voix.

> On vous accusera une fois, deux fois, trois fois, quatre fois de vous répéter, jusqu'à ce que l'on comprenne que cela fait partie de votre nature.

86. La bibliothèque de l'écrivain

On sait bien que les livres qu'on a lus continuent à cheminer longtemps en nous, et qu'ils nous forment d'une certaine manière. On n'est pas étonné de découvrir leurs traces dans nos livres. Aucun écrivain n'est une île. Pas besoin d'en mettre plein la vue non plus. On peut faire confiance au lecteur pour qu'il capte les plus fines allusions à d'autres œuvres. Du moment que vous partagez les mêmes goûts littéraires. On est toujours heureux de voir évoquer les livres qu'on aime par un écrivain qu'on admire. Un livre est fait de beaucoup de livres. Des livres dont les traces sont visibles et d'autres qui voyagent incognito. Un livre est une bibliothèque de poche. En lisant attentivement un écrivain, on peut retracer ses choix littéraires. Certains écrivains tiennent à exposer au lecteur leur bibliothèque.

Alain Mabanckou n'hésite pas à citer nommément les titres des livres qu'il aime. Il les insère, de manière très fluide, dans le mouvement de sa si longue phrase (*Verre cassé*). Et le lecteur les recherche. J'avais déjà vu ça au cinéma avec *Nous nous sommes tant aimés* d'Ettore Scola. Au cœur même de l'histoire du film, Scola s'est arrangé pour présenter une brève anthologie des films italiens qui l'ont marqué. Il n'a pas cherché à être exhaustif, et ça a donné un film charmant. Mais dans le cas de Mabanckou, ce n'est pas un simple jeu, c'est une façon d'avoir toujours avec lui sa bibliothèque personnelle. La plupart de ses amis écrivains sont cités aussi. C'est une petite bibliothèque, avec uniquement des livres qu'il aime relire, attenante à un café où il rejoint ses amis pour discuter. C'est très joli cette idée d'une bibliothèque glissée à l'intérieur d'un livre, mais ça demande un certain doigté.

> Chaque fois qu'on cite un écrivain pour appuyer une affirmation, on feint d'oublier qu'il y en a des centaines d'autres, tous aussi prestigieux, qui ont écrit le contraire.

87. Une exigence quotidienne

Souvent, les jeunes écrivains sont des lecteurs papillons qui butinent sans cesse. Quand on veut écrire, c'est bien de choisir un écrivain qu'on aime et de lire tout ce qu'il a écrit. On sera étonné de voir qu'il n'entend pas faire une œuvre capitale de chaque livre. Il y a le livre-pont qui se glisse entre deux manières, car un écrivain change parfois de thème. Après avoir longtemps écrit sur l'enfance, il peut vouloir aborder un autre temps de sa vie. Ce livre assure la liaison entre ces deux moments. Il y a le livre-récréation que l'auteur envisage comme une partie de plaisir, souvent après la publication d'un livre qui lui a pris des années à terminer. Il veut retrouver le plaisir d'écrire. Il fait alors un livre sans en parler à personne, comme un enfant qui passe le temps à colorier son cahier dans son coin. Il ne veut rien prouver. Il ne veut convaincre personne. Il s'amuse. Il arrive que ce livre, souvent en marge de son œuvre, plaise au lecteur beaucoup plus que ses autres romans plus importants. Faire attention : un tel livre ne peut exister seul. On le comprend parce qu'il y a les autres. L'exemple le plus fameux, c'est *Les Mots* de Sartre. Ensuite, il y a le livre qu'il faut faire si on veut être pris au sérieux par l'establishment. C'est une œuvre qui se veut impressionnante, mais que personne n'a envie de lire. Comme un salon trop richement décoré qu'on évite pour aller s'asseoir dans un coin plus modeste, mais plus chaleureux. Je peux en citer des centaines de livres comme ça. Il y a enfin le livre-bilan qui rassemble l'ensemble de l'œuvre en un tour de main. Il plaît beaucoup aux professeurs et aux critiques qui ne se sentent plus obligés de tout lire. L'auteur le cite quand un lecteur voudrait savoir par quel livre commencer son œuvre. Tout cela pour dire qu'une véritable œuvre suit le cours du temps. Pour celui qui voudrait devenir écrivain, l'exigence est quotidienne. C'est absorbant. Le lecteur peut lire cette œuvre dans le désordre (il fait comme il veut), mais c'est toujours intéressant de la lire dans l'ordre. On peut ainsi suivre le chemin sinueux de l'écriture tout en survolant les nuits d'angoisse de l'écrivain.

Peut-être que lire et écrire, comme rêver et penser, ne servent qu'à faire baisser l'intensité du bruit dans le monde.

88. Le fouet de Truman Capote

Truman Capote donne souvent l'impression d'un mondain qui court d'une fête à une autre. Dans le même périmètre doré de Manhattan. Ses amies ne pouvaient être que belles et riches : Jackie Onassis et sa sœur Lee Radziwill, Babe Paley, Marella Agnelli, Gloria Vanderbilt, et la propriétaire du Washington Post, Katharine Graham, pour qui il organisa le fameux bal en noir et blanc. Diana Vreeland disait de lui qu'il pouvait parler sans fin de n'importe quoi et qu'à la fin, « tout était dit et rien n'était expliqué ». Bref, un brillant mondain dans la tradition d'Oscar Wilde. Les réflexions suivantes montrent qu'il mettait sa passion dans cette aventure d'écrivain. On l'imagine, le soir, allongé sur le divan dans la position sensuelle qui l'a fait connaître, en provoquant un énorme scandale dans le milieu littéraire américain, lors de la publication de son premier livre.

CAPOTE : « Un jour, je me suis donc mis à écrire, ignorant que je m'enchaînais pour la vie à un maître très noble, mais sans merci. Quand Dieu vous gratifie d'un don, il vous gratifie aussi d'un fouet ; et ce fouet est strictement réservé à l'autoflagellation. »

Truman Capote parle en regardant un point devant lui comme si c'était une caméra invisible.

CAPOTE : « Cela cessa de l'être lorsque je compris la différence entre ce qui était bien ou mal écrit et je fis ensuite une découverte encore plus alarmante : la différence entre ce qui était très bien écrit et l'art véritable : une nuance subtile, mais impitoyable. Après quoi le fouet s'abattit ! »

Je suppose qu'il va prendre un verre avant de poursuivre. En revenant, il jette un rapide coup d'œil à l'horloge.

Andy Warhol, qui devait passer le chercher pour se rendre à une exposition (des portraits de condamnés à mort) dans le Village, est en retard.

Capote : « Mes entreprises littéraires occupaient tout mon temps : apprentissage devant l'autel de la technique, du savoir-faire ; complications diaboliques de l'élaboration des paragraphes, de la ponctuation, de la mise en place des dialogues. Sans parler de la trame d'ensemble, de l'exigeant tracé introduction-nœud-conclusion. Il y avait tant à apprendre et de tant de sources : non seulement dans les livres, mais dans la musique, la peinture et la simple observation quotidienne. »

Warhol est enfin arrivé. Capote ne veut plus sortir. Les deux hommes causent un moment, puis Warhol part.

Capote : « En attendant, je me retrouve isolé dans ma folie obscure, en tête à tête avec mon jeu de cartes, et, bien entendu, le fouet dont m'a gratifié Dieu. »

Capote se sert un dernier verre qu'il boit lentement dans la pénombre avant de retourner au manuscrit de *Musique pour caméléons* (Gallimard, 1980).

Si vous aviez le choix, voudriez-vous être Jack Kerouac qui a écrit *Sur la route* ou Neal Cassidy dont Kerouac a fait le personnage central de son livre sous le nom de Dean Moriarty ? Aujourd'hui, on veut être à la fois l'auteur et le personnage principal, comme un commerçant radin qui s'installe dans sa boutique pour ne pas avoir à payer un employé.

89. Un carnet

C'est un outil aussi essentiel que le marteau du menuisier. On doit l'avoir toujours sur soi pour noter de petites scènes, une anecdote, un dialogue amusant ou une description de paysage. Il y a des réactions qui ne vous viendraient jamais à l'esprit. C'est un cadeau de la réalité. La vie courante est la source de toute fiction. D'où l'expression : incroyable, mais vrai. Cependant, une collection de faits surprenants peut endormir autant qu'un album de photos de vacances. Quand un carnet est rempli, on le jette dans un tiroir et on en ouvre un nouveau. Cela pourrait vous dépanner quand vous aurez l'impression cendreuse que plus rien ne sortira de vous. Vidé, quoi! Il faut savoir prendre des notes. Observation objective. Ne pas tenter d'écrire. On note ce qu'on voit. On transcrit les dialogues tels quels. C'est le point de vue des autres et non de soi qui compte dans ce cas. On croit toujours être l'unique narrateur de la réalité. C'est en notant qu'on s'aperçoit qu'on n'est pas seul dans le paysage. Ça grouille autour de nous. D'autres regardent dans la même direction que nous, et pourtant nos points de vue diffèrent. Pire, nous ne voyons pas la même chose. Les réflexions fusent. Les émotions se télescopent. On apprend ainsi à observer. Trois éléments sont fondamentaux dans ce métier : voir, entendre et sentir. La romancière américaine Eudora Welty a écrit un joli petit livre sur ce thème : *Les Débuts d'un écrivain*. V. S. Naipaul, toujours acide, s'est rappelé avec émotion ses débuts dans *Comment je suis devenu écrivain*. Lisez-les pour voir comment se met en branle la machine des sens.

> On peut penser ce que l'on veut, mais on ne peut pas écrire tout ce que l'on pense. Et quand on arrive à ne penser que ce que l'on peut écrire, c'est qu'on est devenu un écrivain officiel.

90. DIX PETITS EXERCICES INUTILES ET UN COMMENTAIRE FARFELU

1. Prenez un sujet que vous ignorez totalement et écrivez tout ce qui vous passe par la tête. Ne vous relisez pas tout de suite, car vous risquez, avec raison, d'être déçu. Un an plus tard, cela fait moins mal.

2. Écrivez sans cesse, comme s'entraîne un athlète au gymnase, tout en sachant que l'écriture n'a rien à voir avec le sport. On ne devient pas plus écrivain à aligner des kilomètres de phrases. L'intérêt d'un tel exercice ? Vous saurez ainsi plus vite ce qu'il en est de vos possibilités.

3. Pensez que vous êtes un écrivain danois et que vous vivez à Stockholm (vérifiez d'abord si Stockholm se situe bien au Danemark – un peu de précision ne fait pas de mal). Racontez ce que vous faites de votre journée dans les moindres détails. La différence est subtile entre le métier d'espion et celui d'écrivain, mais elle existe. De plus en plus de romans sont en fait des rapports de police.

4. Pensez que vous êtes un homme ou une femme (un sexe différent du vôtre) et racontez une histoire de ce point de vue. Vous aiderez de ce fait à résoudre ce problème insoluble parce que sans grand intérêt : l'écriture a-t-elle un sexe ?

5. Réécrivez à votre manière une courte nouvelle d'un écrivain que vous estimez, en changeant les noms des personnages et des lieux. Adaptez la nouvelle à votre contexte. N'accordez pas plus d'importance au résultat que s'il s'agissait d'un tricot pour votre neveu.

6. Écrivez un monologue en vous mettant à la place du salaud de vos fantasmes. Faites-le de telle sorte que vous vous sentirez compromis si quelqu'un tombe sur le texte.

7. Notez des mots, des phrases, des expressions attrapées au vol, des bouts de dialogue que vous pourrez glisser dans le livre que vous êtes en train d'écrire. Faites-le avec parcimonie. C'est tout un art que de savoir épicer. Trop d'acrobaties verbales pourraient détourner le récit de son sens.

8. Inscrivez vos rêves dès votre réveil en essayant de garder cette atmosphère un peu surréaliste propre au rêve. Ne tentez pas tout de suite d'avoir un récit organisé. Relisez le tout dans un an ou deux. On n'y comprend rien – quelques images fulgurantes à sauver. À quoi sert l'exercice ? Cela fait partie du processus d'écriture.

9. Écrivez pendant un mois de courtes histoires que vous devez terminer dans la journée. La longueur n'a pas d'importance.

10. Écrivez des phrases qui ne font aucun sens, mais dont la musique vous plaît.

Commentaire : Le but de ces exercices, c'est de protéger la société des mauvais coups que vous seriez enclin à commettre (on connaît la nature humaine) si vous n'étiez pas si occupé.

> Pour Paul Léautaud, le premier jet est définitif malgré ses défauts, tandis que pour Mikhaïl Boulgakov, une vie n'est pas assez pour écrire un livre. Entre ces deux monstres, nous sommes des milliers à tenter modestement de faire notre possible.

91. LA MORALE DE LA FABLE

Malheureusement, on a commencé notre vie de lecteur de la pire façon possible : la fable. La fable qui débute toujours par «Il était une fois» pour suivre un canevas immuable. Il n'y a rien qui se fait une seule fois dans la vie. C'est un éternel recommencement ou un prolongement sans fin (je laisse ce débat à Kant). Et cette morale est encore plus désastreuse lorsqu'elle nous fait croire que nous pouvons nous sortir, en respectant les règles, de toutes les situations impossibles. La règle fondatrice : la princesse est la plus belle fille du royaume, et elle est aussi belle que pure. Le fameux lien qu'on n'a pas pu défaire jusqu'à présent entre beauté, blancheur et pureté. On ne peut pas être plus blanc que Blanche Neige. Certains se rappellent trop cette mythologie formatrice au moment d'écrire plus tard. Il est vrai que tout écrivain rêve de pouvoir rendre unique une expérience. Ce n'est pas à la portée de tout le monde de commencer une histoire par le fameux «Il était une fois» qui a illuminé notre enfance. Mais la vie est si surprenante que la morale, comme la cavalerie, arrive toujours trop tard. Malgré tout, le quotidien ne parvient pas à nous débarrasser des traces de ces fables (*Cendrillon*) qui polluent notre mémoire en exigeant que tout se termine par une morale devenue hollywoodienne. On tente de conduire le lecteur, dans les dernières pages, vers un point fixe : le bien qui doit nécessairement triompher du mal. Alors qu'il serait intéressant de se rapprocher de cette vie quotidienne dont la texture est si riche qu'elle ne saurait se réduire à un dénouement aussi primaire. Je soupçonne que les histoires poursuivent leur course dans d'autres histoires. Le glissement se fait sous nos yeux sans qu'on s'en rende compte.

On s'exprime souvent mieux par les livres qu'en tentant de prendre part à cette rumeur confuse et éphémère qui rythme nos jours.

On ne s'assoit pas dans une salle de cinéma pour voir à l'écran ce qu'on vient de vivre dans la rue. On est là pour donner un sens à tout cela. Et l'amour est la réponse. Le spectateur vient rêver, comme un enfant, dans la salle obscure. À la différence de la fable disneyenne qui se déroule dans un temps suspendu, le cinéma américain nourrit ses récits de petits faits de la vie quotidienne. On résout le problème juste avant la fin. Et la dernière scène se passe dans un dialogue banal entre les protagonistes, comme pour inscrire la fable dans la vie réelle. On les voit en train de dévorer un hamburger, dans un restaurant du quartier. Conversation banale à souhait dont on n'entend pas tous les mots. Tout ça pour en arriver là? se demande-t-on. On comprend alors qu'on ne perd rien à ne pas être un héros. En fait, ce n'est qu'une version grise de la fable lumineuse de notre enfance. Ce n'est pas mieux, car on sent, comme pour l'ancienne fable, une manipulation des sentiments. Avant, la fonction de héros était réservée au prince et à la princesse; aujourd'hui, c'est une sorte de grâce (ou une loterie) qui peut tomber sur n'importe qui. Personne ne songerait, de nos jours, à faire d'un prince un héros, si on ne commence pas par s'en moquer. Mais ne vendons pas la peau de l'ours avant de l'avoir tué, car on a vu la houle d'émotion qui a traversé la planète au moment de la mort accidentelle de la princesse Diana.

On est aussi l'écrivain des livres qu'on se sait capable d'écrire mais qu'on n'a pas écrits finalement.

93. Le tunnel du quotidien

Il y a deux moments dans un livre. Le début et la fin. Mieux vaut commencer en mouton et finir en lion que le contraire. Quand vous commencez avec trop de force, à la moindre baisse d'intensité le lecteur se demande si vous n'aviez pas soulevé un poids trop lourd pour vous. Je privilégie de commencer en mouton et de finir en mouton. De garder toute la puissance pour le milieu. Et de le faire de manière si discrète que le lecteur ne s'aperçoit pas qu'il s'enfonce dans un sable mouvant dont il lui sera impossible de sortir tout seul. Il est alors à votre merci. La romancière Edwige Danticat fait ses livres ainsi. Une lectrice me disait dernièrement qu'elle lisait *Adieu mon frère* et qu'au moment où elle allait laisser tomber, trouvant l'écriture trop terne, elle a glissé dans un trou pour n'en ressortir qu'à la toute fin, la gorge nouée.

On ne dira jamais assez combien la lecture d'un mauvais livre peut aider parfois un écrivain désespéré à reprendre confiance en lui.

94. Ouvrir les yeux

Le jeune écrivain caribéen, souvent très jeune, a une peur bleue de la réalité, de cette terrible réalité dans laquelle il patauge. C'est clair qu'on doit prendre une certaine distance avec une telle situation si on veut l'évoquer avec précision. L'ennemi est si facilement identifiable : le pouvoir. Cependant, pour une fois, on ne va pas parler de ce désir légitime de changer les choses, mais strictement d'écriture. Le jeune romancier, on le sait, fantasme la vie beaucoup plus qu'il ne l'habite. L'une des raisons, c'est qu'il a commencé comme poète ou, dans mon cas, comme chroniqueur culturel. On voit alors la vie à travers les métaphores rutilantes que charrie cette nature tropicale qui nous entoure. Combien de fois ai-je évoqué l'odeur des ilangs-ilangs dans le soir port-au-princien? Le crépuscule n'est jamais le moment où l'ouvrier cesse de travailler, mais un tableau saisissant. On attend de l'écrivain qu'il nous fasse voir ce qui se cache derrière ce voile coloré. Qu'il jette un regard aigu sur ce qui se déroule autour de lui. Qu'il arrête de commenter plutôt que de faire voir. Ses chroniques sont criblées de commentaires rageurs contre le gouvernement. Il lui arrive aussi d'aborder la question de classe, mais souvent sous une forme sommaire (les bourgeois sont la cause de tout). Le mot *misère* revient constamment, mais on ne dit pas de quoi est faite cette misère. Tout ça est très abstrait. On remarque l'absence criante de la vie quotidienne dans cette littérature. On voudrait que ce jeune écrivain observe avec plus d'acuité les gens en activité. Et qu'il note tout cela dans son petit carnet. On ne sent pas palpiter la vie dans son livre. Trop de commentaires et pas assez d'observations. On comprend que la gravité de la situation l'oblige à intervenir directement en utilisant l'écriture comme une arme de combat. Tout autre objectif est à ses yeux un luxe inacceptable. Le problème, c'est qu'on perd le lecteur en faisant de sa réalité un interminable éditorial. Je ne me souviens plus à quel moment j'ai commencé à regarder attentivement ce qui se passait autour de moi. Juste regarder.

Je viens de voir un film sur le poète John Keats à la télé. Tout de suite après, j'ai commencé à relire son *Ode à un rossignol*, avec un verre de vin rouge, et c'est ce que j'ai fait de mieux depuis ce matin.

95. Un bruit de fond

Lisez les romans policiers en oubliant le crime et sa résolution. Lisez-les avec un regard d'écrivain. C'est une bonne école. La vie y est. On voit des gens manger des plats qu'on sert dans les petits restos. Il y a la description des vêtements que portent les personnages. On voit des endroits repérables dans la ville. Maintenant faites l'expérience en prenant des romans venant du Sud et tentez d'y repérer quelques traces de la vie quotidienne. Comme, par exemple, quelqu'un prenant une douche, une voiture qui passe dans la rue, une femme qui enfile une robe, un homme en sueur, des enfants courant à travers une foule, ou simplement un taxi qui s'arrête pour un client. Des choses qui ne servent pas le propos au premier degré – le passager du taxi ne se rend pas à une réunion secrète contre le gouvernement. Bien sûr qu'on trouve des descriptions de ville dans mes chroniques de l'époque, mais on a l'impression que ces villes n'ont pas de restaurants, pas de taxis, pas de cinéma, seulement un bruit de fond. Un jour, à la fenêtre de mon appartement, à Montréal, j'ai vu quelqu'un passer. J'ai regardé comment il était habillé. J'ai compris qu'il allait au café. Je n'ai pu apercevoir s'il buvait du vin ou du café. C'était la première fois que je voyais quelqu'un d'un point de vue d'écrivain.

> Ce qui devient banal, à force de se répéter, est aussi la chose la plus miraculeuse qui soit, car on se demande ce qui se passerait si ça ne revenait plus.

96. La mémoire de l'enfance

Tout récit est forcément autobiographique, même quand l'histoire semble loin de notre vie personnelle. C'est quelque chose qu'on a rêvé et qui fait partie de nous. Parfois sans même le savoir, on y a glissé de vagues souvenirs. On croit que c'est une idée qu'on vient d'avoir alors qu'elle était déjà inscrite en nous. Souvent, elle arrive avec tout son attirail de mots – on n'a aucun effort à faire. Pour décrire un personnage, on cherche dans notre mémoire quelqu'un qu'on a connu qui pourrait lui ressembler. Parfois, c'est un simple tic de lui qu'on utilise. On prend les autres traits ailleurs. La mémoire est une banque où l'on fait constamment des emprunts et des dépôts. Dès que l'on commence à écrire, notre mémoire devient un instrument de travail, comme un crayon, une machine à écrire ou un ordinateur. Elle a besoin d'exercices d'assouplissement pour être efficace. On me demande souvent comment je fais pour me rappeler tout ce qui s'est passé durant mon enfance. Je ne me souviens pas du millième. Mais le peu que je me rappelle suffit pour impressionner celui qui n'utilise pas assez sa mémoire. Tout est là pourtant, tapi dans l'ombre comme un félin prêt à bondir sur la page blanche. Il faut chercher le fil et tirer ensuite dessus. On a tous des anecdotes mémorables qui datent de l'enfance. D'abord, notre enfance avait des témoins qui sont nos parents, nos grands-parents, parfois nos sœurs et frères, et qui pourraient nous aider si on leur pose des questions précises. C'est une mine de renseignements qu'on n'utilise pas assez (l'écrivain n'est pas obligé de tout tirer de son imagination). Ensuite, pour ce qui nous concerne directement, on ne pourra se rappeler des choses que si on y met le temps et l'énergie nécessaire (écrire est aussi un travail harassant et répétitif). Chaque matin, j'étais là à fouiller dans ma mémoire pour retracer des couleurs et des odeurs particulières, des saveurs étonnantes. J'en étais à classer mes journées pluvieuses. J'avais reconstitué ma rue avec toutes les maisons et leurs habitants. J'étais devenu un habitué de la place. Je passais des journées entières avec mes amis dont la plupart sont morts. L'enfance, ai-je remarqué, c'est d'abord une lumière particulière. Je fermais les yeux et dès que je percevais cette lumière, je savais que je m'approchais du vieux pays. Il faut éviter d'analyser l'enfance. Dès qu'on essaie de l'attraper pour s'en servir, tout se défait immédiatement. C'est un monde de sensations qui semble allergique à la réflexion. Je ne comprends pas les écrivains qui, au milieu d'une narration sur l'enfance, glissent des commentaires. Ce n'est pas un spectacle auquel on est convié. C'est un lieu habitable. On y est ou pas. Il ne faut pas croire non plus qu'on rattrape l'enfance juste en enfilant des anecdotes charmantes que notre mère nous a racontées. Ce n'est pas l'enfance, c'est un regard attendri sur l'enfance. Une anecdote peut réveiller une sensation particulière. Toutes ces recherches auprès de la famille n'ont pour but que de faire revivre l'enfance. La bibliothèque de l'enfance est immense. De nombreux écrivains ont écrit sur leur enfance. Ils tentent de retrouver ainsi la fraîcheur des premiers gestes. C'est de là que naissent les mythologies individuelles.

L'enfance est le temps de la vie qui passe le plus vite mais qu'on garde en soi le plus longtemps ; pourtant, ce sont ceux qui ne l'ont pas connue qui s'en souviennent le plus.

97. MAUVAIS JOUR

Quand j'étais enfant, chez ma grand-mère, à Petit-Goâve, on avait des canards dans la cour. L'un d'eux passait voir chaque matin ma grand-mère, avant d'aller faire le tour du quartier. Cela commençait toujours par une conversation courtoise, ce qu'on se dit au réveil, j'imagine (Bonjour, as-tu bien dormi?), pour tourner brusquement au pugilat. Le canard devenait très agressif. Un jour, je demandai à ma grand-mère la raison d'une telle violence. Elle me confia, sans cesser de sourire, que le canard tentait de lui dire la date de sa mort, et qu'il s'énervait du fait que ma grand-mère ne parvenait pas à comprendre son langage. Je lui demandai si elle était intéressée par cette sinistre information, et elle me murmura, pour ne pas être entendue du canard qui, lui, comprenait parfaitement le langage des humains, qu'en réalité elle n'était nullement intéressée à savoir la date de sa mort. Voilà qui n'est pas loin de notre situation d'écrivain. Nous essayons de dire quelque chose que nous croyons vital mais que les autres ne saisissent pas toujours, et quand ils finissent par comprendre, nous nous demandons si cela valait la peine de s'être battu autant pour s'exprimer.

> Vous sentez que vous n'arriverez à rien aujourd'hui, alors ne faites rien. Mais ça, c'est le projet le plus difficile à réaliser.

98. LES ANIMAUX

J'ai l'impression qu'on a cédé les animaux aux écrivains de la Bibliothèque rose. Les écrivains qui s'adressent en premier lieu aux enfants savent de tout temps que le lien est très fort entre ces derniers et les animaux. Les enfants parlent le langage des chiens, des chats, des éléphants ou même des serpents. Ils se sentent proches de cet univers où le niveau de duplicité n'est pas trop élevé. Ils ont remarqué que, si la langue des humains est si raffinée, c'est pour permettre à ceux qui la parlent de mieux mentir – tandis que le langage des animaux reste primaire. Tout cela est bien sûr idéalisé, car le mensonge existe chez les animaux – Lafontaine en témoigne. Toute la jungle ment pour survivre. Le tigre se fait discret pour s'approcher de l'animal qu'il convoite. Le caméléon est un simulateur de haut vol. Les animaux qui cherchent à s'accoupler, durant la saison des amours, ne cessent de mystifier, par des danses, ceux qu'ils veulent séduire. L'araignée tapie au fond de la toile à attendre sa proie est fourbe. Enfin, les enfants aiment les animaux, et il est conseillé d'en mettre dans un livre qui leur est destiné. Alors pourquoi ne fait-on pas de même avec les adultes ? Pour l'adulte, le monde des animaux paraît trop simple. Ainsi, les animaux ont presque disparu de la scène du roman, à part chez John Irving qui n'oublie jamais de glisser un ours dans les siens. On remplace les animaux par des objets. Les adultes collectionnent les objets, comme les enfants, les animaux. On leur donne une fonction. Le chien est un ami ou un héros. Le chat se met souvent sur la table de travail de l'écrivain ou dans les bibliothèques, se faisant ainsi une réputation d'intellectuel. Il existe une vaste documentation sur les rapports entre les chats et les écrivains. Les mouches annoncent l'été ou la mort. Les crocodiles, comme les éléphants, les zèbres, les singes, les tigres, les girafes et les hippopotames, se retrouvent plutôt dans de mauvais romans. Pour régler, une fois pour toutes, ce problème de casting, Kipling les a réunis dans un mince chef-d'œuvre, *Le Livre de la jungle*. Le seul rôle intéressant pour un lapin, c'est dans *Alice au pays des merveilles*. Naturellement, on ne peut pas concevoir un gros roman qui se passe à la campagne sans qu'une vache se fasse traire, ou qu'un chien ramène un enfant perdu. Je n'ai pas l'impression que les animaux seraient très malheureux si on évitait d'en faire des figurants dans de mauvais romans.

> Il fut un temps où l'on croyait que c'était 90 % d'inspiration pour 10 % de sueur. Aujourd'hui, c'est l'inverse. Que se passera-t-il quand ce sera 100 % de sueur?

99. UN NOUVEAU MÉTIER

Depuis quelque temps, on commence à parler du métier d'écrivain dans des pays où la situation économique est précaire. Ce qui signifie que la littérature est devenue un aboutissement et non ce tremplin qui permettait à l'écrivain de se faire rapidement une place dans la société. Autrefois, après quelques recueils de poèmes à compte d'auteur, et surtout deux ou trois romans dans une maison d'édition prestigieuse, on était sûr d'avoir un poste de conseiller culturel à Paris ou à Madrid. Le prestige qui vient avec la fonction d'écrivain permettait de donner son opinion sur tous les sujets possibles. On était reçu dans les salons bourgeois. Le nouvel auteur n'était pas devenu riche pour autant, mais on le fêtait partout. Aujourd'hui, pour être considéré comme un romancier en Haïti ou au Sénégal, il faut au moins une demi-douzaine de livres qui tournent autour de quelques thèmes spécifiques à l'auteur – avec une prose identifiable. C'est un métier qui demande beaucoup de rigueur, des nerfs solides et une formidable capacité de travail. Un médecin qui écrit, tard le soir, n'est pas un écrivain, mais un homme cultivé. On peut bien jouer du piano sans se prendre pour un musicien ou un concertiste. On comprend alors, au grand dam de certains notables qui plastronnent dans les clubs privés, qu'un ou deux livres, même bons, ne feront pas de vous un écrivain de métier (Breton détestait le mot *métier*). L'écrivain, c'est celui qui conçoit un univers, ne se doutant pas alors qu'il vient de s'embarquer dans une histoire sans fin.

> Nous sommes de moins en moins nombreux à préférer une bonne phrase à toute autre chose.

100. LE PLAISIR D'ÉCRIRE

Je remarque que chaque fois qu'un écrivain parle en public du travail littéraire, il évoque des scènes apocalyptiques dans une chambre de torture. Quand on le croise dans l'intimité, le ton est nettement à l'opposé, il ne semble se souvenir que du plaisir fou qu'il prend à écrire. Dans les deux cas, on force la note. Il y a de la douleur et du plaisir. Parfois le plaisir vient du fait qu'on a continué à chercher malgré la douleur. En tout cas, le lien est exact : on oscille entre douleur et plaisir, l'un engendrant l'autre. Il arrive qu'on pioche des heures sans parvenir à terminer une page. Dans un pareil cas, je reste sans bouger. Si j'insiste, c'est pire. J'attends. Je me sers un verre de vin, que je bois lentement (je fais tout au ralenti) en regardant l'agitation de la rue. Un autre verre. Rien ne vient. Au sixième verre, l'air devient plus léger. Les voitures ont l'air de flotter. Je retourne à la table de travail avec un petit sourire amusé dont je ne peux dire la provenance. Je ne me souviens pas d'avoir déjà écrit dans une pareille allégresse. Les phrases filent à toute allure. Les idées explosent dans ma tête. Et moi je tape sur ma vieille Remington comme un dératé. Ça va tellement bien que, pris de panique, j'arrête pile d'écrire. La gaieté a fait place à cette tristesse chic de fin d'après-midi. Je me lève et me mets à danser dans la chambre jusqu'à ce que je m'écroule sur le lit.

> Choisissez avec soin votre matériel d'écriture (la main, la machine à écrire ou l'ordinateur), votre style en dépend plus que vous ne croyez.

101. L'IMPACT DE LA LITTÉRATURE SEXUELLE DANS LES SALONS

Écrire le sexe, c'est parfois mieux que le faire. On peut tout effacer et recommencer autant de fois qu'on veut. Et le faire avec n'importe qui. Pourvu que cela reste dans le vraisemblable. En fait, ce n'est pas si facile d'écrire sur le sexe. Il faut savoir quel effet vous espérez obtenir dans les salons. Vous voulez simplement choquer ? Alors là, il faut se lever tôt, car notre ami Sade est déjà passé par là. Il a quasiment brûlé le terrain. Dès qu'il sent qu'on cherche à le choquer, le lecteur se rebiffe. Personne ne veut passer pour un prude. Et on ne vous ratera pas : « J'étais assez intriguée au début, mais j'ai vite laissé tomber, car c'était trop mal écrit. » Si on ne veut pas donner son avis sur le film d'un ami, on évite de parler de la réalisation en saluant tout le reste : « La musique était excellente, et les paysages, magnifiques. » Rien de plus futile que d'éviter le cœur d'un sujet. On a envie de dire à cette lectrice : « Quand vous vous dites "intriguée", dois-je comprendre que ces descriptions crues vous ont "excitée" ? » Silence. Je mets au féminin parce que c'est rare qu'un homme admette avoir été « intrigué » par une scène *hard*. La deuxième manière d'écrire le sexe, c'est de mélanger sensualité, sexualité et citations littéraires choisies chez des écrivains plutôt graves, comme Blanchot. Ça passe mieux dans les salons. On discute avec des sous-entendus qui échappent aux jeunes vierges. On reprend certaines citations qui sont particulièrement frappantes par rapport à la situation politique du jour. Jusqu'à ce que quelqu'un lance que c'est de la mièvrerie tout ça, et qu'il ne connaît personne qui devise ainsi pendant la mêlée. On rit et on passe à autre chose. Il y a bien sûr cette jeune fille qui semble songeuse. Elle confie finalement qu'elle n'a pas lu le livre. Et tous les hommes se ruent vers elle, sur le canapé, pour lui expliquer ce qu'il y a là-dedans. Sauf un, celui qui partira avec elle. Les imbéciles ont du mal avec le second degré. Il y a le roman qui traite d'un sujet social (la faim au Kenya), et brusquement, pendant le safari (il y a toujours un safari au Kenya, si mes renseignements sont justes), la jeune fille qui accompagne son milliardaire de père (philanthrope de New York), cette jeune fille fait le lien entre la grâce du tigre et ce jeune guide qui leur ouvre le chemin (en un mot qui va au-devant du danger). Elle ne comprend pas ce qui lui arrive. Elle fait des rêves où elle est une biche qui se fait dévorer par un tigre. Elle passe ses nuits à courir dans le désert, poursuivie par ce terrifiant tigre pour se faire rattraper à l'aube. Elle est de plus en plus épuisée le matin, ce qui finit par alarmer son père qui décide de rentrer. Elle insiste pour rester. Cette histoire de se faire dévorer, après une folle course, marche encore. C'est le genre de livre dont on parle en tête à tête. On n'avoue pas facilement les rêves mouillés. Et puis, il y a les contrastes de classes ou de races. La discussion devient vite politique dans ces cas. N'est-ce pas encore une façon d'exploiter les pauvres ou les Noirs ? Et cela, même si c'est le contraire, puisque c'est ce jeune Noir qui est en train de rendre folle cette malheureuse étudiante blanche. C'est très rare qu'on avoue de pareilles attirances. On vit avec et on attend qu'il se produise quelque chose. Justement, dans la cuisine, il y a ce jeune tigre en pleine discussion sur Schopenhauer avec cette étudiante de McGill. Si vous voulez qu'un livre sexuel dure (il peut marcher fort au début, mais durer c'est autre chose), il faut faire en sorte qu'on dise de lui : «Au fond, sur le plan strictement sexuel, j'ai été un peu déçu, mais par contre c'est bien écrit». On revient, comme au début, à cette impossibilité de parler de sexe, peut-être parce qu'il est possible de le faire. Un dernier conseil : ne mélangez pas trop sexe et humour, c'est une vue de l'esprit. Cela exige un talent particulier, comme celui de Phillip Roth dans *Portnoy et son complexe*.

> Retenez vos larmes durant la scène tragique pour permettre au lecteur de croire qu'il est le premier à pleurer sur ce drame.

102. Une ville tombe

J'ai sur moi ce petit carnet noir partout où je vais. J'y note tout ce qui traverse mon champ de vision. Je suis une caméra qui filme tout sur son passage. L'émotion viendra au moment de l'écriture. Ce 12 janvier 2010, j'étais à Port-au-Prince, au moment du tremblement de terre. Dix minutes après les fortes secousses de 7.3, j'ai sorti mon carnet pour prendre des notes. Deux mois plus tard, j'ai publié un livre racontant l'événement. Pendant ces dix minutes, j'étais pris dans le tourbillon collectif. J'ai repris mes esprits dès que j'ai commencé à écrire. La ville tombait. Autour de moi les maisons s'écroulaient. Les gens couraient partout. J'avais quand même le sentiment qu'ils gardaient malgré tout leur sang-froid, car je n'ai assisté à aucune scène de pillage. Et surtout la certitude que quelqu'un devait prendre une certaine distance avec l'événement, s'éloigner de toute émotion personnelle afin de pouvoir témoigner de ce qui se passait. La répartition des tâches est plutôt claire : les pompiers doivent éteindre les feux, les professeurs enseignent, les policiers ont pour obligation de veiller à la sécurité des biens et des personnes. La première fonction de l'écrivain, c'est de capter l'instant, d'une manière si personnelle que cela distinguera son style de celui du journaliste. Il y a des endroits où la presse, qu'elle soit télévisée, radiophonique ou écrite, ne peut pas pénétrer. L'écriture permet d'imaginer les choses. À la différence de la littérature, les journalistes doivent questionner les gens pour savoir ce qu'ils ressentent. Le matériel de l'écrivain est léger à transporter (la mémoire) et l'effet du livre sur le lecteur peut être durable (le style). On me pose souvent cette question : comment se fait-il que vous ayez eu votre carnet avec vous ? Si ce carnet noir était avec moi, ce jour-là, c'est parce que je l'ai toujours sur moi. S'il est toujours avec moi, c'est parce que je cherche à capter le moment présent. Et ce fut, ce jour-là, l'instant dévastateur. Si l'écriture, à ce moment-là, ne compte pas beaucoup pour vous, elle devient d'une insupportable futilité. J'ai toujours su que la littérature n'était ni un luxe, ni un sujet mondain. Elle est à mes yeux essentielle à la vie. S'il n'y avait pas cette fenêtre sur le monde, je n'aurais pas tenu le coup.

Quand la scène exige beaucoup d'intensité, il faut demander aux protagonistes de baisser le ton sans toutefois éteindre le feu.

103. LE COURAGE DE S'EXPOSER

Ce matin, un jeune homme plein d'élan et d'humour m'écrit pour me demander de lire son livre et de lui dire si ça vaut la peine d'être publié. Je lui réponds tout de suite que je ne le lirai pas. « J'ai lu votre lettre : bonne, pleine d'humour et d'autodérision. Votre sujet est tout trouvé et le livre est sûrement bien écrit. Prenez votre courage à deux mains et cherchez-vous un éditeur. » Et j'ajoute : « Dès que quelqu'un me demande de lire son manuscrit, j'ai des doutes, car je sens qu'il lui manque cette chose essentielle pour être un écrivain : le courage. Il s'agit d'une course à obstacles où on doit affronter d'abord l'éditeur (les lettres de refus), ensuite la critique, enfin le lecteur. Vous avez fait la moitié du chemin en terminant ce livre. Continuez, car écrire n'est pas seulement aligner des phrases. Je veux voir votre roman en librairie. » Il me répond le même jour : « Vous mettez le doigt sur quelque chose que je ne risque pas d'oublier : on ne peut pas rêver d'être écrivain sans le courage de s'exposer. » Je me demande si j'ai autant de courage que ce jeune homme qui se relève si rapidement après une pareille lettre.

Toute cette technologie qui permet d'aller plus vite ne fait que renforcer, sans le vouloir, le sentiment de défendre un art de vivre que l'on ressent à écrire à la main.

104. PREMIER LIVRE

C'est un exercice intéressant que de lire quelques premiers livres d'écrivains. Certains ont déjà ce style qu'on verra dans les livres à venir. Les mêmes qualités et les mêmes défauts qu'ils tenteront de mettre en lumière ou de cacher.

Comme certains enfants chez qui on sent déjà l'adulte. D'autres écrivains, parmi les meilleurs, sont méconnaissables à leurs débuts. Tellement mièvres au départ qu'on s'étonne de relever plus tard sous leur plume des commentaires aussi incisifs. Il y en a pour qui ce fut un combat de tous les instants. On suit la montée constante et laborieuse. Un bon nombre d'écrivains débutent par leur meilleur livre. Rien de plus décourageant. Certains, après un départ fulgurant, disparaissent. Aveuglés par les flashs, ils avaient oublié que l'écriture se joue dans la pénombre. Parfois ce sont des éditeurs trop agressifs qui les obligent à refaire le même livre, espérant qu'ils retrouveront la grâce du premier. Ce premier livre avait été écrit dans la plus totale liberté. L'écrivain ne s'attendait à rien – et voilà le succès qui emporte avec lui cette sensibilité qui l'aidait à voir le monde différemment des autres. On doit faire attention à ne pas faire, avec nos tentatives ratées, des chapitres du premier livre. Ce n'est pas un cimetière de rêves avortés. Le mieux, c'est peut-être à la fin de l'écriture de son premier livre d'en commencer tout de suite un second, afin de sortir de cet état somnambulique dans lequel on se vautre après de longs mois passés sous les eaux. Sans chercher un sujet. Et d'envoyer les deux manuscrits à un éditeur. Je ne serais pas étonné qu'il s'intéresse plus au second. On est toujours un peu guindé en écrivant son premier livre. Un premier roman qui m'a fait voir un monde neuf, c'est *Bleu presque transparent* de Ryu Murakami. C'est un Tokyo que je ne connaissais pas. Depuis, Murakami n'a jamais retrouvé cette pureté du regard. Il y a là aussi une urgence qui me rappelle celui que Basquiat a jeté sur New York dans les années 1980.

Quand on publie son premier livre, on s'expose à trois sortes de critiques : 1. Indifférence 2. Génial 3. Faites un autre métier. Laquelle, d'après vous, est préférable pour la suite des choses ?

105. LA VOIX DE MILLER

Je me souviens de ma surprise en entendant ma voix pour la première fois sur un petit enregistreur. J'étais loin d'imaginer qu'un corps si frêle, comme le mien, pouvait produire une voix aussi grave. Je suis resté un moment hébété, me demandant s'il y avait d'autres choses chez moi capables de m'étonner à ce point. Miller raconte une histoire aussi remarquable, non pas à propos de sa voix, mais de son style. Ce style trop littéraire aux yeux de ses amis qui ne le reconnaissaient pas dans ce qu'il écrivait. Un jour, Miller s'installa devant sa table de travail, regarda longuement par la fenêtre, puis se servit un verre de vin avant de glisser une feuille de papier dans le tambour de la machine à écrire. Il commença doucement à pianoter des phrases anodines. Soudain, le cheval s'emballa. Et il plongea tête baissée dans le récit. Il ne voulait qu'écrire une petite histoire, juste pour son propre plaisir. Le soir eut vite fait de tomber, mais il continua à travailler malgré l'obscurité. Il écrivit jusqu'à ce qu'il ne vît plus ses doigts. Il termina la bouteille de vin (je vais me chercher un verre), puis se laissa glisser sur le plancher et s'endormit d'un coup. Le lendemain matin, il se relut, et pour la première fois il entendit sa propre voix. La voix du ventre. Celle qui n'était pas passée par sa mémoire si pleine de citations (Miller est aussi un de ces écrivains qui aiment les livres des autres). Depuis, il n'a plus écrit que sous la dictée de cette voix. Est-ce pourquoi il parvient à créer si rapidement cette complicité avec ses lecteurs ? Les gens ont l'impression d'entendre un ami. Il faut préciser que l'écrivain n'est pas obligé d'être l'ami de son lecteur, et vice-versa. Il y a des livres qu'on lit avec intérêt tout en détestant leur auteur.

«En vous lisant le soir avant de m'endormir, j'ai l'impression que vous êtes dans la chambre avec moi», dit cette dame avec un sourire complice, mais à l'entendre, on se sent tout honteux de s'imposer ainsi dans l'intimité des gens.

106. LA SECTE

Parler de ce que l'on connaît, de ce qu'on sent vraiment, cela permet de poser de solides fondations. Un récit se construit comme une maison avec des chambres, des portes et des fenêtres. On peut voir circuler des gens à l'intérieur de la maison : ce sont les personnages. L'écrivain s'échine à colmater les brèches. Pour ce faire, il doit savoir doser le vrai et le faux jusqu'à ne plus distinguer l'un de l'autre. On a le choix : l'histoire est vraie, mais les détails sont faux, ou vice-versa. On n'est pas obligé de tout imaginer, vous savez. La réalité est à portée de main, et c'est une usine à fictions. Cette réalité fabrique de la fiction qui produit à son tour de la réalité. Là, en ce moment, je suis en train d'écrire ce livre. Je suis un écrivain, donc je produis des signes. Ce sont de minuscules points noirs qui s'accumulent jusqu'à créer une image. Des centaines de milliers d'images font un livre. Mais pour mettre en marché ce livre, il faut mobiliser beaucoup de gens. Un éditeur, un correcteur, un graphiste, un diffuseur, des libraires, des critiques (et parfois des avocats). Tout ça pour permettre au livre d'atteindre le lecteur. Vous l'avez maintenant en main. C'est un objet rectangulaire qui a un certain poids. En le lisant, vous vous connectez directement à mon cerveau. Tous les intermédiaires s'effacent à présent. Nous voilà enfin réunis. Je ne vous connais pas. Vous ne me connaissez pas. Et pourtant nous vivons un moment d'intimité intense. Je vous transfère mon énergie que vous allez transformer en jouissance. Et ce livre peut vous pousser à écrire, c'est-à-dire à vouloir transmettre votre énergie à quelqu'un d'autre. Quelqu'un que vous n'avez jamais vu. On dirait une secte.

> On peut ne pas aimer un livre, mais c'est absurde de reprocher à son auteur de l'avoir écrit, alors qu'il est si facile de ne pas le lire.

107. TABOU

Le premier espace d'observation pour un écrivain est sa famille. Un univers qui lui est donné en cadeau. Tout est à portée de main. Il suffit de prêter l'oreille pour en apprendre de belles sur les relations humaines. Chacun s'épie à l'intérieur du clan (certains se détestent), mais une fois qu'un groupe extérieur menace un membre de la famille pour qu'on sonne le ralliement. L'ennemi repoussé, on reprend les guerres intestines. C'est un véritable laboratoire pour l'écrivain, qui n'a qu'à se baisser pour ramasser ces pépites qui brillent dans la pénombre : les crises, les secrets, les pactes, les souffrances. Observez et notez. Soyez discret. Cachez bien votre carnet. Un écrivain dans une famille, c'est un espion en mission spéciale. La famille est un puits de pétrole qu'on ne pourra épuiser, même à coups de cent romans par jour. C'est mieux de garder les vrais noms dans la première version – comme ça on pourra plus rapidement voir le fond d'un personnage. Un nom est un concentré d'informations qui possède une charge émotionnelle qui permet d'aller très vite. On sait ce qu'il y a derrière chaque nom pour avoir écouté pendant si longtemps aux portes. Un écrivain est un serpent que la famille réchauffe dans son sein. Changer les noms des gens ou non avant publication, ça dépend de vous. Il faut s'attendre à des réactions. Faites semblant, au début, de ne pas comprendre. Jouez à l'idiot. Personne ne vous croira. Je suis toujours étonné de constater qu'on utilise si peu un pareil microcosme (c'est l'univers en miniature) dans certaines régions du monde. On a peur de se faire bannir. Il faut se mettre un peu en danger. Ce n'est pas un métier de tout repos. Le lecteur veut entendre des choses inédites, et sanglantes si possible. La téléréalité fait à la littérature une concurrence déloyale. Qu'est-ce qui se passe chez vous quand les portes sont fermées ? On veut savoir. La famille reste un espace inviolé dans la Caraïbe, par exemple, alors qu'en Europe ou en Amérique, c'est le terrain des écrivains en herbe. L'impression que personne n'a jamais eu une vie de famille heureuse. Tolstoï l'a dit : « les familles heureuses n'ont pas d'histoire ». Voulait-il insinuer qu'il n'y a pas de famille heureuse ? Parce qu'il y a toujours une histoire. L'être humain est une usine à secrets. Dès qu'il y a un ordre, la clandestinité s'installe. Double vie. Laissons tomber cette discussion qui ne mènera nulle part pour simplement faire remarquer que le premier écrivain du tiers-monde (Naipaul est exclu) qui déballe tout, vraiment tout, ouvrira de nouvelles perspectives à la littérature de la région.

Rien de plus rassurant qu'une vieille dame en train de lire sur sa terrasse par un après-midi d'été si chaud que les sirènes des pompiers et des ambulances strient la ville.

Le fait que l'on confonde souvent l'auteur avec le narrateur n'incite pas à donner le rôle principal à un narrateur proprement négatif. Malgré qu'il y ait toujours rédemption, à la fin, pour un personnage même diabolique – à l'exception du dictateur. Alors là, on peut cogner, n'est-ce pas, Kourouma? On va plus volontiers du mal au bien que le contraire. Et cela se règle, vers la fin, par une subite illumination (le catholicisme avait naguère abusé de cette conversion rapide). On voit donc rarement, dans cette littérature africaine et caribéenne, des romans qui se terminent mal. L'art, ici, sert à réparer les désastres que la vie inflige aux gens. Mais ce choix finit par donner un aspect rigide au roman africain (je parle du roman courant et non des livres de ces écrivains cosmopolites qui visent un lectorat international). Sur le plan local, on a le sentiment que c'est le lecteur qui impose sa morale à l'écrivain. D'ailleurs, dans les débats publics ne cesse de revenir en premier lieu la question de l'engagement de l'artiste. Au moindre débat sur la littérature, il y a toujours quelqu'un qui se lève pour demander avec une certaine fureur: « À quoi sert la littérature dans un continent où le taux d'analphabétisme et de mortalité infantile est si élevé? » Sans compter la famine et les guerres. Que répondre à ces angoissantes questions? Dostoïevski lui-même menaçait de fermer boutique si Dieu n'était pas capable d'empêcher un enfant de souffrir. L'écrivain s'interdit de donner un rôle trop ambigu au méchant de peur de perdre l'estime de son public. Il est un fait qu'en excluant ainsi le diable du récit, c'est tout l'espace littéraire qui s'affadit d'un coup. C'est une littérature presque sans zones d'ombre, et cela malgré le beau roman devenu un classique de

Cheikh Amadou Kane : *L'Aventure ambiguë*. Les zones d'ombre ne sont exposées que par des écrivains africains qui se spécialisent dans les ténèbres : cannibalisme, sorcellerie, crimes rituels, excision, coups d'État à répétition, famine ou tueries massives. Ceux-là veulent montrer leur indépendance d'esprit en reprenant les pires clichés sur l'Afrique. Des thèmes que l'intellectuel occidental n'ose plus toucher, même avec des pincettes, de peur de se faire mitrailler par ces mêmes écrivains qui les exploitent plutôt avec profit. C'est un spectacle qu'on ne joue que sur des scènes européennes. Au pays, la littérature reste souvent confinée dans un espace bien balisé où aucun écart n'est accepté. Tout ce qui n'est pas dans la norme est une déviance (pas uniquement en Afrique d'ailleurs). Très peu de romans avec un narrateur homosexuel qui ne cherche pas à être guéri. On remarque que cette stricte moralité ne touche que le corps de l'individu. Collectivement on peut sombrer dans toutes les dérives (guerres civiles, corruptions, tortures, assassinats d'opposants, etc.) du moment que ça reste sur le plan politique. Il faudrait un narrateur pour faire entrer ce tumulte dans l'espace clos de l'intimité. L'écrivain malien Yambo Ouologuem s'en est approché avec *Le Devoir de violence*. Mais la perspective de ce roman, où l'on sentait une certaine responsabilité individuelle, était historique. On aimerait que ça se passe dans un cadre plus ordinaire.

Vous vous concentrez depuis trois heures et rien ne vient. Êtes-vous sûr qu'il n'y a rien d'autre à faire, aujourd'hui, qu'écrire ? Une barrière à peindre ou une amie à visiter ?

109. Une écriture verticale

Il y a deux sortes d'écritures : la verticale et l'horizontale. Alors, c'est comment ? D'abord, l'écriture horizontale : l'écrivain ratisse large. Son champ est vaste. Ses personnages viennent de partout. Il semble chez lui dans le monde. Sa bibliothèque est immense et il tutoie les plus grands auteurs. C'est un cosmopolite. Ensuite, l'écriture verticale : au lieu de toujours chercher à s'étendre, l'écrivain creuse sous ses pieds. Son univers plutôt restreint est assez peu peuplé. Il creuse encore. Il ne cherche pas à s'étendre. Il creuse toujours. Aux yeux de ceux qui prennent beaucoup de place, il ne semble pas progresser. Il se contente de creuser jusqu'à ce qu'il trouve une source. C'est Beckett que j'ai en tête pour illustrer cette obsession. Son théâtre est pauvre. Presque pas de décor. Peu de mots. Mais il creuse. Ma pièce préférée de lui, c'est *Oh les beaux jours !*. Il ne s'y passe rien. La vie se résume à un trou.

> Le romancier est un magicien qui fait apparaître et disparaître les choses, et non un pédagogue qui les explique.

110. Le roman d'aujourd'hui

Le roman, disons plutôt l'idée que l'on se fait du roman, a beaucoup changé depuis qu'il est devenu aussi célèbre que le cent mètres en athlétisme. On n'achète que lui. On ne parle que de lui dans les médias. Le romancier est quelqu'un qu'on reconnaît dans la rue, parce qu'on l'a vu à la télé. Le poète qui fut, autrefois, l'équivalent d'une rockstar, n'est aujourd'hui connu que de ses amis poètes. C'est pour toutes ces raisons que le champ du roman s'est élargi à ce point. Il suffit d'écrire le mot *roman* sur la couverture d'un livre pour que les libraires, les critiques et même les lecteurs s'y intéressent. Ce livre pourrait facilement en être un. Il suffirait d'y glisser quelques anecdotes sur l'enfance. Des bricoles. Dès que la moindre émotion pointe, le lecteur se sent un lien affectif avec l'auteur. Ce qu'il veut, en fait, c'est entendre une voix amicale dans sa nuit. Et ce n'est que ça, le roman d'aujourd'hui. Je reprends ce que je viens dire, car c'est plutôt le contraire. De nos jours, c'est le romancier qui veut être l'ami du lecteur. Il se rend là où se trouve le lecteur : dans les écoles, dans les salons et les festivals littéraires, dans les clubs de lecture, dans les cafés. La dernière étape, ce sera chez lui. Il fut un temps où le romancier était un père qui aidait le lecteur à traverser cette vie semée d'embûches. Aujourd'hui, il est devenu un fils que le lecteur doit apaiser constamment. Ce ne sont pas des romans, mais des litanies de lamentations que ce romancier lui envoie du front, comme si le lecteur, lui, n'avait pas ses problèmes. L'écrivain se plaint du français qui perd du terrain sur la scène internationale, ce qui veut dire qu'il a moins de chance d'être traduit ; il se plaint des jeux vidéo qui connaissent un succès phénoménal dans toutes les couches de la population ; il se plaint de la disparition des émissions littéraires à la télé ; il se plaint des blogueurs dont la présence sur le web file un coup de vieux à une manière d'écrire à laquelle il reste attaché. Il se plaint de mille choses et le lecteur se sent obligé de le consoler. Il faut un culot d'enfant gâté pour s'allonger sur un divan à raconter longuement ses complications, et faire payer le psychanalyste avant de partir. Ce qui est sûr, c'est que quelque chose vient de bouger dans le rapport émotionnel qu'entretenait depuis si longtemps l'écrivain avec son lecteur.

Le type que vous venez de croiser, s'il en a les traits, n'est pas forcément celui qui a écrit le livre que vous êtes en train de lire.

III. Un savoir

Beaucoup d'écrivains ne font qu'effleurer les choses. Au lieu d'observer chaque plante en particulier, ils se contentent de survoler le jardin. On n'est pas obligé d'imiter ces écrivains américains qui se vautrent dans l'excès contraire. Leurs romans populaires semblent de plus en plus obèses. J'ai parfois envie de secouer ces gros romans pour en faire tomber les détails de trop – le tiers du livre. L'écrivain américain fait des recherches exhaustives sur tout. Chaque affirmation est lourdement documentée. Des sacs verts bourrés de données se tiennent au pied de leur table de travail. La documentation pour un roman fait dix fois le volume du livre. L'éditeur n'hésite pas non plus à couper dans cette jungle de phrases. Il jette au panier, sans état d'âme, 300 pages d'un manuscrit de 1 200 pages – le quart du livre. Une accumulation de faits vérifiables. Des romans écrits par des journalistes. Je ne dis pas ça de tous les écrivains américains – c'est d'ailleurs l'une de mes littératures préférées. Sauf qu'ils m'épuisent avec cette obsession de la recherche. On oublie ainsi l'essence de l'écriture. On ne crée pas la vie en laboratoire. Si le personnage commande un cocktail dans un bar, l'écrivain décrit chaque ingrédient qui compose ce cocktail. On fait, de notre côté, le contraire. Pas la moindre lueur d'une documentation. Rien n'est vérifié. Est-ce pourquoi le discours occupe une bonne partie de nos romans? C'est plus facile. Sans verser dans l'excès américain, on pourrait chercher à ancrer nos personnages un peu plus dans la réalité. Si le narrateur possède une vieille voiture, un savoir même sommaire sur la mécanique n'est pas à dédaigner. On apprend des choses sur Internet. Sans abuser du terme technique, rien ne nous empêche d'élargir un peu notre vocabulaire. Simplement garder en tête que ce n'est pas un manuel de mécanique.

> Quand vous cherchez depuis un moment à décrire la pluie qui tombe, essayez : il pleut.

112. LE FABULATEUR ET L'ÉCRIVAIN

Les livres furent pour moi cette fenêtre qui permettait de voir de l'autre côté du village, et cela sans bouger du lit. Des années plus tard, je connaîtrais le plaisir profond de lire dans une baignoire, devenant ainsi un lecteur aquatique. Écrire nous permet d'agrandir ce monde découvert en lisant. Une nouvelle fenêtre s'ouvre quand on devient capable de percevoir un nouveau langage. On peut ne pas être d'accord avec le point de vue, on peut remettre en question le style ou discuter de la morale du livre, il reste qu'on sait parfaitement si on est en présence d'un écrivain. On se demande tout de suite comment atteindre une pareille aisance. Il faut s'entraîner, comme un athlète (je sais que l'image de l'athlète est un peu forcée, mais je cherche à ne pas moraliser), à dire ce que l'on pense. C'est qu'on ne dit pas la vérité spontanément. Je me souviens de cet ami, avec qui je partageais un étroit logement, en arrivant à Montréal. Il fabulait constamment. Si on m'appelait au téléphone et que j'étais déjà endormi, il racontait que j'étais sous la douche. Il haussait les épaules quand je lui en faisais la remarque. Comme le temps passait, il lui était de plus en plus difficile de distinguer le vrai du faux.

Au premier abord, on pourrait voir une certaine similitude entre un fabulateur et un écrivain. Le fabulateur glisse sur une pente dangereuse. Il finit par perdre toute crédibilité, alors qu'on ne cesse d'acclamer l'écrivain qui n'en fabule pas moins. Ne pas mentir au mauvais endroit.

> Le livre est une fenêtre par laquelle un petit voleur de six ans s'enfuit en emportant l'alphabet.

113. Ceux qui nous accompagnent

Il y a des écrivains qui nous apprennent des choses. Certains deviennent des amis. Des gens proches de notre sensibilité. Dans la littérature ou dans la vie. Dans la littérature, on peut avoir un ami qui vit au Moyen Âge. Je me souviens de mon élan pour Rabelais. Je pouvais humer sa forte odeur malgré le barrage des siècles. Ses personnages (Gargantua, Pantagruel) m'étaient proches. Il s'agissait souvent de ventre, et c'était un sujet rêvé pour un adolescent affamé. Plus tard, Villon. Même relation. Son anticonformisme m'a plu. Et aussi le fait qu'il n'ait jamais cherché à cacher ses origines : « pauvre je suis ». On a été copains longtemps, puis je l'ai un peu perdu de vue. Mais de temps en temps, j'entends tout au fond de ma tête sa balade du pendu (« Frères humains qui après nous vivez »). J'ai aimé aussi Baldwin qui, toujours frémissant, tentait désespérément de comprendre ce qui se passait autour de lui. Puis, j'ai quitté Haïti pour Montréal. C'est Henry Miller qui m'a aidé au début. Lui aussi a connu la dèche à Paris (il le raconte dans *Jours tranquilles à Clichy*). Je n'ai qu'à ouvrir un de ses livres pour retrouver ma vie à mon arrivée à Montréal, sur la rue Saint-Denis. C'est grâce à Miller si j'ai choisi de vivre dans un quartier d'artistes. Il m'a présenté à ses amis qui m'ont tenu compagnie durant ces moments de solitude : Blaise Cendrars, Anaïs Nin, Joseph Delteil et tant d'autres. Il m'a fait découvrir aussi Isaac Bashevis Singer et surtout Babel. Quel luxe ! Les écrivains qui me sont proches par leurs thèmes et leur style sont pour moi des amis et les personnages de romans qui me touchent sont, à mes yeux, des êtres vivants. Si un écrivain ne croit pas en la fiction, c'est qu'il ne croit pas à ce qu'il écrit. Je ne nie pas qu'on puisse se faire aussi des amis dans la vie, mais cela prend plus de temps. Si on a des affinités avec certains écrivains, on peut leur envoyer un mot. C'est ainsi que certains se font quelques amis dans le milieu. Pas mon genre, j'évite de regrouper ceux que j'aime de peur de faire partie d'une bande. Ce qui ne m'empêche pas d'être ému par l'amitié engendrée par la littérature : Montaigne-La Boétie, Glissant-Chamoiseau, Gogol-Pouchkine, Tchekhov-Tolstoï, Senghor-Césaire, Horace-Virgile, Flaubert-Sand. Et des ennemis si proches que la postérité les garde ensemble : Rousseau-Voltaire. On peut parler aussi de la loyauté de certains ennemis qui, jamais, ne se quittent d'une semelle.

> Il suffit que je mette un pied dans la bibliothèque pour que des gens morts depuis longtemps s'agitent pour converser avec moi. Si je remplace le mot *bibliothèque* par *péristyle* (temple vaudou), on rira de moi.

114. Ne vous pressez pas tant

Les livres ne sont pas en compétition dans la vie. Un lecteur peut lire autant de livres qu'il veut. Et vous ne faites aucun mal à votre livre en aimant celui d'un autre. Rien n'empêche que tout cela vous ronge. Ce n'est jamais mauvais si cette petite aigreur vous pousse à retourner, avec plus de rage, à votre manuscrit. On utilise le carburant qui nous permet d'avancer. Au fiel comme au miel, c'est au résultat qu'on verra. Vous n'avez pas à vous presser ainsi, personne n'attend votre livre. Au lieu d'être déprimé par cette situation, vous devriez vous sentir plus libre. Vous frémirez quand, à la sortie de votre premier roman, un critique notera : « Il faudra surveiller celui-là. » Pourquoi ce ton méfiant pour dire l'intérêt que l'on porte à quelqu'un ? Il existe des esprits fragiles qu'un tel langage fait fuir. J'en ai connu un : il a publié un roman en 1985 qui a eu un certain succès, puis il a disparu. Je l'ai rencontré des années plus tard. Il m'a emmené chez lui pour me montrer une grande caisse remplie de manuscrits. Il était dégoûté du cirque littéraire, au point de ne plus vouloir publier aucun livre. En rentrant chez moi, j'ai pensé à Salinger.

> Ce qui se passe hors du cercle de l'écriture absorbe 80 % de l'énergie d'un écrivain qui vient de connaître un franc succès.

115. L'INTIMITÉ

Avant de venir à Montréal, je vivais à Port-au-Prince. C'est une ville surpeuplée où il est impossible d'avoir un moment d'intimité. Un moment où l'on est seul avec soi-même. Ce moment où votre esprit se met à vagabonder. Il y a toujours des gens aux alentours, du lever au coucher. Pour écrire, il faut si possible se retirer de la circulation. Ce serait faux de dire que c'est impossible d'écrire à Port-au-Prince puisque cette ville ne manque pas d'écrivains. On peut écrire un poème dans sa tête (Borges), mais l'espace est vital pour écrire un roman. La solitude étant impossible à Port-au-Prince, c'est à Montréal, une ville plus calme, que j'ai découvert l'intimité. Ce sentiment de confort intérieur. Je vivais seul. Je passais des jours, au début, sans quelqu'un à qui parler. La solitude, c'est quand on ne souhaite plus être seul tout en étant incapable de changer sa situation. La solitude involontaire peut déboucher sur la dépression. J'ai commencé à lire et à écrire à Montréal afin d'entendre d'autres voix que la mienne. L'écriture m'a permis d'inventer un monde toujours prêt à m'accueillir. Car cela ne dépendait que de moi. Avant j'étais effrayé à l'idée de retrouver ma chambre. Me voilà excité, car ma machine à écrire m'attend. J'allais pouvoir remplir la petite chambre d'invités, les personnages. J'engrangeais dans mon livre tout ce qui me manquait dans la réalité. J'avais du vin, des copains, des filles rieuses, des conversations animées. On buvait, on mangeait et on écoutait du jazz. C'était un univers rêvé. Je m'arrangeais pour rester assez proche de la réalité (je n'en faisais pas trop) pour pouvoir y croire moi-même. Ces mots me permettaient de voyager sans frais. Je voulais ce qui était possible pour moi, tout en m'apportant un certain bien-être. Je voulais un peu de bon temps. La moindre situation difficile devenait matière à écrire. À l'époque, je lisais surtout l'œuvre chaleureuse d'Henry Miller qui disait qu'il était né riant. Son œil pétillait toujours et il trouvait le suc de la vie dans le plus minuscule fait quotidien. Avec lui, la vie était une perpétuelle fête. Il se réjouissait d'un verre d'eau fraîche. Henry Miller est un bon compagnon des mauvais jours. Chaque écrivain devrait, une fois au moins, écrire un livre pour tenter de rendre un inconnu heureux. J'ai l'air de n'avoir lu que Miller, c'est que son nom remonte à la surface quand je pense à cette époque.

> C'est toujours bien de travailler sur deux textes à la fois (l'un en majeur, l'autre en mineur), car si jamais vous n'avancez pas sur l'un vous pouvez passer à l'autre. Et si vous êtes en panne sur les deux, mettez-en en route un troisième.

116. LA PLUS HAUTE SOLITUDE

Le plus inquiétant, c'est la déprime qui suit une euphorie. Hier on était capable de jouer toutes les musiques du monde à l'aide de l'alphabet. Ce matin, c'est la déception. On ne sait pas ce que nous réserve demain. Afin d'empêcher ces hauts et ces bas, on cherche à garder un ton régulier tout en veillant à ce que cela ne devienne pas ennuyeux. Au moment où on allait jeter les gants, voilà que de nouveau le monde nous livre ses secrets. On sent nettement son pouls. Et cela dure même quelques jours, jusqu'à ce que l'habitude se réinstalle, et que ce goût amer nous revienne à la bouche. On se retrouve si seul qu'on finit par croire qu'une telle situation fait partie de l'écriture. Le livre qui, à mon avis, expose le vrai visage de l'écriture, c'est le *Journal d'un écrivain* de Virginia Woolf. Dans ce journal, elle nous tient au courant de ses humeurs, de ses rencontres, des conversations qu'elle a avec ses amis intellectuels. On sait par le menu tout ce qu'elle endure durant la rédaction de ses romans. Quelle souffrance! On se demande si elle pourra se rendre au bout, c'est-à-dire jusqu'au terme du manuscrit. Elle le fait. Elle attend les critiques avec angoisse, surtout celles de ses amis du groupe Bloomsbury dont l'indifférence la brûle beaucoup plus profondément que les critiques parfois violentes du *Times Literary Supplement* (TLS). À chaque fois, elle descend encore plus bas dans ce puits noir d'angoisse, jusqu'à toucher le fond un jour de 1941. Elle entre dans l'Ouse avec des pierres dans les poches. Tous les écrivains ne se donnent pas la mort, mais certaines sensibilités semblent fortement attirées par les précipices : Cesare Pavese, Jerzy Kosinski, Klaus Mann (le fils de Thomas Mann), Mishima, Hemingway, Kawabata, Akutagawa, Empédocle, Hubert Aquin, Heinrich Böll, Walter Benjamin, Paul Celan, Hunter S. Thompson, Nelly Arcand, Richard Brautigan, Sylvia Plath, Maïakovski, Zweig, Claude Gauvreau, Von Kleist, Sénèque, Marina Tsvetaïeva, Pétrone, Primo Lévi, Drieu La Rochelle, etc. Akutagawa, en se suicidant au véronal, ne laissa que cette brève note (deux mots) : « vague inquiétude ». C'était un minimaliste – il n'a écrit que des nouvelles. La route de l'écriture est jonchée de cadavres – peut-être pas plus que dans les autres métiers. Comme les écrivains tiennent souvent le journal de leurs émotions, on peut les suivre, à chaque pas, sur les chemins escarpés qui mènent au grand saut. Si très peu d'écrivains du Sud se suicident, c'est parce que dans ces régions du monde, où domine souvent un dictateur, c'est l'État qui gère la mort (prison, exécution sommaire, exil). Je ne connais qu'un seul suicide d'écrivain en Haïti : pour protester contre l'occupation américaine de 1915, le poète nationaliste Edmond Laforest s'attacha un dictionnaire Larousse au cou avant de se jeter dans sa piscine, devenant ainsi le premier martyr de la francophonie.

> Dès qu'on met un mot, un seul mot, sur une feuille de papier, on est tout de suite rejoint par tous ceux qui, au fil des siècles, ont déjà employé ce mot. J'écris « religion », et j'entends une rumeur qui vient du fond des âges.

117. LA CHAISE

La première qualité d'un écrivain, c'est d'avoir de bonnes fesses. Si vous ne pouvez pas rester en place, faites autre chose. Vous allez passer votre vie assis. Au début du roman prenez une chaise droite. Mais vers le milieu, mettez un oreiller pour protéger votre dos. Ensuite un sous vos fesses. Et vers la fin, un derrière votre nuque. J'ai terminé *Le Cri des oiseaux fous* avec cinq oreillers. Un livre chargé d'émotions. J'y racontais ma dernière nuit en Haïti. Un épisode douloureux. Je parlais pour la première fois de mon père mort en exil et de mon ami Gasner Raymond tué par les tontons macoutes. On marche beaucoup dans mes livres, mais moi, je reste assis. Quand vous lisez une description merveilleuse de l'été, c'est que l'auteur est resté tout l'été enfermé dans une chambre surchauffée à l'écrire. Remarquez que ce n'est pas interdit d'écrire à propos de l'été en hiver. Dans tous les cas, il faut s'asseoir. Hemingway écrivait debout, mais Papa ne faisait rien comme tout le monde. Assis !

> Celui qui sait voir oublie parfois d'entendre, et celui qui sait entendre ne cherche pas à sentir. Je ne cite pas la Bible, je remarque simplement que nous sommes dans une époque où l'on préfère avoir un seul sens extrêmement développé plutôt que de les avoir tous harmonieusement équilibrés, d'où le phénoménal succès du roman *Le Parfum*.

118. LE LIVRE SE FAIT LA NUIT

Une décontraction qui n'empêche pas de garder sa concentration. On la remarque chez les musiciens de jazz quand

186

ils commencent brusquement une longue improvisation vers la fin d'un concert. Une élégance née de l'aisance. Comment atteindre la même grâce en écriture? Il préfère attaquer la page au saut du lit, estimant qu'il est à ce moment-là au pic de sa forme. Il voudrait passer, sans interruption, du rêve à la réalité, avec l'espoir d'avoir gardé, comme la rosée témoigne de la nuit, cette fluidité propre au rêve. Suivons-le dans chacun de ses gestes en apparence banals, mais aussi nécessaires que le fait d'écrire. Il allonge le bras vers la petite table de chevet pour prendre son carnet noir, et noter les images qui s'agitent encore dans sa tête. Il est complètement dedans. Plus tard, il cherchera à ficeler tout ça. Des descriptions de la vie quotidienne contrasteront avec les illuminations de la nuit. Mais le cœur du livre se déroule dans ces territoires inédits que le sommeil protège. Ensuite, il s'anime, fait des exercices de souplesse avant de filer sous la douche. Même ça, ce n'est pas assez. Le voilà qui farfouille dans ses papiers, fait semblant d'y mettre de l'ordre. Il reste un moment, debout, au milieu de la pièce, les bras ballants. Que faire? Comme s'il venait enfin de saisir ce qui ne marchait pas, il va ouvrir la fenêtre. La lumière apporte cette énergie qui semblait lui manquer. Il s'assoit, mais c'est pour répondre à son courrier. Il retourne à la fenêtre, regarde un moment les gens passer. Puis revient à la table de travail. Il s'assoit et attend. Le temps passe. Il se relève si brusquement que la chaise tombe. Il se précipite dehors pour aller chercher le journal, fait semblant de s'intéresser aux nouvelles du jour, pour comprendre enfin qu'il n'a pas encore pris son café. Noir et sans sucre quand il écrit. Il a tout fait pour retarder ce moment. L'odeur du café envahit la pièce. Il est enfin là.

> Les œuvres qui nous emmènent au bout du
> monde (*Emmène-moi au bout du monde!...*,
> Cendrars) ont été écrites par des gens qui n'ont
> presque pas bougé de leur chaise.

119. UN PASSÉ SIMPLE

Pendant longtemps le passé ne fut que du passé. On envisageait l'avenir, on vivait le présent, tandis que le passé s'effaçait lentement de notre mémoire paresseuse. On pouvait le raconter parfois (le privilège de la vieillesse), sans jamais le faire apparaître. On ne remonte pas le tunnel du temps. Le cinéma, d'abord, s'intéressa à la charge émotive de la nostalgie en nous concoctant un passé souvent enveloppé dans la fumée d'une cigarette. Une musique particulière aidait parfois à rappeler les jours heureux. Le passé ne servait qu'à tamiser la lumière trop brutale du présent. Puis vint la télévision avec son rythme saccadé et ses images en coup de poing américain. La télé, inquiète d'endormir son public en le sortant du présent, a longtemps cherché une manière de conjuguer le passé au présent. Elle conçoit le temps comme un long ruban continu. La littérature (je ne parle pas ici de romans historiques) s'en sort mieux avec le passé, car le lecteur voyage plus rapidement dans le temps que le spectateur. Il n'a pas à savoir si les costumes, les manières et les voitures sont bien d'époque. Il arrive à l'écrivain de raconter son passé, mais le résultat n'est pas plus probant que s'il tentait de deviner son avenir. Naturellement, pour faire vrai, il utilise quelques incidents de sa vie. Si les anecdotes sont vraies, la façon de les agencer ne peut être qu'artificielle, car la vie ne se structure pas comme un récit. Le plus important s'y trouve rarement: le temps qui passe.

Quand on écrit « dix ans plus tard » dans un récit, pour sentir le temps passer le lecteur devrait attendre au moins dix minutes avant de continuer la lecture. Ça n'arrivera pas, car la minute de silence qu'on observe en public ne dure jamais plus de quarante secondes.

120. LA VIE PRÉCÈDE-T-ELLE L'ÉCRITURE ?

Il y a un lien naturel entre vivre et écrire, et c'est ce que je ne cesse d'affirmer dans mes livres. Je le dis carrément : j'écris comme je vis. Du moins, je tente de le faire. Souvent les gens, en inversant les choses, me font vivre comme j'écris. C'est presque impossible de vivre comme on écrit, et peut-être pas souhaitable. Pour ma part, la vie précède l'écriture. Pour écrire, je puise dans ma vie et dans celle des autres. Ce n'est pas la même chose pour tout le monde. Deux écrivains semblent vivre hors du monde, comme hors du temps. Et pourtant, leurs influences sont aussi fortes, sinon plus déterminantes, que certains écrivains qui prônent l'action. Borges et Proust. Borges, lui, vit si intimement avec les livres (ceux qu'il écrit comme ceux qu'il lit) qu'il n'y a presque plus d'espace pour le reste. Il parvient à faire des mythologies des plus minuscules faits de la vie quotidienne. Étant aveugle, il mange plutôt au restaurant où il est souvent rejoint par des admirateurs venant de partout – ses lecteurs. Ils lui tiennent compagnie pendant le repas (lui coupant la viande) et Borges leur raconte des histoires tirées de sa mémoire inépuisable. Il est l'un des rares écrivains à pouvoir dire : « Je vis pour écrire », et cela dit tout. Quand le directeur de la Bibliothèque nationale d'Argentine meurt, pour se présenter à sa succession, Borges envoie au conseil d'administration

la plus brève biographie qui soit : « J'ai passé ma vie à lire. »
Et il a le poste. Ce n'est pas courant de voir un aveugle
diriger une bibliothèque. Il l'exprime joliment d'ailleurs
dans un émouvant poème où il avoue, sans pathos, que
les dieux lui ont donné en même temps le livre et la nuit.
Finalement, on se retrouve enfermé dans une petite phrase
qui s'était cachée dans une forêt de mots. On passe sa vie
à la chercher, mais c'est elle qui nous trouve. Pour Proust,
c'est la recherche du temps perdu. Attention, car un mot
de trop et ce n'est plus la même chose. La subtilité est fine,
mais elle existe : Proust part-il à la recherche du temps perdu
ou à la recherche d'un temps perdu ? La différence est entre
l'obsession et la nostalgie. Quand on a la petite phrase qui
nous justifie sur cette terre, on doit la suivre jusqu'au bout
pour voir où elle nous mènera. Flaubert nous donne ici
une clé : « Ne lisez pas comme les enfants lisent, pour vous
amuser, ni comme les ambitieux lisent, pour vous instruire.
Non, lisez pour vivre. » De toute façon, il n'y a rien de ce
que l'on fait qui ne fasse pas partie de la vie.

> Vous voulez savoir ce que je fais en ce moment ?
> Je bois tranquillement un verre de vin blanc,
> par une chaude journée de printemps, dans la
> campagne toscane.

121. QU'EST-CE QU'UN BON ÉCRIVAIN ?

J'entends dans les cafés, les salons, là où les gens se
réunissent pour causer, des définitions, souvent lapidaires,
de ce qu'est un bon écrivain. Neuf fois sur dix, c'est pour
condamner le comportement d'un écrivain dont la tête ne
leur revient pas. On l'a vu deux fois dans la même semaine
à la télé, et la hache tombe.

Un bon écrivain, c'est quelqu'un qui ne donne pas d'interview, qui préfère s'exprimer dans ses livres – donc Borges qui répond à tous les journalistes n'est pas un bon écrivain.

Un bon écrivain, c'est quelqu'un qui vit loin des mondanités – donc Malraux qui vivait chez une mondaine (Louise de Vilmorin) n'est pas un bon écrivain.

Un bon écrivain doit sortir, rencontrer des gens afin de connaître la vie – donc Ducharme, Pynchon et Salinger qui vivent en ermite ne sont pas de bons écrivains.

Un bon écrivain, c'est quelqu'un qui n'aime pas les commérages – donc Truman Capote et Saint-Simon ne sont pas de bons écrivains.

Un bon écrivain, c'est quelqu'un qui n'est pas jaloux du succès de ses confrères – là, on vient de perdre une bonne moitié de la garnison.

Un bon écrivain, c'est un homme toujours pressé – donc Proust n'est pas un bon écrivain. Un bon écrivain, c'est quelqu'un qui passe sa vie dans son lit – donc Paul Morand, Bruce Chatwin et Nicolas Bouvier ne sont pas de bons écrivains.

Un bon écrivain, c'est un humaniste avec une solide éthique – donc Sade n'est pas un bon écrivain.

Un bon écrivain, c'est quelqu'un qui se tient loin de l'actualité politique – donc Jacques Roumain et Jacques-Stephen Alexis ne sont pas de bons écrivains.

Un bon écrivain, c'est un bon vivant qui aime manger, boire et danser – donc Beckett n'est pas un bon écrivain.

Un bon écrivain, c'est quelqu'un qui n'a jamais été candidat à la présidence d'un pays – donc Mario Vargas Llosa n'est pas un bon écrivain.

Un bon écrivain, c'est quelqu'un qui écrit tous ses livres, même les mauvais – donc Alexandre Dumas n'est pas un bon écrivain.

Un bon écrivain, c'est quelqu'un qui se mêle des affaires de la cité – donc Montherlant n'est pas un bon écrivain.

Un bon écrivain, c'est quelqu'un qui voyage beaucoup – donc José Lezama Lima qui n'a presque jamais quitté La Havane n'est pas un bon écrivain.

Un bon écrivain, c'est quelqu'un qui déteste les armes à feu – donc Ernest Hemingway n'est pas un bon écrivain.

Un bon écrivain, c'est quelqu'un qui ne perd pas son temps à des confessions – donc Rousseau et Saint Augustin ne sont pas de bons écrivains.

Un bon écrivain, c'est un résistant – donc Céline et Pound ne sont pas de bons écrivains.

Un bon écrivain, c'est quelqu'un qui garde en tout temps sa lucidité – donc Hölderlin n'est pas un bon écrivain.

Un bon écrivain, c'est quelqu'un qui vit dans les nuages – donc Goethe n'est pas un bon écrivain.

Un bon écrivain, c'est un introverti – donc Frank Étienne n'est pas un bon écrivain.

Un bon écrivain, c'est quelqu'un qui dit toujours la vérité – donc Curzio Malaparte n'est pas un bon écrivain (et il n'est pas le seul).

Un bon écrivain, c'est quelqu'un qui arrive toujours en retard – donc Kant n'est pas un bon écrivain.

Un bon écrivain, c'est quelqu'un de discret – donc Mishima n'est pas un bon écrivain.

Un bon écrivain, c'est quelqu'un de flamboyant – donc Pessoa et Kafka ne sont pas de bons écrivains.

Un bon écrivain, c'est un homme qui… – donc Virginia Woolf et Clarisse Lispector ne sont pas de bons écrivains.

Un bon écrivain, c'est quelqu'un qui a écrit un bon livre. Et ils se lèvent tous.

> Ce dont un écrivain a le plus besoin, c'est un lecteur.

122. LA NATURE DU STYLE

Il y en a qui écrivent un premier jet rapide, vif et souple. Cela se passe dans un bonheur qui rappelle l'orgasme. L'écrivain en sort si étourdi qu'il se demande encore ce qui vient de lui arriver. Sachant qu'il y a un rapport entre écrire et souffrir, il espère cette douleur qui lui permettra d'améliorer le livre. Il ne pourra que détruire ce qui n'avait nécessité aucune intervention consciente. D'autres polissent tant leur manuscrit qu'ils finissent par en faire un bibelot. Pour retrouver la texture originale, on doit gratter une épaisse couche de vernis. C'est qu'il ne suffit pas de laisser aller sa plume pour produire du spontané. J'en connais qui suent sang et eau avant d'atteindre cette grâce qui fait croire au lecteur que la phrase n'a suscité aucun effort de la part de l'écrivain. On a l'impression qu'elle attend le lecteur depuis toujours dans son encre éternelle (comme le rossignol de Keats). On s'observe longuement pour savoir dans quelle catégorie se loger : la première qui exige une exécution rapide pour atteindre pareille légèreté, ou la seconde qui requiert une patiente élaboration afin d'arriver à cette écriture qui effleure la page. Ce n'est pas seulement en écrivant qu'on saura qui on est. On est ce qu'on est dans le moindre de nos gestes.

> L'identité est devenue un produit si recherché que, comme j'en ai deux (la situation de tout exilé), j'ai envie d'en mettre une en vente.

123. L'ÉLÉGANCE DE BORGES

Voici Borges dialoguant à la radio, à Buenos Aires, avec son jeune ami (une différence de cinquante ans) Oswaldo Ferrari.

« FERRARI : J'aimerais qu'aujourd'hui nous abordions un phénomène que beaucoup aimeraient connaître. Je veux parler de la manière dont se produit, chez vous, le processus de l'écriture, c'est-à-dire, comment commence, en vous, un poème ou une nouvelle. Et à partir du moment où tout commence, comment se poursuit le processus, la fabrication disons, de ce poème, de cette nouvelle.

BORGES : Cela commence par une sorte de révélation. Mais j'utilise ce mot avec modestie, sans ambition. C'est-à-dire que soudain je sais qu'il va arriver quelque chose et ce qui va arriver est souvent, pour une nouvelle, le commencement et la fin. Dans le cas du poème, c'est une idée plus générale, et parfois le premier vers. Donc quelque chose m'est donné et ensuite j'interviens, et peut-être je gâche tout (il rit). Pour une nouvelle, par exemple, je connais le commencement, le point de départ, je connais la fin, je connais le but. Mais ensuite je dois découvrir, avec mes moyens très limités, ce qui arrive entre le début et la fin. Puis viennent d'autres problèmes. Par exemple : convient-il de raconter à la première ou à la troisième personne ? Ensuite, il faut chercher l'époque. Pour moi, et c'est une décision personnelle, l'époque la plus commode est la dernière décennie du XIXe siècle. En choisissant une époque un peu lointaine, un lieu assez éloigné, je garde ma liberté, je peux rêvasser, ou même falsifier. Je peux mentir sans que personne s'en rende compte et surtout sans que moi-même je m'en rende compte, puisqu'il est nécessaire que l'auteur d'une fable, si fantastique soit-elle, croie, sur le moment, à la réalité de la fable. » (*Dialogues I*, Jorge Luis Borges et Oswaldo Ferrari, Pocket, 2012.)

De toutes ces idées attirantes qui me font signe depuis le début de cette aventure, je n'en ai gardé que deux ou trois qui ne cessent d'ailleurs de revenir dans mes livres : l'enfance, le désir et la lecture.

124. LE CINÉROMAN

Nulle part ailleurs l'homme n'a tenté avec plus de ferveur de cacher ses secrets et ses savoirs que dans ce minuscule coffret qu'il appelle le livre. On n'a qu'à l'ouvrir pour que nous saute au visage un essaim de voyelles et de consonnes survoltées. On voit parfois, le front en sueur, un menuisier cherchant gravement dans les pages d'un livre une réponse à ses problèmes immédiats. C'est vous dire que le livre couvre tous les secteurs. Et on peut le toucher, ce qui nous rassure sur un monde qui devient de plus en plus virtuel. L'objet-livre est concret tout en enfermant dans ses pages tous les délires humains possibles. Je ne parle pas des livres utiles où l'on pourrait apprendre un métier, ni des livres gourmands qu'on garde dans la cuisine, ni des livres d'art pour ceux qui vivent à l'écart des grands musées, je me pencherai ici uniquement sur le livre littéraire. Seulement dans ce segment, il y a une multitude de genres, dont la poésie, le théâtre, l'essai. Restons-en au roman, dont je ne veux pas nommer tous les dérivés possibles (policier, science-fiction, roman d'amour ou psychologique). Chaque écrivain est tenu de renouveler, d'une certaine façon, le genre qu'il aura choisi. Dans ma cuisine, je mélange des faits réels avec des faits rêvés de sorte que le lecteur ne puisse séparer le vrai du faux. Mais ce qui importe, ce sont les traces que le livre laisse en nous. C'est mon désir de cinéma qui m'a conduit au roman. Dans le cinéma, le temps coûte de l'argent ; j'ai tout mon temps quand j'écris. J'ai voulu faire des films dans mes romans – des cinéromans. Tout en pensant écrire plus tard des scénarios à partir de mes romans. Les deux expériences ne sont pas d'égale force. Un scénario reste un squelette qui a besoin de lumière, de visages, du souffle d'un réalisateur, pour pouvoir marcher ; tandis qu'un roman est déjà un corps complet avec la chair, les os et le cœur palpitant. Je me vois entrer dans la petite chambre de jeu où tout est gratuit. Je commence par ouvrir les rideaux. Un flot de lumière pénètre dans la pièce. Si j'étais sur un plateau de tournage, cela m'aurait pris un temps fou. C'est le temps qui coûte le plus cher au cinéma. Je m'assois devant la machine à écrire pour planter le décor. J'écris «Montréal» et la ville apparaît. Les immeubles du centre-ville surgissent comme des champignons au pied d'un arbre. Les gens s'activent dans les rues. Des voitures aussi. Une atmosphère dynamique. Me voilà déjà avec un premier paragraphe. Je file aux toilettes. Je reviens et arrache le feuillet du tambour. Je recommence. Il me faut un quartier plus tranquille. En dix minutes, je suis dans un autre univers, sans avoir dépensé un sou. Mieux, j'entreprends de changer de saison. Une petite tempête de neige. Si c'était un film, le producteur serait en train de s'arracher les cheveux. Pour faire apparaître la neige dans un roman, il faut deux consonnes et trois voyelles. Un couple se promène dans le parc tout à côté. Musique. J'écris: musique. Je n'impose rien. C'est le lecteur qui décidera de la musique qu'il veut entendre. Et là encore, je n'ai pas payé un sou. Mes personnages s'assoient sur un banc. Des enfants courent en riant. On perçoit la circulation derrière les arbres. Scène suivante: on est à Tokyo. Au cœur de la ville. Des immeubles, des voitures. Des gens rentrent au bureau après le lunch. Le producteur fait cette fois un infarctus. Alors que, pour moi, Tokyo n'est qu'un mot. Mon travail d'écrivain, c'est de faire en sorte que le lecteur se sente à Tokyo. Je dois trouver les couleurs, les odeurs, la lumière qui évoquent cette ville. Et le temps? Oh, le temps n'est que de l'émotion entre deux phrases. Seul dans la foule, l'écrivain tente de capter toutes les musiques et tous les rythmes de la ville. Et de la vie.

Un bon lecteur ne referme pas un livre sous prétexte que le thème ne lui est pas familier.

J'aime transposer les techniques du cinéma dans le roman. Je passe du temps à analyser leur façon de faire se côtoyer des scènes qui se passent dans des lieux et des atmosphères différents. L'écriture du dialogue de Woody Allen m'intéresse. Il a publié ses meilleurs scénarios (*Manhattan*, *Annie Hall*). Woody Allen parvient à utiliser constamment l'humour dans ses films sans que cela arrête le cours du récit. L'humour fait partie intrinsèque du personnage. Et se joue toujours sur deux plans : la scène est drôle à cause de la maladresse du narrateur de *Annie Hall*, mais ce qu'il dit aussi est drôle. Pourtant, c'est une situation tragique : sa femme vient de le quitter. Chez Fellini, c'est la fantaisie qui m'impressionne. Surtout son audace. On a l'impression qu'il peut tout se permettre. Un doux récit d'enfance (*Amarcord*), ou un portrait insupportable de Casanova, ou une charmante description de Rome (*Roma Fellini*) – ce n'est pas n'importe quelle Rome, la Rome de Fellini. J'ai beaucoup appris en regardant son montage de *Roma*. Sa manière fluide d'entrelacer le passé et le présent. Les couleurs qu'il utilise font pénétrer le spectateur dans un univers chaleureux. Bergman m'intéresse pour sa façon de triturer les âmes. J'aime le voir descendre avec son casque tout au fond de la mine. Il fait hurler de douleur ses personnages en étalant au grand jour leurs plus noirs secrets. Sa technique de travail ? J'ai appris qu'il n'hésitait pas à appeler ses amies (surtout ses anciennes amantes) et à leur poser des questions brutales sur leurs désirs les plus crus. C'est un homme amoral, donc un artiste. Ettore Scola fascine par son aisance. Avec lui, tout semble facile. Prenez *Une journée particulière*. L'histoire de deux personnes que tout éloigne (une femme mariée à un fasciste et un homosexuel) et qui vont vivre quelque chose d'unique pendant la parade de Mussolini. Le monde de Mussolini, c'est celui des «vrais» hommes. Les femmes et les homosexuels n'y sont pas bien vus – n'y ont rien à faire. Là, c'est la façon de Scola de vivre le temps qui m'intéresse. Ce film pourrait s'appeler *Une vie particulière*, car cette journée dure une vie. Il faut tous les détails qui ralentissent l'action de manière à ce que ce scénario de court métrage devienne un vrai long métrage. Tout cela est possible parce que Scola a travaillé le temps pour qu'on ait l'impression qu'il ne passe pas.

> Un enfant qui apprend à parler peut nous apprendre à écrire, car chaque mot est pour lui un nouveau jouet qu'il tente de casser pour voir de quoi il est fait.

126. L'HOMME DE MAYTAG

La télévision a toujours été le plus sûr véhicule dont une société se sert pour diffuser sa vision du monde. Ce n'est pas en écoutant les discours politiques ou les déclarations idéologiques, mais en s'installant devant le petit écran qu'on finira par voir à quoi ressemble la vie dans une communauté quelconque – et surtout ce qu'on veut faire d'elle. D'ailleurs, ce sont les tranches palpitantes de vie que la télévision distille, jour après jour, qui finissent par donner forme à cette société. Et comme on sait que la télé puise ces histoires dans la vie quotidienne, c'est donc un cercle vicieux. Tout ceci finit par sembler naturel avec le temps, jusqu'à nous donner l'impression que c'est ainsi que va le monde. La réalité nourrit la fiction qui à son tour nourrit la réalité (la téléréalité est un indice). Pourquoi j'insiste tant sur ce point? Parce que c'est si banal qu'on ne le remarquerait pas. L'impact de la télévision est pourtant décisif. Celui qui a mis en place une mécanique aussi simple et efficace a pu s'endormir dès le deuxième jour (le dieu de Maytag). Il paraît alors normal qu'on nous réveille avec toutes ces informations débitées sur un ton rapide afin de nous informer sur l'état du monde et celui de notre ville. C'est devenu naturel qu'on sache le temps qu'il fait, comment va la circulation et quelle est l'humeur de la ville. On doit savoir tout cela avant de mettre le pied dehors. Personne ne peut résister à l'entrain de ces chroniqueurs sportifs qui semblent jaillir de la nuit, avec cette énergie folle, pour nous annoncer ce que nous savons depuis hier soir, à savoir que notre équipe a perdu. On finit par comprendre tout de même que cette agitation n'a d'autre but que de nous tirer du lit. Puis au cours de la journée, on voit défiler ces compagnies qui tentent de nous vendre toutes sortes de produits dans des talk-shows faussement utiles ou entre deux tranches de romances sucrées qui fournissent du gras à notre esprit. Au moment du premier verre de vin, vers six heures de l'après-midi, l'agitation reprend (les cadres rentrent souper). Les nouvelles se bousculent, comme pour dire que ceux qui n'ont pas quitté la maison ne méritent pas d'avoir des nouvelles fraîches ou importantes. On s'était contenté, toute la journée, de leur repasser les mêmes infos chaque demi-heure jusqu'à ce qu'ils aient l'impression de tourner en rond. C'est tard le soir au moment du coucher que les choses deviennent vraiment intéressantes. Car on s'adresse à un plus large public, qu'on estime sérieux. Comment le sait-on? Par la qualité des télés-films et des télés-séries proposées. C'est un public frais qui prend le relais. Ceux qui ont regardé la télé toute la journée viennent de tomber, vidés de leur sang. Pendant que dans toute la ville des scénaristes stakhanovistes de la télé noircissent du papier pour nourrir ce monstre d'encre.

> Si on vous laisse dire ce que vous voulez, c'est signe qu'on n'accorde aucune importance à ce que vous dites.

127. LE DIEU DU VIDE

Les séries américaines sont de plus en plus remarquables. On ne se contente plus, comme autrefois, de faire bêtement la promotion de la police ou de tenter de garder les gens éveillés en faisant apparaître de temps en temps un décolleté affriolant ou une chute de rein à la Jennifer Lopez. Ni non plus de ces scènes d'action en cascade dont le seul but est de nous rappeler que le gaspillage est le nerf du système. Mais les scénarios des téléséries qu'on nous présente aujourd'hui ne sont pas seulement bien ficelés, ils restent captivants d'un bout à l'autre. Et ils sont faits de telle manière qu'on peut arriver n'importe quand et comprendre après deux minutes de quoi il est question. L'éclairage est toujours chaud. Et on nous bombarde d'informations scientifiques de plus en plus pointues, qu'on n'aurait pas pu diffuser si on n'était pas parvenu à une telle maîtrise de la narration. On comprend que c'est du jetable aussi. Dans quel monde vivons-nous (j'adore cette expression qui me vient de ma grand-mère) où on concocte de telles histoires, qui coûtent une petite fortune, pour ne leur accorder aucune importance ? On se demande alors ce que veulent dire ces nouveaux récits, certes mieux emballés qu'avant, et dont l'unique sujet est la mort ? Des histoires dont on s'imbibe chaque soir, juste avant de s'endormir.

Il y a quelques années encore, la mort était la chose qu'on cherchait à maîtriser. On mettait tout en œuvre pour arriver à temps et sauver la personne en danger. Bien sûr, des inconnus mourraient en chemin. Mais le récit était construit de telle manière que la mort n'avait de sens que si elle menaçait quelqu'un qui occupait une certaine place dans la société. Déjà, on voyait que la mort n'était pas démocratique, mais elle intimidait encore, et on se battait contre elle jusqu'à la toute fin. En plaçant la mort ainsi au bout de l'histoire, on accordait une importance à la vie. Puis ce fut cette cascade de séries américaines, *CSI* en tête, où la mort est là dès les premières images. La question n'est plus de sauver une vie, mais plutôt d'étaler un savoir-faire. Cela commence par une éclaboussure de sang. C'est souvent une jeune femme sophistiquée, blonde, allongée au milieu d'un riche salon, ou dans une piscine bien éclairée, ou simplement dans les toilettes d'une discothèque luxueuse où de jeunes bourgeois s'amusent à sniffer de la cocaïne ou à pratiquer des jeux sexuels complexes. Il faut bien que ce soit des gens riches, car on va déployer de grands moyens pour retrouver le tueur qui, à coup sûr, fait partie de ces gangs qui pullulent à Miami, à New York ou à Las Vegas – car il y a des franchises. Ainsi deux univers opposés se croisent. On fait l'étalage d'une certaine esthétique. Ce n'est plus tellement la tension d'une mort imminente ou la proximité d'un tueur qui nous garde en haleine, mais des couleurs et des formes faites pour nous ravir. Un univers chaud d'où l'hiver est absent d'ailleurs. On est encore passé à un nouveau stade. Ce n'est plus un mort dont il faut trouver le tueur. On assiste au triomphe du cadavre. On voit de moins en moins ces inspecteurs qui défoncent des portes en criant « Police ! » Ou qui passent des menottes à des bandits étonnés. Le rôle principal va aujourd'hui au médecin légiste. Et tout se passe au sous-sol, à un endroit où on n'allait autrefois que si c'était vraiment nécessaire. On ne cherche plus à retrouver le coupable, encore moins à empêcher un meurtre ; ce qui intéresse, c'est le cadavre lui-même. On l'analyse avec la même distance que s'il était mort depuis un siècle. Sa présence sur la table de dissection n'interdit pas les conversations ordinaires de la vie quotidienne. On nous propose, en douce, une banalisation à outrance de la mort. J'aimerais comprendre ce qu'on veut nous dire, et cela sans tomber dans la paranoïa ou l'excès d'analyse. Sommes-nous arrivés au bout de la route ? Allons-nous passer à un autre sujet ? Ou est-ce un message subliminal pour nous faire comprendre que cette civilisation, basée sur la virilité et l'énergie, a atteint son point mort ? Je me disais bien que c'était la mort qu'on cherchait, depuis le début, à nous vendre.

Ce fleuve d'encre prend sa source dans ma nuit.

128. La cuisson

Quand on me demande de décrire l'art du roman, je pense à la cuisine. Ce sont les deux arts les plus proches. Pour préparer un plat simple, un plat de paysan, on fait bouillir l'eau dans une vieille chaudière. Après on y jette un morceau de viande, des légumes. Ensuite des épices. Puis, on baisse le feu pour faire cuire le tout à feu doux. On doit rester tout près pour surveiller la cuisson. C'est exactement ce qu'on fait quand on reste assis devant notre machine à écrire, les bras croisés. On a mis tous les ingrédients en place. Le style, c'est les épices, c'est lui qui donne son goût au roman. Et là, on attend. Comme pour la cuisine, on a mélangé des éléments disparates en espérant un goût nouveau.

Quand la déprime est trop forte du fait que le livre n'avance pas, seule la lecture d'un mauvais livre pourrait nous remonter le moral.

129. LA TASSE DE CAFÉ

On ne peut pas être plus romanesque que ma grand-mère, cette femme qui, chaque jour, s'installe sur la galerie avec une cafetière à ses pieds. Je me demande combien de fois je vais raconter cette histoire. La centième fois, c'est une fable. Les enfants aussi savent changer une histoire en fable, en vous demandant de leur raconter la même histoire jusqu'à votre épuisement total. Jusqu'à ce que cela fasse partie de leur paysage intérieur. Et du vôtre. L'enfance est un moment qu'on partage avec beaucoup de gens. Un enfant est toujours entouré. Je change très peu cette histoire de ma grand-mère sur la galerie avec sa tasse de café. Quand j'en parle, je revois la scène, et j'en suis à chaque fois ému. Pas triste. Je voudrais tant que ma vie soit aussi simple qu'à cette époque. On est en pays connu. L'enfance de l'auteur : sa grand-mère, la tasse de café. Il suffit d'une gorgée pour que la magie opère. L'homme qui ne parle jamais se met à raconter sa journée. Ma grand-mère l'écoute en souriant. L'air devient subitement plus doux. Des nuages blancs s'immobilisent dans un ciel d'un bleu pur. Quand il a fini de boire, l'homme soulève son chapeau pour rendre hommage à la courtoisie de Da. Quelques minutes plus tard, c'est une femme qui s'arrête devant notre galerie avant de grimper la montagne pour aller préparer le souper familial. On lui offre du café qu'elle boit avec un bonheur évident, car la journée a été harassante. Conversations intimes. Les femmes ont toujours des choses graves à chuchoter. Elles portent le quotidien sur leurs épaules, et c'est un quotidien tissé de petits drames. Je ne bouge pas de la galerie, car j'ai la fièvre. J'observe les fourmis, un univers qui me fascine encore. Comme si le temps s'était immobilisé pour produire une enfance éternelle. Le lecteur fait le compte : la grand-mère, la tasse de café, les gens qui passent dans la rue, la conversation, l'enfant, la fièvre, les fourmis. Tout est là. Il est rassuré. C'est aussi une des fonctions de la littérature. Elle n'est pas là uniquement pour déranger. Je dis cela, car je sais à quel point les jeunes écrivains veulent provoquer. Mais à trop vouloir choquer, on ne voit plus le vrai danger qu'est la déshumanisation.

La plupart des écrivains n'aiment pas lire, comme la plupart des marins ne savent pas nager.

130. LE VILLAGE DANS UN LIVRE

J'ai écrit une vingtaine de livres qu'on peut réunir dans un seul livre avec un titre trop vaste : *Une autobiographie américaine*. C'est pourtant une histoire assez simple. Je me suis demandé pourquoi Petit-Goâve, cette ville où j'ai passé mon enfance, ne serait pas digne d'être dans un livre ? Et tous ces gens avec qui j'ai vécu : ma grand-mère, mes tantes, ma mère, les voisins, tout ce monde-là, je les aurais bien vus dans un livre. Ils n'étaient pas différents de ceux que j'avais l'habitude de croiser dans les romans de Marquez ou même de Tolstoï. Ils avaient droit, eux aussi,

205

à la fiction. Je me suis longtemps demandé s'il y avait une catégorie particulière de gens qui méritaient d'entrer dans un livre et d'autres qui ne pouvaient être que des lecteurs. Y a-t-il des sociétés plus littéraires que d'autres? Certaines ont donné de bonnes preuves qui nous font croire à leur aptitude, mais je doute que ce soit dans leur ADN. Il est vrai que Paris, Manhattan et Berlin se sont retrouvés plus souvent dans un livre que Petit-Goâve. Je me suis dit qu'il fallait réparer cette injustice. Le monde ne pouvait vivre plus longtemps sans connaître les gens de Petit-Goâve. C'est ce que se dit tout écrivain à la veille de parler de son patelin. En fait, il ne parle pas uniquement du pays où il a passé son enfance, mais de cette île qui s'éloigne à vue d'œil qu'est l'enfance. L'enfance est un pays en soi. Je voulais aussi montrer combien ces gens de Petit-Goâve ressemblent aux autres afin qu'on arrête de les folkloriser. Partout il y a ces deux types de sociétés: les paysans qui s'adaptent au paysage dans lequel ils vivent et les citadins qui adaptent le paysage à leur mode de vie. C'est ainsi pour Petit-Goâve et Port-au-Prince, comme ça l'est pour New York et un village américain, pour Paris et un village français, ou pour Moscou et un village russe. C'était pour moi très important de réparer cette injustice, je le redis. Ce sont mes premiers témoins, et j'entends qu'ils m'accompagnent partout.

Un écrivain est un enfant perdu dans la forêt qui ne cherche plus à retourner à la maison en découvrant qu'il n'a rien oublié puisqu'il avait pris la peine de glisser dans sa poche ces vingt-six petites lettres lumineuses de l'alphabet qui vont éclairer son chemin.

Après le café, voici la pluie. Je fais intervenir la pluie chaque fois que j'évoque mon enfance jusqu'à ce que le lecteur fasse le lien entre mon enfance et la pluie. Les peintres font cela. Ils insistent sur une couleur jusqu'à ce qu'elle devienne leur couleur. C'est le bleu de celui-ci, le jaune de celui-là, et le noir de Soulages. Bien sûr, on s'en aperçoit après coup. De toute façon, les choses sur lesquelles on insiste volontairement ne marchent pas toujours. On insiste sur ceci, et les gens remarquent cela. On ne peut pas mettre en place une mécanique, pour la simple raison qu'elle finira par nous broyer. Donc, je remarque après coup que, de mon côté, c'est le café et la pluie. Le café pour ma grand-mère, et la pluie pour moi. Un copyright. Si un autre écrivain fait tomber la pluie en parlant de son enfance, je crierai au vol. La pluie m'appartient. Me voilà assis sur la galerie, au pied de ma grand-mère, à regarder tomber la pluie. Rien d'autre à faire. Elle tombe chaque après-midi à la même heure. Je suis devenu un spécialiste de la pluie. Je connais ses humeurs, ses danses, sa musique, son odeur (mélange de poussières brûlantes et d'eau). Comme j'ai toujours la fièvre, je ne vais pas souvent à l'école. En classe, je suis un enfant distrait. Sur la galerie, personne ne peut être aussi attentif que moi. Ce n'est pas pour rien que je me souviens de tout, aujourd'hui. Je me souviens de chaque brindille que les oiseaux transportent pour faire leur nid sur le grand manguier. Je me souviens de ce groupe de fourmis qui s'épaulent pour transporter un minuscule morceau de pain. Il faut être attentif pour ressentir d'aussi vives émotions face à des scènes si minuscules. Cette sensibilité m'a permis surtout d'être réceptif aux éléments qui se déchaînent autour de moi. Nuages noirs et bas. Soudain la pluie arrive. Dans la Caraïbe, on n'a pas peur des révolutions, ni des fusillades, ni même des gendarmes, mais de la pluie, ah, ça oui. Dès qu'il pleut, on se met à courir dans tous les sens, perdant toute contenance. Sauf mon voisin, le notaire Loné, un vieil ami de Da, qui continuait sa promenade sans jamais accélérer le pas. Les initiés savent que le notaire Loné garde des liens secrets avec la pluie, les papillons et les dieux du vaudou. Quant aux autres, les mortels que la pluie a surpris en pleine rue, je remarque qu'ils courent se réfugier sur la petite galerie couverte de la maison d'en face. La pluie les poursuivant quand même, ils se bousculent pour trouver, chacun, un endroit où ils ne seront pas mouillés. Sachant que la pluie ne s'est jamais rendue au-delà de la trente-sixième rangée de briques, je sais qu'ils seront à l'abri dès la trente-septième.

> Il y a des lettres de lecteurs qui sont supérieures aux livres qu'elles commentent, et quand on demande à ces lecteurs pourquoi ils n'écrivent pas, ils répondent, tout étonnés : « Mais je ne suis pas écrivain ! »

132. L'AUDACE

Un écrivain est d'une part quelqu'un de modeste (surtout quand il relit les feuillets de la veille), mais il peut être aussi d'une folle vanité. Malraux dit que l'artiste est le rival de Dieu. Et Sartre que « Dieu n'est pas un artiste, monsieur Mauriac non plus ». Ce qui est sûr, c'est qu'il faut beaucoup d'audace pour vouloir imposer un monde qui n'existait pas auparavant. Écrire fait de vous un collègue de Goethe (ce n'est pas un classement). On doit se le dire si on veut terminer la besogne. Pour raconter cet univers complexe, on a mis à notre disposition quelques règles de grammaire, un vocabulaire sommaire et les vingt-six lettres de l'alphabet. C'est avec ça qu'on a écrit *Faust*, *Don Quichotte*, *Les Misérables*, *Gouverneurs de la rosée*, *Feuilles d'herbe*, *Mémoires d'Hadrien*, *Cent ans de solitude* et *À la Recherche du temps perdu*. Pas une lettre de plus. Avant d'être Goethe, Cervantès, Hugo ou Yourcenar, ils étaient de pauvres petits garçons (et une petite fille) que l'obscurité effrayait. Un homme est venu me voir après une causerie dans une bibliothèque de Port-au-Prince. «Aujourd'hui, j'ai quarante ans», me dit-il en souriant. Je ne comprends pas tout de suite à quoi il veut faire allusion. Alors, il m'explique: «Il y a quelques années, vous aviez l'âge que j'ai aujourd'hui, et vous étiez venu à l'université où j'étudiais faire une conférence.» Il me jette un regard plein de connivence avant de poursuivre. «Vers la fin, vous aviez déclaré, calmement, que vous vous sentiez l'égal de n'importe quel écrivain de quarante ans dans le monde.» Il se met à danser sur un pied. «Eh bien, c'est la chose la plus stimulante que j'ai entendue de toute ma vie. Je me suis dit à ce moment-là que j'entendais être l'égal de n'importe quel étudiant de vingt-quatre ans dans le monde. Et je me suis mis à étudier sans répit. J'entendais parler d'Haïti dans les médias internationaux sur un ton qui me blessait. Je voulais que personne n'ait pitié de moi. C'était ma vie et j'allais m'en occuper. Cette phrase m'a servi de carburant durant les années suivantes. Ce n'était pas un conseil. Vous parliez de vous. Je me suis reconnu dans cette énergie. C'est ce que je voulais vous dire». Et il est reparti avec la jeune fille qui l'accompagnait.

Certains écrivains ont grandi dans un environne-
ment où il est normal d'écrire. D'autres doivent
conquérir la nourriture, le loyer, et le droit de
rêver. Le livre, impassible, ne garde aucune trace
de ces différences sociales.

133. Disparaître

Le téléphone sonne au milieu de la nuit. Une voix de
femme assez jeune. Sans m'avoir jamais rencontré, elle
semble bien me connaître. Les écrivains se retrouvent
(quelqu'un voudra savoir un jour la raison de cet abus que
je fais du verbe *retrouver*) souvent dans de pareilles situations. Je croise parfois des gens dans la rue qui m'abordent
avec une grande familiarité, me rappelant du coup que le
livre demeure le fil rouge qui permet aux humains de ne
pas se perdre dans le labyrinthe de la nuit. On me fait alors
comprendre, souvent avec un sourire complice, que toutes
ces choses qu'on partage (une grand-mère aimante, l'amour
des fruits tropicaux, un optimisme dont même un séisme
ne pourrait venir à bout, le goût des jeunes filles, l'habitude
de lire dans la baignoire, l'art de ralentir le temps) finissent
par faire une tribu. Cette fois c'est différent, car aucune
lectrice ne m'a encore appelé au milieu de la nuit. Elle veut
me voir le plus vite possible.

– À quel sujet?

Elle refuse de me le dire au téléphone.

– C'est où?

– Vous êtes venu chez moi il y a deux mois, je n'étais
pas présente, car je venais de me brouiller avec mon père.
Ce qui arrive souvent, ajoute-t-elle en éclatant de rire.

Le silence qui suit me fait croire que son humeur a changé par rapport à son père, le vieil écrivain en pyjama jaune à rayures bleues.

– Venez s'il vous plaît, conclut-elle avant de raccrocher.

Je passe le reste de la nuit à me demander ce qu'elle peut bien me vouloir. Je me rends dès le matin à son appartement.

– Avez-vous déjeuné ? me lance-t-elle, à peine la porte franchie.

– Oui.

– Un café alors ?

J'acquiesce. Elle m'explique la situation tout en nous préparant un moka. Il y a deux semaines, le concierge l'a appelée à son studio (il pouvait la rejoindre en cas d'urgence) pour lui signaler que son père n'avait pas ramassé le journal depuis quinze jours. La maison était dans un état pitoyable – surtout la cuisine. Un amoncellement de vaisselle, des piles de linge sale le long du couloir, les cendriers débordant de mégots, et des bouteilles de gin vides sous le lit. Son père recroquevillé sous les draps, tout grelottant, dans une chambre pourtant surchauffée. Le gros manuscrit, encore plus volumineux que la dernière fois, près de sa tête. Il pleurait comme un enfant.

– C'était la première fois que je voyais pleurer mon père.

Elle semble dévastée rien qu'à évoquer ce moment. C'est à cet instant que je vois combien elle ressemble à son père. La même façon de se passer la main sur le visage. La même fureur de tigre en cage. Comme son père, elle m'a

211

servi un café si brûlant que je n'ai pu retenir un cri. Long silence après le café. Chacun muré dans ses pensées. Je ne sais toujours pas ce qu'elle attend de moi.

– Est-ce lié à l'écriture? finis-je par demander.

– D'une certaine façon, oui, mais ce n'est pas là le vrai problème, me fait-elle.

– Et de quoi s'agit-il au juste?

Elle prend une longue respiration avant de lâcher:

– Mon père veut disparaître.

– Qu'entendez-vous par là?

– Je l'ai trouvé si maigre, fait-elle en éclatant de sanglot. Quand je suis arrivée, il n'avait pas mangé depuis un mois et demi. Il voulait rapetisser assez pour se glisser dans son livre.

– Et dans quel but?

– Il pensait qu'en pénétrant dans le livre, il pourrait remonter à son enfance.

– C'est vrai qu'on écrit, avoué-je, beaucoup pour retrouver la saveur des premiers jours.

– Il ne voulait pas de ce succédané, me répond-elle vivement, il cherchait à remonter la rivière qui mène à l'enfance.

– Mais c'est impossible!

– Allez le lui faire comprendre vous-même, car il ne m'écoute plus. Il m'a dit, hier, qu'il avait déjà atteint la frontière où se tient Legba, le dieu qui garde la barrière du temps. Il hallucine depuis trois jours. Des images psychédéliques qui le mettent en sueur. Le reste du temps, il tombe dans un sommeil si profond que j'ai d'abord pensé à un coma. C'est dû à la faim, car il refuse de se nourrir.

— Dans ce cas, ce n'est pas moi qu'il faut appeler, mais une ambulance, lancé-je en me levant. Je refuse d'être mêlé à cette histoire.

C'est dans mon lit que je me suis demandé si, au fond, ce vieux fou n'était pas en train de réaliser mon rêve ou celui de n'importe quel écrivain : passer la barrière verte du temps. L'art nous a promis l'éternité. Le vieil écrivain en pyjama a pris la proposition au premier degré, sachant que le second degré ne peut satisfaire que les lâches et les esprits médiocres.

> Les petits faits nous aident à mieux cerner un personnage tout en nous empêchant d'être pompeux.

134. LE PIVOT DU MONDE

À mon insu, j'emmagasinais un fleuve d'émotions, de sensations et d'images qui referaient surface trente ans plus tard. Ces moments de l'enfance, souvent gorgés d'un bonheur simple, me permettraient de sortir du piège de la célébrité (enfin, dans ma modeste sphère). J'ai écrit un premier roman, et ce fut tout de suite le succès. Ainsi, je suis passé, dans la même semaine, de l'usine à la télé. Le problème, c'est qu'il ne s'agissait pas uniquement d'un succès littéraire : le sujet du livre a allumé un incendie sur mon chemin. Vous savez, en Amérique, combien le sexe, surtout la sexualité interraciale, peut être explosif.

Le succès, c'est du temps accéléré. Ce qui m'a sauvé de ce sillage mondain que la célébrité entraîne avec elle, c'est le visage serein de ma grand-mère qui me rappelait à tout moment qu'une autre vie, moins futile, plus humaine, était possible. Me remontait alors à la mémoire cette odeur de café qui a parfumé mon enfance. Je revois cette galerie où elle s'asseyait chaque après-midi, ce café qu'elle buvait si calmement, et qu'elle offrait aux passants. Une vie simple. Aucune agitation. Tout est comme suspendu. De temps en temps, elle refaisait du café pour ne pas en offrir du froid à ses invités. Du «café neuf», comme elle disait. Elle réglait tout sans bouger de sa chaise, sauf pour le café. Elle s'en occupait personnellement. Je vois encore son dos rond. Et son sourire de profil, car elle souriait au café qui monte. Toujours cette petite fumée, signe qu'un nouveau café n'allait pas tarder. J'ai pris du temps à comprendre cette idée d'immobilité. Une immobilité active. Si on reste attentif aux autres, même sans bouger, on ne sort pas du monde. On en devient le pivot.

> Le succès, comme l'échec, fait boire, mais si on veut écrire un nouveau livre il faut mettre un peu d'eau dans son vin.

135. CONVERSATION INTIME

Avec mon ami Alain Mabanckou, je parle de tout en toute liberté. Il me donne raison à coup sûr, sinon à quoi sert un ami. Certains disent qu'un ami vous doit la vérité. Je laisse ce soin à mes ennemis, et ils ne s'en privent pas.

— Je suis en train d'écrire un essai, mais je voudrais qu'on le considère comme un roman.

– Tu n'as qu'à écrire « roman » sur la couverture.

– Je remarque que les gens mettent leur confiance dans la négation plutôt que dans l'affirmation. Ils sont prêts à vous croire si vous dites que votre livre n'est pas un roman alors qu'il pullule de personnages hauts en couleur, de folles passions et de rebondissements. Par contre, si vous affirmez que votre essai lyrique est un roman, on ne vous croit pas.

– N'y pense pas… Écris ton livre, c'est tout.

– Oui, mais je veux écrire un roman qui a l'air d'un essai.

– Tu te compliques les choses.

– Et toi, t'es jazz ?

– Je vais te dire : c'est un roman.

– Tu ne l'as même pas lu.

– Je te crois sur parole.

– T'es un frère.

> Il y a des gens qui fonctionnent à l'envers : il suffit qu'un mauvais livre soit en circulation pour que mon voisin le trouve et le lise avec avidité, mais quand par inadvertance il tombe sur un bon livre, il s'empresse de le dénigrer.

136. La petite bête

Méfiez-vous du lecteur qui a passé la nuit à vous lire et qui en est sorti ébloui. Il est sincère, mais ce qu'il dit ne vous aidera pas à vous améliorer. Écoutez plutôt cet autre qui cherche la petite bête. C'est important la petite bête dans un livre. Il vous faut prêter attention à celui qui l'a trouvée, même si cela vous fait un pincement au cœur. Vous auriez tant voulu que tout soit parfait. Mais c'est avec les détails qu'on écrit. C'est le détail qui fait basculer le lecteur dans l'univers que vous lui proposez. Pas forcément les grands débats. On se sent en présence d'un écrivain quand on se reconnaît dans un détail. Le lecteur se dit : « J'ai vécu exactement la même chose. » Ce n'est pas seulement la situation qui l'a convaincu, mais surtout votre façon de l'exprimer. Soyez sobre, comme la réalité. Pas besoin de développer. Le lecteur sait de quoi vous parlez, il l'a vécu aussi. Toujours le même conseil : lisez avec un carnet et notez l'exactitude des détails dans les bons romans. Rien de plus banal que le détail dans un mauvais roman, ce détail qui tente de reproduire la réalité. La réalité dans un livre n'est pas la copie de l'autre réalité. Quand le lecteur dit qu'il a vécu « exactement la même chose », cela ne veut pas dire que c'est pareil en tous points. Il parle de l'émotion que cela a provoquée en lui. Ces détails qui font mouche disent toujours autre chose que ce qu'ils semblent suggérer.

> Quand, comme un amoureux transi, on oublie tout (les clés, les rendez-vous, les repas), c'est que des milliers de détails se sont emparés de notre esprit et s'organisent déjà pour produire des phrases.

137. LA ZONE GRISE

Dans les romans caribéens, c'est rare que le temps soit pluvieux et ennuyeux. Il fait soit soleil ou il tombe une forte pluie tropicale. Ce qui fait que, pour qualifier la pluie, on puise dans la même banque de données. En ce moment, je regarde par la fenêtre ce ciel gris qu'accompagne un petit crachin. Cette ambiance ralentit les choses sans les arrêter tout à fait. Il y a des situations qui nous permettent de décrire différemment la nature. Entre ce soleil éclatant et cette pluie dévastatrice, il y a une zone moyenne qui n'est jamais balisée. La nuance est aussi rare dans la description du paysage intérieur, ce qui est normal quand on sait que le paysage extérieur influe sur notre nature intime. Tout est toujours présenté sous des couleurs fortes et rieuses. Rarement de demi-teintes. La tendance créole accorde trop d'importance à la vie collective, pas assez à la réalité individuelle. Les sentiments sont déclarés trop vite. Comme si on ne vivait que dans l'urgence. On peut baisser le ton, décrire des zones grises, rester dans la pénombre. Pas obligé d'être toujours dans la foule, dans le hurlement et sous un soleil éclatant. L'écrivain gris par excellence, c'est Kafka – avec les mille nuances du gris.

> Les livres ne se font pas par hasard, mais parce qu'il y a des lecteurs qui, du fond de leur chambre, les réclament en silence.

138. DANS NOTRE RUE

L'auteur parle de son livre à la télé. Notre voisine connaît la mère de l'auteur. Une scène du livre se passe dans notre rue. On a l'impression d'être dans le livre. Aucune distance. Comme on doit voyager, on le glisse dans sa poche. Déjà dans l'avion le charme est rompu. Tout nous semble si loin, vieux et daté. Certains livres voyagent mal, alors que d'autres ne cessent de prendre de l'ampleur au fur et à mesure qu'on s'éloigne de leur point d'origine. D'un autre côté, on croit qu'il se passera quelque chose si on lit le roman à l'endroit où se déroule l'action. En général, il ne se passe rien, à part notre obstination à trouver que c'était une bonne idée.

> Le moment où le sommeil s'empare de nous sans notre permission, alors qu'on est en train de travailler à notre livre, est intrinsèque au fait d'écrire.

139. LE PRINTEMPS DANS L'AIR

Le printemps est ma saison favorite parce qu'il a fini par terrasser l'hiver dans un combat que j'ai parfois cru qu'il allait perdre. Certaines années, la bataille a été si rude qu'il a dû reculer jusqu'à sentir dans son cou le souffle chaud de l'été, nous faisant passer sans aucune transition de l'hiver à l'été. D'autres années, plus fastes, il a gagné haut la main la lutte dès les premières semaines de mars. Quand il est là, je prends plaisir à me lever dans la fraîcheur de l'aube, sous un petit soleil guilleret, pour me retrouver à midi à siroter un verre de vin tout en mangeant une salade niçoise à la terrasse d'un café de la rue Saint-Denis. En un mot, j'aime le printemps à Montréal, ce fragile printemps qui me fait penser à la chèvre de monsieur Seguin qui s'est battue toute la nuit pour se rendre à l'aube. C'est un printemps qui porte sur lui les blessures de sa lutte avec l'hiver. On le reconnaît à sa lumière particulière qui procure une joie si spontanée qu'elle embellit quiconque. Si j'aime encore le printemps, c'est qu'il annonce l'été, donc la vie pour tous ceux qui vouent un culte à la chaleur. Je l'admets difficilement, mais j'ai fini par reconnaître (la soumission à la glace étant une étape vers la nordicité) qu'on puisse se ranger du côté du froid dans ce duel annuel que le printemps livre à l'hiver. De beaux jours sont devant nous, jusqu'aux derniers feux de l'automne dont les splendides rougeurs du couchant signalent la fin momentanée du règne végétal. À mon avis, chaque année contient en elle une vie entière. Et c'est peut-être ainsi qu'on devrait la vivre. Ce printemps, par un concours de circonstances, j'ai fait une balade dans le ciel qui m'a mené de Paris à Rome, mes deux villes favorites. Sur la route des festivals littéraires et des salons du livre, une route du livre aussi enivrante que celle du vin. J'associe la lecture au vin, et l'écriture au café. Dès que j'arrivais dans une ville, on m'annonçait qu'hier encore il gelait. L'hiver, on le sait, tend à déborder de ses frontières. Il part et revient jusqu'à exaspérer même ceux qui ne détestent pas le froid, mais voudraient s'habiller autrement. Rien de plus énervant qu'un invité qui annonce, depuis un moment, son départ, mais vous retient à la porte avec des banalités. À Paris, le réceptionniste de l'hôtel m'a accueilli avec la formule consacrée : « Vous nous amenez le soleil. » Sait-il que je viens des ténèbres glacées du nord ? Rien qu'à voir ce soleil éclatant et neuf dans le ciel de Paris, je me sens rechargé complètement. Paris, en hiver, nous offre ses musées, ses théâtres, ses librairies et ses petits restaurants situés au diable vauvert, mais au printemps, c'est Paris l'événement et non ses produits culturels. Et j'aime marcher dans cette ville, sans destination aucune. Il m'arrive de croire que les gens que je croise, les petites rues que j'emprunte, les jongleurs sur les places, les musiciens devant les restaurants, les jeunes filles en minijupe et bottes, que tout ce spectacle m'est offert personnellement. Le seul problème, c'est qu'on ne fait pas assez attention à moi.

Les gens sont trop pressés pour qu'on ait le temps d'apprécier leur courtoisie. Je me demande combien de fois, depuis Lutèce, on a fait une pareille remarque sur Paris. Cette ville a le don de rendre bêtes ceux qui n'y vivent pas. Elle danse à un rythme si effréné qu'on a l'impression que le moindre quiproquo lui fera perdre l'équilibre. Paris trouve sa grâce dans la vitesse. Pour retrouver ma sérénité, je m'assois à la terrasse d'un café, et je passe l'après-midi à regarder les gens déambuler. Beaucoup d'entre eux cherchent eux aussi un café à leur goût pour faire comme moi. Le reste du temps, je lis dans la chambre d'hôtel. Le lendemain matin, je file à Rome, qui est à mon avis la seule ville à pouvoir faire face à Paris. Si Paris ne paraît jamais son âge à cause de son extrême urbanité, Rome, par sa constante fraîcheur, me fait l'effet d'une jeune fille éternelle. C'est qu'on y est moins pressé qu'à Paris. Les gens se retournent pour vous renvoyer votre sourire. Cette ville est si spontanée que j'ai cru, la première fois, que le Colisée était une réplique. Pourtant, le passé semble plus présent ici qu'à Paris. Le trop-plein de temples et de ruines, dans certains quartiers, peut nous faire regretter, un bref moment, la netteté des lignes de Paris. On n'a qu'à passer de l'autre côté du Tibre pour tomber dans une ambiance plus contemporaine. À Rome aussi, j'arrivais avec le soleil, ce que m'a confirmé le réceptionniste de l'hôtel qui m'a, finalement, remis la clé de la chambre après une longue discussion à propos de ce couturier (Gianni Versace) mort à Miami, il y a longtemps déjà. J'ignore comment il a pu savoir que j'ai déjà vécu en Floride. Je monte dans ma chambre pour redescendre tout de suite afin de jouir du printemps romain. J'avais oublié combien la douceur de Rome contrastait avec le caractère électrique de Paris. Je note dans mon carnet que j'aimerais bien m'installer dans une pareille ville pour y écrire un roman qui se déroulerait dans ma rue, en prenant pour personnages les gens que je croise chaque jour. Un livre, si simple et agréable, que les lecteurs auraient l'impression qu'il a fleuri un matin dans leur cour.

> Il y aura toujours ce livre dont les pages sont des rivières et les chapitres des fleuves, et où je ne suis que le mot *soif.*

140. LA FATIGUE DE L'ÉCRITURE

Cela se passe en l'absence de l'écrivain.
Les éléments ne cessent de se mélanger.
Il faut leur laisser un temps de repos
afin qu'ils s'harmonisent.
Les phrases se fatiguent parfois.
Ça bouge trop sous leur surface.
Le travail se fait durant le sommeil de l'écriture.

> Le silence n'est pas un temps mort, mais l'oxygène nécessaire pour descendre en apnée au fond de l'œuvre.

141. COMMENT SORTIR DU TUNNEL

À un moment donné, l'écriture devient une drogue (un cliché résistant). Et ce n'est pas une bonne chose, si on veut éviter que le navire parte à la dérive. Ils ne sont pas toujours honnêtes ceux qui tentent de faire croire au délire. Il n'y a pas de divagation possible à l'écrit. Breton et ses amis automatistes ont échoué. La grammaire est un corset trop rigide pour qu'on arrive à la défaire après une simple gorgée de Kool-Aid au LSD. Une passion lucide. Ça ne veut pas dire qu'aucun poète n'a pu franchir la fameuse porte de Jim Morrison. Rimbaud parle de voyance. Bon, si vous voulez. Dans la réalité ordinaire, les gens ne s'amusent pas à se mutiler afin de découvrir de nouveaux chemins. En fait, ils s'assoient à une table et tentent d'écrire une histoire au meilleur de leur capacité. Et beaucoup d'entre eux refusent de quitter la pièce tant que la page n'est pas maculée de signes, quitte à la jeter au panier après. Ce qui n'est pas une mauvaise idée, car parfois, une saine colère est recommandée. On ne peut pas passer sa vie à négocier, à se dire que nos idées ne sont pas si mauvaises. Il est permis de se regarder en face une fois ou deux. Pas une image, pas une odeur, pas une couleur, pas une saveur. Nos sens, éteints. On dirait du bois sec, juste bon pour le feu. Et cette merdeuse sensation que ça ne changera pas avant un moment. Alors à quoi bon traîner dans la pièce en regardant furieusement une page blanche que vous n'arriverez jamais à noircir – pas ce soir. À rester trop longtemps enfermé, l'esprit s'asphyxie. De l'air frais d'abord. Une longue promenade ne suffira pas pour rétablir la situation. C'est le moment d'apprendre à jouer de la guitare, à dessiner, à plonger la main dans la glaise, à faire de petites sculptures sur bois (des choses faciles), à peindre (aquarelle), à nager, à chanter (une chorale), à parler italien, à faire des desserts compliqués, à s'entraîner à la lutte romaine, à la boxe anglaise, à s'inscrire à la franc-maçonnerie, à apprendre à jouer aux échecs, à observer les oiseaux, à suivre des cours du soir (électricité, plomberie, menuiserie), à découvrir la ville en faisant du taxi, etc. Quitte à revenir plus tard pour finir cette nouvelle – vous êtes reconnaissable par cette pugnacité. Il arrive que certains découvrent leur vraie passion dans ce catalogue de hobbies.

> Il y a, chez un écrivain qui vient de publier son premier livre, un moment de panique qui peut durer une heure, un an ou une vie, et qui n'a rien à voir avec le succès ou l'échec.

142. L'ANGOISSE DE PHILIP ROTH

Philip Roth a atteint cet âge vénérable, quatre-vingts ans, où il peut annoncer qu'il n'écrira plus de roman. Il avait accéléré le rythme ces cinq dernières années, en publiant un livre par an. Michel Schneider, lui-même écrivain, est allé le voir à Warren, Connecticut, où il s'est réfugié, depuis des années, pour mener une vie de moine. Les deux hommes ont parlé de la mort, du temps, de la politique, du prix Nobel que Roth attend en essayant «de ne pas y penser», de l'impuissance sexuelle et de l'héritage littéraire.

«SCHNEIDER: Que conseilleriez-vous à un jeune écrivain?

ROTH: De changer de métier au plus vite. Absolument. J'ai bien gagné ma vie. Pas à me plaindre, mais pour tout le monde, c'est frustration sur frustration. Pas sur le plan matériel seulement. Le travail lui-même, quotidien, parfois atroce, et je ne parle pas de l'angoisse de la page blanche, mais de celle de la page remplie de choses mal écrites, mal pensées. Si vous faites une bonne page par jour, pas une page que vous comparez à celle des autres écrivains, une page dont vous vous dites: moi, je ne peux pas faire mieux, alors, estimez-vous heureux. Parfois ce sont des semaines sans rien de bon. Je me souviens, j'ai eu un très mauvais moment dans les années 70, six ou sept mois. Je me cognais la tête contre la machine à écrire et je me disais qu'est-ce que je peux faire pour démissionner, à qui écrire pour dire : je ne peux plus écrire. Parfois, c'est vrai, on a du plaisir. Celui que ça se termine au moins, cette souffrance. Si j'avais des enfants, je leur dirais ça : surtout pas écrivain. » (Interview « Je sais que la mort vient », *Le Point*, 27 septembre 2012.)

> De dire qu'un livre est important ne fait que nous dévoiler, car il y a trop de livres pour qu'un seul lecteur puisse établir une hiérarchie objective.

143. LE POIDS DES MOTS

Ma technique, je l'ai piquée au peintre primitif. Il procède par intoxication. Il ne s'adresse pas à l'intelligence, mais aux sens. Il réveille les sens de celui qui regarde son tableau. Les odeurs, les goûts, les saveurs finissent par faire tomber la solide forteresse de l'esprit logique. Il propose un univers si naturel que l'autre croit qu'il est simple. Il y a plusieurs manières d'écrire. Pour ma part, je crois qu'il est préférable que le lecteur pense que les mots naissent sous ses yeux. Qu'il ait l'impression que tout est facile. Et qu'il pourrait en faire pareil à l'instant. Pour arriver à une telle fluidité, il faut se débarrasser de cette habitude de parader. Et oublier un moment les phrases pompeuses, les analyses complexes, mais vides de sens, et cette musique si artificielle qu'on sent bien qu'elle n'est reliée à rien. On s'exprime trop souvent dans cette langue de salon. Ce genre d'écrivain, un modèle courant, préférerait ne plus écrire s'il était obligé de se faire comprendre. Un jeune écrivain m'a dit une fois : « Toi, tu n'es pas un écrivain puisque je comprends tout ce que tu écris. » Le plus beau compliment qui m'ait été fait.

Les mots ne sont pas utilisés pour leur sens, mais uniquement pour leur sonorité. On se gargarise de sons. Bien sûr que la musique des mots compte. La musique est inscrite dans le mot ainsi que sa saveur et sa couleur. Pour avoir tout son sens, le mot a besoin de ces trois qualités. Évidemment un trépied, ça tient. Sur un seul pied, le mot trébuche. Pour le soutenir, on l'escorte de deux autres mots semblables (un pour le son, un autre pour la couleur et le dernier pour la saveur). D'où l'impression, en lisant ces récits, de toujours se chercher un chemin dans une jungle impénétrable. Trop de mots. Normal, il en faut trois pour un. Ne devrait-on pas rompre avec cette tradition de trois mots pour un ? On doit retrouver le poids réel du mot. Le prendre dans sa main, le peser, le retourner avant de l'employer. Chaque mot a une histoire qui remonte parfois très loin dans le temps. On ne peut l'utiliser comme ça sans tenir compte de son sillage. Je n'insinue pas qu'il faille connaître l'histoire de chaque mot qu'on emploie, mais avouez que ce serait une saine curiosité de la part d'un écrivain. Oublions un moment la jolie phrase qui impressionne les gogos et tentons, pour une fois, de dire le plus simplement du monde ce qu'on a à dire. Faisons l'expérience. Prenez un sujet banal et essayez de l'écrire sur un ton naturel, sans aucune voltige. Maintenant, regardez attentivement chaque mot pour voir s'il se sent bien là où il est. Si vous ne lui avez pas fait dire plus qu'il ne pouvait. Si tout est clair. Essayez, à présent, de petits déplacements dans la phrase pour voir si cela a un impact sur l'éclairage. Les mots ont aussi une charge électrique qui leur permet d'illuminer la page. Leur énergie augmente ou baisse suivant le mot voisin.

L'éditeur passe chez cet écrivain, talentueux mais trop sensible, pour le trouver sous les draps, à trois heures de l'après-midi, entouré de bouteilles vides. Le pouls bat encore, mais l'écrivain, lui, est mort depuis un moment.

144. LE TITRE

Souvent le titre est à l'intérieur du livre. Il suffit de se relire attentivement en notant les associations de mots qui nous plaisent. Ne pas toujours chercher quelque chose qui résumerait le livre. Le premier devoir d'un titre, c'est de faire plaisir d'abord aux yeux, et ensuite à l'oreille. Dans une librairie, le titre doit attirer le regard. On s'approche du livre pour le prendre dans ses mains, le palper (son poids, l'épaisseur de la couverture, la texture du papier). On dit tout bas le titre, comme si c'était un mot de passe qui nous donnerait accès au livre. La sonorité des syllabes compte alors. En répétant trois fois le titre, le livre devrait se mettre à palpiter dans nos mains. Se méfier de ces titres agréables à l'oreille, mais qui ne durent que le temps d'une chanson d'été. Soyez prêt à capter ces autres titres, à première vue sans élégance, mais dont la grâce singulière nous apparaît au fur et à mesure que le temps passe. Choisir un bon titre exige ce talent particulier qui ne fait pourtant pas de vous un écrivain. Comme d'autres savent siffler du Mozart ou du Led Zeppelin, mais sont incapables d'écrire la moindre ligne musicale. Pourrait-on autoriser le prête-nom d'auteur en permettant à un bon livre d'un écrivain oublié de revenir sous la signature d'une vedette du jour ? Sous quel nouveau titre aimeriez-vous voir reparaître *Les Diaboliques* ? Ou *Les Souffrances du jeune Werther* ? Ou *Premier amour* ? Ou encore *Pantagruel*, dont on ne parle plus depuis un moment? Un nom américain si on veut s'assurer d'un succès mondial. Ne doit-on pas chercher à sauver un bon livre de l'oubli par tous les moyens possibles?

> À la radio, un célèbre écrivain raconte que sa chance fut de grandir dans une maison sans livre située à l'entrée d'un petit village sans bibliothèque. On se demande d'où peut venir cette obsession de ne devoir rien à personne.

145. FAIRE SIMPLE

Ne croyez surtout pas que ce soit si facile de faire simple. L'art ultime. Pour cela, on doit faire confiance à sa capacité de faire monter tranquillement l'émotion. Et de la faire redescendre sans que le lecteur ait envie de fermer le livre. La plupart des livres partent souvent d'une banale anecdote examinée sous tous les angles imaginables. On trouve, à l'analyse, tant de nuances dans un geste qui paraît si quotidien qu'il passerait inaperçu. Ne pas croire que c'est en trafiquant les émotions qu'on parviendra à produire un tel effet. Ni non plus en utilisant les doses recommandées (ce mélange harmonieux de tristesse et de fantaisie) par cette machine à larmes qu'est la nostalgie. Beaucoup d'écrivains rêvent d'écrire une histoire d'une pureté absolue qui charmerait les enfants comme les grandes personnes. Dans le meilleur des cas, on finit, parfois sans le savoir, par refaire une ancienne fable. Il ne nous manque ni le goût, ni le savoir-faire, mais cette modestie qui nous fait comprendre et accepter que les livres qui durent n'ont pas d'auteur. Ils se contentent d'apparaître sous la plume de l'un ou de l'autre. Il suffit d'être présent à ce moment-là. D'être en train d'écrire et en bonne forme. Cela peut arriver au tout début d'une vie comme à la fin quand toute ambition nous aura quitté. Et qu'on ne pense qu'à raconter une histoire si simple qu'elle mériterait d'être anonyme. Certains contes de Bashevis Singer et d'Isaac Babel parviennent à une telle perfection (je doute que ce soit le bon mot).

Ne devenez pas cet écrivain si jaloux qu'il l'est de son propre succès. Il n'arrête pas de dire du mal de son premier livre que tout le monde aime. Il est vrai que ce livre empêche de lire les autres.

146. L'artisan

J'ai vu un documentaire sur Woody Allen. Il y a une scène où il raconte sa méthode de travail. Dès qu'il a une idée, il la note sur un morceau de papier qu'il jette dans un tiroir ou une boîte de chaussure, je ne sais plus. Chaque fois qu'il se cherche une idée de film, il éparpille son trésor sur le lit. Son visage s'illumine, comme un gamin qui retrouve sa bille préférée, quand il tombe sur une bonne idée. On s'étonne qu'il ait pu garder cette méthode artisanale, et cela malgré la célébrité et toutes ces technologies qui sont, aujourd'hui, à la portée de n'importe qui. Il écrit encore sur sa première machine à écrire portative, prouvant ainsi qu'il n'a besoin que de son imagination dans cette affaire. Ce débat sur la machine n'est pas vain, car, il y a à peine quelques décennies, la machine à écrire distinguait les écrivains modernes des écrivains folkloriques. Comme le paysan qui utilise le tracteur regarde, aujourd'hui, celui qui se sert encore de la houe. La distance entre ces deux types d'écrivains est la même qu'entre le Moyen Âge et l'ère industrielle. L'argument pour la machine est toujours pareil : cela nous permet d'aller plus vite. Mais est-ce ici une bonne affaire que d'aller vite ? On peut utiliser toutes les technologies disponibles, et ce serait bête de ne pas le faire, du moment qu'on n'oublie pas que la main est le plus ancien et le plus fiable outil mis à notre disposition.

> On peut trouver son influence pour écrire chez un peintre, un musicien, un danseur ou un photographe. Pourquoi pas un plombier ? Tout écrivain rêve de son calme face à un client impatient.

147. COUPEZ !

On perd son temps et son énergie à faire certaines corrections. À s'obstiner ainsi on risque, le plus souvent, d'emprunter un chemin qui nous mènera, trois chapitres plus loin, à une impasse. Et, comme on le sait, c'est plus difficile de faire sauter un paragraphe que trois chapitres. On doit vite alors se débarrasser de ce type d'idées qui sont mauvaises à la racine et qui ne doivent leur survie qu'à notre caractère entêté. Je me souviens de ce voyage, en voiture, à New York avec ma fille aînée. Tout allait bien jusqu'à ce qu'elle veuille son ourson bien imprégné de son odeur. On l'avait oublié. Elle a commencé à hurler. On était à une heure de Montréal, mais j'ai refusé de retourner à la maison. J'ai tenu encore deux heures, jusqu'à ce que je comprenne qu'elle avait les poumons plus solides que mes nerfs. Mon entêtement nous a fait perdre six heures.

> Notre esprit cherche parfois à abuser de notre bonne foi, alors n'achetez pas les yeux fermés tout ce qu'il veut vous vendre.

229

Ne pas oublier que le lecteur a toujours à portée de main une encyclopédie. De nos jours, les gens consultent à tout bout de champ l'Internet. On n'a jamais eu une pareille soif de l'information juste. On ne veut plus d'à-peu-près. Ce savoir est à la portée de quiconque – et on s'en sert. Autrefois, il n'y avait que les moines et les maniaques qui consultaient autant l'encyclopédie. Je dînais chez des amis dernièrement. La conversation s'est enlisée sur une déclaration d'un obscur ministre au moment des émeutes des années 1960. On n'arrivait pas à se mettre d'accord sur sa position exacte face aux émeutes et personne ne se souvenait de son nom exact. On l'avait bien sûr tous sur le bout de la langue. Quand l'adolescent de la famille nous a lancé, du coin où il était assis, toutes les informations qu'on cherchait : nom du ministre, déclarations successives durant les émeutes, son implication dans un scandale financier avec un arrière-fond sexuel, après il se pendit dans sa grande maison, etc. On ignorait tous qu'il avait connu pareille fin. L'adolescent s'était contenté de lire les infos sur son iPod. Plus besoin de savoir pour connaître. Alors, qu'est-ce qui reste ? Le charme. Un charme qui peut se manifester par une sorte de désinvolture face à l'information. À toutes ces précisions. Le charme de l'à-peu-près. Est-ce une qualité intrinsèque ou quelque chose qu'on peut acquérir ? Je ne parviens pas à trancher. Je suppose qu'il faut en être conscient – sans toutefois l'être trop. C'est ce dosage qui est difficile à maîtriser. Il suffit d'un faux pas pour que tout s'écroule. Et ce n'est, naturellement, pas réparable. Cocteau tente une explication qui ne nous avance pas beaucoup (il appelle ça l'originalité) : « L'originalité c'est d'essayer de faire comme tout le monde sans y parvenir ». On n'arrive pas à mettre le doigt dessus. L'ennemi du charme, c'est l'esprit mécanique de celui qui croit qu'il suffit d'être maladroit pour être charmant (Pierre Richard). Woody Allen est un charmant déprimé justement parce qu'il est un vrai déprimé. Quand il dit dans un film qu'il est en analyse depuis des années, c'est vrai. Quand il joue au névrosé, il atteint facilement son but parce que c'est un névrosé. Mais ça ne suffit pas, il faut le talent. Ce n'est pas Woody Allen qui est à l'écran, malgré le fait qu'il raconte des histoires qui arrivent dans la vie de Woody Allen, mais un acteur qui joue Woody Allen. Le charme peut agacer à la longue s'il n'est pas nourri par de véritables préoccupations.

> Virginia Woolf a écrit un petit texte très amusant (*Suis-je snob?*) où elle soutient qu'elle est la plus snob de son groupe d'amis. Charmé, le lecteur conclut qu'elle n'est pas du tout snob. C'est l'une plus des vieilles astuces de la narration, faire en sorte que le lecteur pense le contraire de ce qu'il lit.

149. CHACUN SON ACTUALITÉ

Qu'on ne se méprenne pas, je n'entends pas parler ici d'engagement politique. L'écrivain est un citoyen libre d'exercer ses droits et de répondre à ses devoirs comme il l'entend. S'il enfreint la loi, il sera puni comme n'importe qui d'autre. Il n'a d'obligations que celles qu'il s'est imposées au fil du temps. Il peut prendre une distance astronomique avec l'actualité en choisissant de ne causer qu'avec Homère, Lucrèce, Virgile, Dante. Comme il peut plonger, la tête la première, dans le quotidien. Il peut même se jeter, dans les deux situations (l'actuel et l'intemporel), comme un Malraux cavalant à travers les siècles pour faire parler les grands morts. Le problème, c'est que ce monde est atteint d'une affreuse maladie : la questionnite. On vous questionne à propos de tout. Toute action étant reléguée au second plan. On réclame de l'écrivain des déclarations sur des sujets hors de son champ de compétence sous prétexte que tout finit par nous atteindre. Que pensez-vous de ci ? On ne vous a pas encore entendu à propos de ça ? C'est flatteur peut-être, mais surtout emmerdant quand on exerce un métier qui demande un certain recul. On ne peut pas garder le nez constamment dans l'actualité. D'ailleurs dès qu'on dit actualité, on sait qu'il s'agit de politique. Alors que pour un écrivain, cet homme qui attend son bus au coin de la rue est de la plus brûlante actualité. Il est rejoint par une femme d'une cinquantaine d'années à qui il sourit avant d'ouvrir son journal. Ils se parlent sans se regarder. Comme si chacun d'eux s'adressait à quelqu'un d'autre. Ils sont pourtant seuls. Le bus arrive. L'homme monte en touchant discrètement le bras de la femme qui baisse la tête en souriant.

> On doit comprendre, même si cela nous blesse quelque part, que notre difficulté à lire Joyce concerne moins Joyce que nous.

150. L'ÉCRIVAIN FACE AU JOURNALISTE

Une poignée de main entre deux hommes politiques fait facilement la manchette des journaux. Mieux encore : un baiser impliquant deux stars de cinéma qui ont préalablement repéré les paparazzis cachés dans les fourrés. Un journaliste ne peut interviewer un écrivain à une émission de grande écoute à la télé que si ce dernier est devenu une célébrité, souvent pour une raison qui n'a rien à voir avec la littérature. Regardons-les faire. Le journaliste confond dès le départ le narrateur du roman avec son auteur. Le fait-il sciemment? On ne sait pas encore. L'écrivain est obligé de répondre à chaque citation tirée du roman comme s'il s'agissait d'une opinion personnelle. Pour mettre les choses au point, il tente d'expliquer la différence entre le narrateur et l'auteur. Le journaliste l'accuse d'éviter la question. L'écrivain commence par mettre en contexte la citation, mais il est vite coupé par le journaliste qui lui demande de ne pas se cacher derrière son narrateur. Ce dialogue de sourds est-il dû à une déformation professionnelle? Le journaliste est trop habitué à interviewer des politiciens qu'il faut, paraît-il, traquer si on veut une réponse claire à une question précise. Désemparé, le romancier fait remarquer qu'il s'agit d'un roman. Le journaliste ne lâche pas pour autant le morceau: «Je vois pourtant beaucoup de points communs entre le narrateur et vous.» L'écrivain se tait, car comment expliquer quelque chose d'aussi complexe, mais qui est au cœur même de la littérature, face à quelqu'un qui vous regarde comme si vous étiez un vulgaire menteur. Cocteau (Aragon aussi) dit que le roman est «un mentir-vrai». On n'a pas le temps à la télé pour un cours de littérature. Le journaliste profite de ce temps mort pour glisser, avec un sourire: «Vous cachez-vous derrière vos personnages pour exprimer des opinions dont vous avez honte?» L'écrivain parvient à balbutier qu'il y a dans le même roman (il s'agit d'un roman et non d'un essai): «des opinions qui contredisent celles que vous venez de citer». On comprend alors, par son quart de sourire, que le journaliste sait bien ce qu'est un roman, mais qu'il fait l'imbécile pour mettre dans son camp le public venu assister en direct à l'émission. Il se penche vers l'écrivain comme pour lui asséner un direct: «Si je comprends bien, vous écrivez des choses avec lesquelles vous n'êtes pas d'accord.» Applaudissements de la foule (une cinquantaine de personnes). L'écrivain voit enfin une faille: «Il faudrait mettre Simenon en prison pour tous les crimes qu'il y a dans ses romans.» Rires. Le journaliste réplique: «On ne parle pas de Simenon, ici, mais de vous.» Comme si Simenon était un criminel en cavale qu'on ne tardera pas à rattraper. «Si c'est à moi que vous vous adressez, il faudrait aborder le style.» Silence. «Donc vous n'êtes responsable que du style, et pas des idées qui circulent dans votre livre?» L'écrivain prend ce ton professoral pour s'expliquer: «Si c'est un roman, je ne suis pas responsable, du moins pas comme vous l'insinuez depuis un moment, mais dans le cas d'un essai, je suis responsable des idées, pas de toutes d'ailleurs, disons de celles que je revendique.» Le journaliste fronce les sourcils: «Permettez-moi de trouver ça trop facile.» Réponse de l'écrivain: «Un roman n'est pas un article de journal, vous savez, une interview à la télé non plus.» La salle est partagée sur cette réplique. On entend la musique qui annonce la fin de l'entrevue. Le journaliste fait un geste de la main pour minimiser l'impact de la dernière riposte, mais l'écrivain semble plutôt content de sa performance. On les voit se donner la main, sans sourire. Un petit sondage maison affiché durant le générique révèle que plus de 70 % des téléspectateurs partagent l'opinion du journaliste.

Si vous écrivez (on parle de littérature et non d'analyse sociale) en rêvant de faire de la politique (on parle de pouvoir et non d'engagement), vous pouvez être sûr de ne réussir dans aucun des deux — sauf si vous êtes dans la courte liste avec Senghor et Hadrien.

Ce sentiment qu'on ressent en écrivant, d'être totalement en accord avec ce qu'on écrit, est plutôt rare, mais c'est une telle fête quand ça arrive. À un moment donné durant l'écriture, souvent vers la fin, on sent qu'on a franchi la fragile frontière entre le monde réel et le monde rêvé. L'univers qu'on tente d'écrire est devenu, à notre insu, parfait par la grâce d'une phase ajoutée ou retranchée. On se découvre dans une sphère lumineuse. Univers clos avec une minuscule fenêtre par où nous parvient la rumeur du monde. Cela tient-il d'une harmonie entre musique et lumière? On ne touche plus à rien, même pas à une erreur visible, tant que nous ignorerons le rôle de cette maladresse dans l'équilibre des choses. La perfection n'est pas une accumulation d'astuces parfaites. Une joie sauvage et intime nous habite. On sait alors qu'on n'a besoin d'aucun regard extérieur pour estimer ce qu'on a écrit. À ne pas confondre avec la vanité qui revient sans cesse pour nous faire croire que tout ce que nous écrivons est bon. On découvre que cette plénitude prend sa source dans le texte lui-même, comme si ce dernier avait une vie propre. Elle surgit un matin alors que la veille encore le manuscrit nous semblait insatisfaisant. On peut continuer à le corriger, mais on doit faire attention à l'incroyable énergie qui s'en dégage. C'est à manipuler avec tant de précautions, et nous sommes si excités dans un pareil moment, qu'il est préférable de cacher le manuscrit dans un tiroir pour ne point y toucher avant un mois.

Seule l'absence peut nous permettre de voir d'un œil neuf ce que nous ne connaissons que trop.

235

152. DESCRIPTION

Il est toujours possible d'écrire simplement : « Il pleut. » Le lecteur comprendra. Si vous devez préciser, c'est mieux de relier ça à la disponibilité du narrateur. Si la pluie est forte, on comprend qu'il ne peut pas sortir. Il regarde le ciel pour chercher des signes qui annoncent une accalmie. S'il y a des branches d'arbres par terre, il comprend qu'il n'aura pas facilement un taxi même si la pluie s'arrête. Faites un lien entre la pluie et le mouvement de la vie. Pour qu'on n'imagine pas que nous ne sommes intéressés que par une description de la pluie. On doit relier les choses entre elles, avec délicatesse. On a bien compris que je parle à un type d'écrivain particulier qui me ressemble étrangement. On est plus efficace quand on parle de ce qu'on sait, mieux de ce qu'on est. N'y voyez là aucune facilité, car on doit d'abord trouver qui on est, et ensuite chercher à exprimer cette nature. Et comme c'est une nature vivante (à l'opposé des natures mortes qui se laissent peindre), elle bouge sans cesse. Rien de plus doux qu'une pluie qu'on écoute blotti dans son lit.

Ce gamin de six ans me raconte qu'il a lu *Cendrillon* 300 fois. Sa mère acquiesce. Une chance que les lecteurs ne se passionnent plus autant après un certain âge, sinon on verrait tous nos défauts d'écriture.

153. UN BON TEMPO

On suppose que le lecteur est intelligent, du moins, celui qui est en train de vous lire. Il n'y a rien de plus désagréable que quelqu'un qui continue à expliquer ce qu'on a compris depuis belle lurette. Le lecteur ne tarde pas à fermer un livre s'il sent que l'écrivain est moins vif que lui. Mais en même temps, si on va trop vite, on risque aussi de le semer. Trouver le bon rythme qui permet de marcher ensemble sans que l'un ou l'autre se fatigue. Ce rythme, il ne faut pas tarder à l'établir, sans trop chercher à l'imposer. Dès le premier paragraphe, pour ne pas dire dès la première phrase. On doit sentir qui est là. Gogol dit qu'un écrivain doit savoir comment son narrateur noue sa cravate. Comme il doit savoir quand son lecteur s'essouffle. Il y en a qui nous épuisent à trop nous en dire. Chaque geste est scruté sous tous les angles possibles. Chaque anecdote s'étire. On est submergé. Une mer de détails. Le roman américain a imposé ce réalisme. Il s'agit en fait d'une sorte de panique face à la réalité que les romanciers voudraient mettre sous couvercle. On croit qu'avec un certain nombre de détails on obtient quelque chose de semblable à la vie. La page bougera sous nos yeux. Si l'action se déroule dans un café, on ne sortira pas de là tant que le décor n'aura pas été complètement décrit, la carte scrutée et les conversations des clients enregistrées. Finalement, on ne sait même plus pour quelle raison le personnage s'est retrouvé dans ce restaurant. Si on secoue le gros livre de tous ces détails, dont un grand nombre est inutile, on obtient un roman de 250 pages au lieu de cette somme de 1 200 pages qui tente vainement de rejoindre *Guerre et paix*. Si je dois revenir sur cet exemple, c'est parce que je crois que cette attitude est à l'origine de tous les défauts du roman contemporain. Je l'appellerai le roman impérial. On se croit plus puissant que tous les autres alors qu'on est simplement plus verbeux. Les deux constituantes de cette inflation verbale, ce sont le détail et l'anecdote. Il ne suffit pas d'enfiler des anecdotes drôles pour faire un livre amusant. Ce n'est jamais l'anecdote qui compte, mais la façon de raconter. Il faut savoir s'arrêter avant la chute. L'histoire ronde, qui fait penser au serpent qui se mord la queue, nous vient encore une fois de la fable ou de cette vieille lune mystico-philosophique qui veut que tout finisse par retourner à son point de départ. Borges croit, avec raison, que l'échec des derniers chapitres de *Cent ans de solitude* vient de là : Marquez n'a pas su s'arrêter à quatre-vingts ans. Il s'est laissé abuser par son titre. Un siècle, ça fait grandiose. Si on ouvre le ventre d'un livre, on verra ces centaines de veines par où passe l'encre qui l'irrigue. Aucun segment ne fonctionne indépendamment des autres. Tout est relié. Aussi amusante soit-elle, si l'anecdote ne permet pas de révéler un personnage ou de faire rebondir le récit, il faut l'enlever. Par contre, il arrive qu'un personnage soit drôle parce qu'il ne raconte que des anecdotes insipides. Une anecdote peut aussi ne trouver sa justification que vers la fin du récit. Le lecteur est toujours heureux de revoir quelque chose qu'il croyait disparu.

> Relisez-vous et vous verrez le nombre de fois que vous répétez la même idée sous différentes formes. C'est la mauvaise habitude de la parole, où on a toujours peur que l'autre oublie ce qu'on vient de dire.

154. LE LOURD ET LE LÉGER

À l'opposé de ceux qui croient nous impressionner par le poids, il y a de ces écrivains qui nous plaisent d'autant qu'ils sont faussement légers. Leur roman ne pèse pas lourd, coûte parfois moins cher, mais ne manque pas de profondeur pour autant. Et ce n'est pas plus facile à faire.

Rectifions tout de suite, je ne cherche nullement à placer une manière au-dessus d'une autre. Il y a de bons livres de 1 200 pages et des romans de 120 pages à périr d'ennui. Ce que je fustige, c'est l'attitude qu'adopte souvent la critique d'impression face au dernier roman de 1 200 pages qu'un écrivain obèse à force de rester assis vient de publier. On le voit à la télé avec ses avant-bras massifs en train de nous raconter que cela lui a pris huit ans pour la recherche et trois ans pour rédiger le roman. Après onze ans de bons et loyaux services, il ne prend même plus la peine d'articuler quand il parle. Il marmonne que cela lui a coûté 1 647 caisses de vin, 12 894 caisses de bière, trois machines à écrire, deux enregistreuses, cinq secrétaires (une Russe, une Française, une Irakienne, une Chinoise et une Sénégalaise, mais, par je ne sais quel miracle, elles sont toutes blondes), car il a fait des recherches dans douze pays. Pendant les trois ans de la rédaction du livre, il a quitté cinq fois sa tanière : une fois pour le mariage de sa fille, une autre pour la sortie du livre d'un copain (il ne veut pas le dire, mais c'est Salman Rushdie), une autre fois pour aller acheter des sous-vêtements, une autre (un, deux, trois, il compte les fois en touchant le bout de ses doigts boudinés) pour aller à une exposition de son pote peintre à Soho qui lui avait fait cadeau de son premier Basquiat (tout cela dit sur un ton faussement désinvolte), et une autre fois pour... il ne sait plus. En fin d'émission, on présente ce freluquet qui vient de publier un mince livre dont on ne sait pas vraiment si c'est un roman ou un essai lyrique. « Et combien de temps ça vous a pris à l'écrire ? » « Oh, pas loin de trois mois, mais je n'ai pas fait que ça. » Sourire du gros romancier qui semble dire qu'il y a de la place pour tout le monde dans le vaste univers de la création. Sourire aussi de l'animateur. « Et qu'est-ce que vous attendez de ce livre ? » « Qu'on le lise et que ça change ma vie. » Voilà, le mot *vie* est prononcé. Le spectateur tend l'oreille. D'autant qu'on lui demande sa participation. Il n'a qu'à lire un livre pour changer la vie de quelqu'un. Et la question qui détermine son choix tombe : « C'est qui ce type ? Il a l'air intéressant. » Encore une fois, je le dis, ce n'est pas une charge contre le gros, ni un éloge du maigre, c'est simplement que j'en ai marre de tous ces écrivains qui croient qu'on ne peut pas appliquer le terme (complètement nul d'ailleurs) de grand roman d'une génération à un livre de moins de 1 000 pages. Il y a de gros livres qui ne suscitent aucun commentaire et de minces ouvrages (*Alice au pays des merveilles*) qui entraînent dans leur sillage une bibliothèque entière.

Il faut tenir compte, en écrivant, du fait que le lecteur arrête parfois de lire sans toutefois fermer le livre. Son moment de réflexion. On doit éviter de parler alors par-dessus son silence.

155. LA COUTURE

Il faut avoir des qualités de couturière. C'est la tâche la plus délicate. Rien de pire qu'un roman mal cousu. On voit cela souvent. Toutes les parties sont bonnes, mais ne sont pas bien reliées – ce qui ne veut pas dire qu'il faille ficeler le roman comme un saucisson. Cela arrive aux plus grands. L'exemple frappant, c'est *Annie Hall*, le classique de Woody Allen. Il paraît que c'était un film interminable – on ne voyait pas du tout où ça s'en allait. Une longue suite de segments magnifiques, mais pas de film au bout. C'est le monteur qui l'a sauvé en reliant le tout par une narration. C'est un savoir-faire. Un roman se fait aussi avec une paire de ciseaux et un pot de colle. On coupe ici, on colle là. Cette partie est trop longue, on coupe la fin. Et le chapitre s'éclaire. On continue inlassablement, sans état d'âme. Tout en conservant le texte complet à retrouver si on estime avoir trop coupé. Ce n'est pas encore le travail de l'éditeur. On doit lui présenter un univers le plus cohérent possible. Un roman ne se fait pas uniquement dans l'écriture. C'est aussi une technique. Comme quand vous montez un mensonge, vous devez envisager des portes de sortie si l'on vous coince. Vous êtes obligé de penser à la réaction de l'autre. On doit relire le livre dans cette perspective. Pour savoir si la structure tient. Il arrive que cela reste bancal, même en ajoutant les parties manquantes. Alors, il vous faut tricher. On verra le fil, mais c'est mieux que rien. Il n'y a pas de narration qui soit totalement logique. Il y a toujours un moment où l'auteur a dû rafistoler les choses. Les plus grands savent qu'il faut passer par là et ils le font avec modestie ; les jeunes gens perdent beaucoup de temps à chercher une manière élégante de s'en sortir. Il y a des cultures où l'on coud différemment d'autres cultures. Il paraît que les romans de Dostoïevski étaient si bordéliques aux yeux des Français qu'il a fallu faire de cette jungle un jardin à la française. Ce n'est que depuis quelques années qu'on a compris en France que Dostoïevski avait une façon particulière de coudre ses romans.

Si vous croisez un écrivain dans la rue, il n'est pas interdit d'avoir une conversation avec lui à propos de son livre, mais évitez de lui faire des reproches trop personnels car on n'écrit pas sur mesure.

Lire sans cesse jusqu'à se sentir structuré par une certaine syntaxe. Jusqu'à atteindre cette manière sophistiquée de voir les choses – sophistiquée ne veut pas dire parfumée. Bukowski est élégant dans sa façon de décrire les bas-fonds de Los Angeles. Le bon goût est un réflexe. Aborder les classiques avec attention et désinvolture, comme les collègues qu'ils sont. On est tous dans le même bateau de l'écriture. C'est le temps (enfin, pas seulement) qui fait de celui-ci un classique (Dantzig préfère dire chef-d'œuvre). Votre temps est devant vous. Vos lecteurs ne sont peut-être pas encore nés, ne cesse de vous murmurer Stendhal. Prenez un classique (on le reconnaît, car il n'y a pas de péremption sur le produit) et parlez-lui longuement. Puis écoutez-le, et il vous dira ses souffrances cachées. Ses phrases sont des ruisseaux de sang mêlé à de l'encre (mauve). Ses pages des plages de douleur et de joies fortes. Le livre que vous avez en main, malgré le fait qu'il ait été poli par le temps, respire toujours. On n'a qu'à poser la main dessus pour sentir son souffle. On ne le questionne malheureusement plus, et cela est mortel. N'hésitez pas à commenter dans la marge (une manie de Charles Dantzig qui ne se laisse même pas intimider par le papier bible de La Pléiade). Et à revenir sur celle-ci durant la lecture si vous avez l'impression d'avoir parlé trop vite. Parlez-lui, à haute voix. Il vous entend.

Si, par prudence, vous vous arrêtez avant le grand galop, vous ne saurez pas ce qui vient après.

157. LE LECTEUR DU DIMANCHE

Le dimanche, ma grand-mère avait l'habitude de sortir avec moi pour faire le tour du quartier, et on passait devant la maison du notaire Loné, celui que la pluie n'intimide pas. Le notaire avait l'habitude, le dimanche après-midi, de s'installer sur sa galerie. Il disposait alors sur une grande table des livres et des objets pouvant lui faciliter la lecture : une loupe, des lunettes, des crayons. On aurait dit une scène de théâtre. Les passants semblaient toujours impressionnés par le visage grave et contrarié du notaire. C'était un rituel de passer devant sa maison afin de le voir en train de lire. Ma grand-mère ne manquait pas de chuchoter : « C'est le notaire, un grand lecteur. » Quand, des années plus tard, j'ai assisté à la dévaluation du lecteur, j'ai pensé à l'attitude noble du notaire qui, pour intéresser ses voisins à la lecture, s'offrait en exemple. C'était bien vu, car l'être humain (on le voit plus clairement avec l'enfant) n'aime pas obéir, il préfère imiter.

> Ce matin, j'ai lu une mauvaise critique, mais c'était si mal écrit que j'ai eu l'impression d'avoir échappé au pire : une bonne critique.

158. UN BIEN ÉTRANGE MÉTIER

La lecture est un acte si intime que je n'ai jamais pu comprendre le métier de critique littéraire. Ne vous fâchez pas, je l'ai exercé moi-même. On doit reconnaître que c'est étrange de lire pour les autres. S'il s'agissait au moins d'inciter à la lecture. Mais nous savons que la très grande majorité des gens se contentent de lire les commentaires des critiques. Plus étonnant encore, c'est le métier de critique gastronomique : je mange pour vous. Du Sud, on voit ça comme une blague qui fait parfois mal. Une parole sur la nourriture. Un ami, à Port-au-Prince, m'a dit une fois, sur un ton admiratif : « Avec tant de métiers, on voit pourquoi ces pays-là n'ont presque pas de chômage. » Revenons à la lecture. Au lecteur, ce personnage immobile et silencieux, qui nous intrigue depuis l'apparition des parchemins. Aujourd'hui, beaucoup de lecteurs croient que la lecture n'est qu'un tremplin vers l'écriture. Tant de grands lecteurs sont devenus de mauvais écrivains. Je garde l'impression qu'il manque de mythologies autour de la lecture. On a trop de statues d'écrivains visitées par les touristes et les pigeons, et de noms d'écrivains donnés à des rues, mais rien pour le lecteur. Même pas un prix d'importance accordé à la lecture (les prix des lecteurs sont des prix où l'on fait travailler le lecteur). Un vrai prix de lecteur, ce serait un prix sans aucune obligation d'écrire : des gens désigneraient des personnes de leur connaissance qui sont de vrais lecteurs. Le jury pourrait discuter longuement de ce qu'est un vrai lecteur. Le prix Nobel de lecture, un jour. Borges l'aurait eu à coup sûr, car son œuvre est un hommage à la lecture. Il m'arrive de croire que le notaire Loné aurait plu à Borges, et qu'il aurait trouvé le moyen de glisser son nom et son action dans une de ses étranges nouvelles où le rêve parvient à corrompre la réalité.

Diversifier ses relations permet d'éviter ce café où l'on ne croise que des gens qui ne causent que de littérature.

C'est étonnant que ma première leçon d'écriture vienne de quelqu'un qui n'est pas un écrivain. Quand j'ai écrit mon premier roman, ça a fait assez de bruit pour que je me croie obligé d'envoyer une copie du livre à ma mère. Ce n'était pas dans mes plans de lui jeter ainsi au visage mes frasques sexuelles (ou celles de mon narrateur), elle qui, de toute sa vie, n'a jamais manqué une messe. Alors ma mère m'a écrit une longue lettre pour me faire remarquer qu'il n'y avait pas «une seule carotte dans le roman, ni même un petit verre de lait» (une liste interminable de petits faits de la vie quotidienne absents de mon livre). Elle ne voulait pas croire que le narrateur était différent de l'écrivain, et cela malgré certaines dissemblances. J'ai vite laissé tomber une pareille discussion. De toute façon, elle avait raison. Je me suis toujours demandé comment un esprit aussi aiguisé quand il s'agit de moi, cet œil d'aigle qui perçoit la moindre mouche qui s'agite autour de son fils, et cela même quand des milliers de kilomètres nous séparent l'un de l'autre, enfin je me suis demandé comment un tel radar avait pu ne pas capter toutes ces filles qui peuplent mon roman. Peut-être que ma mère n'a pas voulu pénétrer dans le pavillon rose des cris aigus et des hurlements sauvages. Ou peut-être qu'elle a accepté que sur ce seul point le narrateur soit différent de l'auteur. Honnêtement, c'est la plus concrète critique que j'ai reçue de ce livre. Elle est entrée dans le roman et l'a lu avec passion et partialité. Tout auteur, même ceux qui écrivent des manuels didactiques ou des livres scientifiques, croise, un jour ou l'autre, le regard intransigeant des membres de sa famille. Ce qu'ils aiment dans les autres livres, c'est bien ce qu'ils détestent chez vous: ces détails qui donnent vie au livre. Et qui

tiennent des secrets de famille. On a surpris une conversation intime entre deux tantes durant la sieste. Cette scène
se retrouve dans le prochain livre avec une coloration différente, mais on sait que personne ne sera dupe. Le livre sort.
On attend la bombe. Silence pendant des mois. Comme
si le livre n'avait jamais existé. Puis tout éclate quand on
croyait que c'était fini. Comment se fait-il que, depuis le
temps, on n'ait pas encore saisi que la littérature ne fait
qu'ingurgiter de la réalité pour rendre des émotions et
du rythme? Et que les secrets ne l'intéressent que pour la
charge émotionnelle qu'ils gardent enfermée en eux (des
capsules). Il devrait être interdit aux gens qui font partie de
notre intimité de lire nos livres. Parce qu'ils lisent toujours
autre chose que ce qu'on a écrit, et qu'ils refusent la possibilité d'une autre lecture.

> Écrire un jour un livre qui mérite l'arbre qu'on a
> dû abattre pour le fabriquer. Le fait qu'on puisse
> recycler le papier aujourd'hui ne nous empêchera
> pas d'être mélancolique.

160. Le jour des comptes

J'ai une flopée de tantes, chacune plus fantasque que
l'autre. J'étais une vraie poupée entre leurs mains. Je
passais d'une tante à l'autre. Je dormais dans le premier
lit trouvé. Il m'arrive de croire que ce nomadisme qui
m'habite aujourd'hui date de cette époque insouciante.
J'ai écrit un livre (*L'Odeur du café*, 1991) où je parle de
mon grand-père. Une de mes tantes, Raymonde, n'a pas
aimé. Elle m'en a fait le reproche. Naturellement, j'ai
relaté cette conversation dans le livre suivant (*Le Goût des*

jeunes filles, 1992). J'habitais à Miami, à cette époque, à une demi-heure de chez mes tantes (seulement deux tantes y vivaient, ma mère et mes autres tantes étant toujours à Port-au-Prince). J'avais l'habitude de passer les voir le samedi. J'arrive donc ce samedi midi, à leur maison de Little Haiti. Tante Raymonde m'attend, sur le pas de la porte, un livre à la main. J'ai vite reconnu un des miens, et tout de suite su que c'était le jour des comptes. Elle l'ouvre à la première page sur laquelle les premiers mots écrits en gros caractères font grise mine : « Vingt-cinq ans plus tard, une toute petite maison à Miami. » Tante Raymonde y a perçu un jugement, ce qui était loin de mes pensées au moment d'écrire ces lignes. J'avais mis toute ma tendresse dans ce constat, mais tante Raymonde ne conçoit pas les choses ainsi. C'est qu'elle avait fait croire à tout le monde à Port-au-Prince qu'elle avait réussi à Miami. Et voilà que son échafaudage s'écroulait avec ce titre de chapitre en forme de scoop journalistique : « Vingt-cinq ans plus tard, une toute petite maison à Miami. » J'ai beau expliquer à tante Raymonde que les lecteurs ne sont pas intéressés par la fortune des personnages, et qu'ils ne font sûrement pas le lien entre le personnage de Raymonde qui est dans le livre qu'ils sont en train de lire et elle-même à Little Haiti pour la simple raison qu'ils ne la connaissent pas, mais rien n'y fait. Elle me lance : « Mais à cause de ce livre ils vont me connaître. » Long silence. Je reviens à l'attaque : « Peut-être, tante Raymonde, mais ce qui les intéresse vraiment, c'est l'énergie qui circule dans les phrases. La vérité en littérature n'est pas la même que celle de la réalité. » Elle contre-attaque brutalement : « Ça, c'est juste pour te permettre d'écrire n'importe quoi sur les gens. » « Vous-même, tante Raymonde, quand vous lisez un livre, est-ce que vous pensez que le personnage a une vie autre que

celle qu'il vit dans le roman?» «Bien sûr», fait-elle, avec
un sourire coquin qui dit le contraire de ce qu'elle affirme.
Je viens de marquer un point, mais elle revient en force:
«Je parle de CE livre et de MA vie. Je connais les gens qui
vont le lire, et je sais comment ils pensent.» Rien à dire
sinon cette dernière défense: «Si j'écris, tante Raymonde,
que tu as une belle et grande maison…» Elle sourit de
toutes ses dents. «Si j'écris ça, ce sera une faute littéraire.
Je préfère vous chagriner un peu plutôt que de faire une
faute littéraire. Vous me pardonnerez sûrement, tante
Raymonde, mais pas le lecteur.» Elle me jette ce regard de
boxeur sonné qui m'a fait plus mal qu'une réplique assas-
sine. Mais un second front vient de s'ouvrir: «Et pourquoi
ce sera une faute littéraire, monsieur l'écrivain?» me lance
tante Ninine tout en vaquant à ses occupations. (Je fais une
parenthèse pour dire que je viens juste de décrire l'attitude
de tante Ninine par ces mots: «… me dit tante Ninine sur
un ton qui en dit long sur ce qu'elle pense de mes arguments», que j'ai changés pour «… me lance tante Ninine
tout en vaquant à ses occupations.» L'action rend la scène
plus vivante.) Je fais face à cette attaque sur mon flanc
droit: «Parce que ce serait normal que tante Raymonde
ait une grande maison après vingt-cinq ans de dur labeur
à l'hôpital Jackson de Miami. Si sa réussite ne concerne
qu'elle, son échec intéresse pourtant le lecteur.» On remet
les plats: «Pourquoi écrire les vrais noms si c'est de la
littérature.» Je me retourne et mitraille l'ennemi: «Je me
sens plus à l'aise avec de vrais noms». «Pas nous», riposte
tante Raymonde. Je ne sais plus comment me tirer de là.
Ce n'est pas fini, car tante Ninine a ses propres griefs.
J'avais écrit dans le même livre qu'elle travaillait dans «une
petite boutique à l'aéroport de Miami». C'est le mot *petite*

qui n'a pas plu. Les deux femmes s'approchent de moi. Vous savez que plus un pays est petit, plus ses citoyens voient grand. On ne dit pas une fourmi, en Haïti, on dit une grosse fourmi, on ne dit pas non plus un microbe, mais un gros microbe. Alors avec « une petite maison » et « une petite boutique », on est chez le Petit Poucet. Elles me coincent contre l'armoire. Elles voudraient savoir dans quel but je les ai dépeintes de cette manière. Je n'ai pas su éclaircir les choses. Je suis reparti, en me demandant pourquoi j'avais refusé (au moment d'écrire le livre) ce petit velours à leur ego. Elles ont raison, on a tous besoin d'être flattés. Un an plus tard, je les revois, et elles semblent bien disposées à mon égard. Tante Ninine surtout. Elle me raconte, tout excitée, que les voyageurs venant de Montréal font un détour à sa boutique. Elle me dit en riant qu'elle est devenue la coqueluche de l'aéroport. Apprenant qu'une de mes tantes y travaillait, mes lecteurs se sont rués vers la boutique. Ça lui a fait beaucoup de clients et son patron est impressionné. Elle conclut : « Donc, c'est ça la littérature, si tu avais dit que je travaillais dans une grande boutique, on ne m'aurait pas trouvée. » Tante Raymonde a éclaté de rire, et j'ai souri.

> On dit que le livre, une fois publié, n'appartient pas à l'auteur mais à son lecteur. Je ne connais pourtant aucun lecteur qui ait déjà revendiqué un livre qu'il croit mauvais.

161. « C'EST ÉCRIT DANS LE LIVRE. »

Je n'en avais pas fini avec tante Raymonde. C'est une femme très théâtrale qui adore le clinquant. Elle porte toujours des vêtements très colorés. Pour la taquiner, j'ai raconté dans un livre qu'elle affectionnait une robe grise qui a appartenu à ma grand-mère. Une nuit, tante Ninine m'appelle au téléphone pour me demander de «venir tout de suite». J'habitais à une demi-heure de chez elles, comme je l'ai dit. Je m'habille précipitamment, croyant qu'il s'agit de quelque chose de grave. Je trouve tante Raymonde, complètement affolée, et tante Ninine tentant vainement de la rassurer. Tante Ninine, en lui caressant les cheveux. Tante Raymonde, gémissant: «Mais Ninine, Dany l'a écrit!» Il n'y avait aucune chance que tante Raymonde puisse posséder une robe grise. Ce n'était pas dans l'ordre des choses possibles. Mais tante Raymonde, qui est une lectrice vorace, et pour qui un livre est aussi sacré qu'un tabernacle pour une vieille catholique, préfère accorder sa foi à l'écriture plutôt qu'à la réalité. Je descends de cette femme capable de croire qu'elle possède une robe grise alors qu'il n'en est rien, simplement parce que c'est écrit dans un livre. Ce moment m'a confirmé que la littérature garde encore toute sa force. Et qu'il est clair que ces femmes de ma vie sont des personnages de romans. Chaque fois que j'ai l'impression, en écrivant un livre, de perdre l'essence des choses, je fais apparaître, comme un talisman, ma grand-mère, ma mère ou mes tantes. Et je me retrouve tout de suite dans un halo protecteur.

Un nouveau thème ne devient intéressant que si vous parvenez à en faire une préoccupation personnelle.

162. La vie secrète de Magloire-Saint-Aude

Je crois qu'il faut toujours faire connaître un poète, même si ce dernier a passé sa vie à esquiver les faisceaux lumineux comme un voleur qui s'introduit dans un musée bien gardé. Distant pour certains, méprisant pour d'autres. Cela fait longtemps que je tente de vous présenter Magloire-Saint-Aude (2 avril 1912 -27 mai 1971) que je crois, en Amérique, l'égal d'Emily Dickinson. Je réponds ici aux questions de l'éditeur Rodney Saint-Éloi qui vient de publier une *Anthologie secrète* de Saint-Aude (éditions Mémoire d'encrier, 2012).

R. S.-É. : Comment peut-on imaginer le corps de Saint-Aude?

D. L. : Je n'arrive pas à trop me rappeler son corps (à demi allongé sur le trottoir), car j'étais encore enfant quand je l'ai croisé, et j'ignorais à l'époque ce qu'était un poète. Il n'était pour moi qu'un homme qui, saoul, pouvait coucher dans le caniveau. J'ai vu plus tard des photos où il flottait dans une veste un peu large.

R. S.-É. : As-tu rencontré Saint-Aude dans les rues de Port-au-Prince?

D. L. : J'habitais à l'époque avenue Bouzon, cette rue qui descend vers le grand cimetière de Port-au-Prince. J'apprendrais plus tard que ces deux hommes dont, mes amis et moi, on se moquait constamment étaient les plus grands poètes de cette époque. Carl Brouard se tenait à la place Saint-Alexandre, dans cette boue noire, pas loin des marchandes de charbon du marché Salomon, tandis que Magloire-Saint-Aude siégeait à la rue Monseigneur-Guilloux, juste en face du cimetière. Quand j'allais à la messe, avec ma mère, à l'église Saint-Alexandre, on trouvait toujours Carl Brouard à son poste, et ma mère me glissait à l'oreille, de cette voix sifflante où se mêlaient mépris et admiration : « C'est un poète. » Bien plus tard, la place Saint-Alexandre deviendrait place Carl-Brouard. Et quand on allait aux funérailles, je pointais du doigt ce misérable toujours dans sa vase, et ma mère, imperturbable, sifflait à nouveau : « Encore un poète ! » C'était Saint-Aude en train de soigner sa chute.

R. S.-É. : Saint-Aude ressemble-t-il à un écrivain quelconque que tu connais ?

D. L. : Breton a dit Nerval. Je dirais peut-être Mallarmé – pour sa vie libre et sa poésie radicale. Sinon, je ne vois personne d'autre. Il faut savoir que Saint-Aude et Carl Brouard faisaient partie de la bonne bourgeoisie de Port-au-Prince, et qu'ils avaient craché sur les privilèges qui accompagnaient un pareil statut. Ce n'était pas une révolte politique. C'était plus grave que cela. Ils tentaient ainsi de passer de l'autre côté du miroir afin d'échapper aux « vaines palabres ». Il y a quelque chose de mystique dans ce geste qui décourageait les marxistes de l'époque. C'était des kamikazes qui circulaient avec, enroulés autour de leur taille, quelques poèmes en guise de bombe. Malgré tout, Carl Brouard a eu des funérailles nationales. Je n'arrive pas à me rappeler si les funérailles de Saint-Aude furent officielles. Pour comprendre un tel paradoxe, il faut savoir que les Haïtiens réservent la plus haute place à la poésie. Ce qui fit dire à Paul Morand, lors de son passage à Port-au-Prince, dans les années 1930 : « En Haïti, tout finit par un recueil de poèmes. » Le surréalisme tropical se retrouve aussi dans le fait que des poètes qui vécurent comme des chiens eurent des funérailles de princes.

R. S.-É. : Tu es l'écrivain qui cite le plus Magloire-Saint-Aude dans ses ouvrages. Je pense à ton roman, *Le Goût des jeunes filles*, qui reprend pratiquement l'intégralité de *Dialogue de mes lampes*. Pourquoi cette obsession ?

D. L. : Il n'y a rien d'étonnant à reconnaître et à saluer un grand poète. J'ai découvert sa poésie assez tard, après mon arrivée à Montréal. On le disait opaque en Haïti, alors que c'était tout le contraire. Mais pour le lire, il fallait connaître (ou non) les chants sacrés du vaudou qui possèdent la même puissance et la même sobriété que les haïkus de Bashō ou de Buson. Les critiques littéraires le maniaient avec une précaution d'artificier, lui réglant son compte en quelques rapides paragraphes, trop pressés qu'ils étaient de retrouver les poètes romantiques qui pullulaient à l'époque. La poésie de Saint-Aude ne chante pas. Les nationalistes y ont vu une recherche identitaire qui ne s'y trouve pas, et cela malgré certaines références à l'Afrique. Dans son œuvre, il y a beaucoup de fausses pistes. Ce rythme, qui donne faussement l'impression d'un souffle court, fait plutôt penser à la musique de Thelonious Sphere Monk.

R. S.-É. : Comment interprètes-tu ce côté indécis, flou et profondément économe ?

D. L. : Il n'est pas indécis, il veut en donner l'impression. En réalité, il sait tout à fait ce qu'il fait. Pour lui, cette indécision (« je descends indécis, sans indice... ») n'est qu'une manière de se sentir libre. Comme la feuille morte qui va de-ci de-là, il se sent hors du temps. Et cette économie de moyens qu'il utilise pour dire son monologue ne sert qu'à fermer la porte aux bavards et aux intrus. Là, il rejoint Héraclite.

R. S.-É. : Comment lire Saint-Aude ? Le matin avec un café ou le soir en pyjama ?

D. L. : Un seul vers suffit par lecture. Choisissez n'importe quel vers de son œuvre et passez la journée à le ruminer.

> Pas de dieu, pas de lieu
> Où lire les merveilles
> Je suis du rang
> L'effet, le reflet
> (*Tabou*, Magloire-Saint-Aude, 1941)

163. UNE CIBLE MOBILE

On n'est pas obligés d'être tous pareils, mais moi je dois bouger. Je bouge dans mon écriture. Je ne peux pas accepter que les choses soient fixes. Il n'y a pas de livre définitif. On peut toujours le reprendre. Le temps apporte une nouvelle perspective. Nous changeons sans cesse, pourquoi pas les livres. Je sais qu'il y a des écrivains qui n'arrivent même pas à relire leur livre après publication. Presque un rejet. À la sortie d'un livre, je passe un mois à le relire, comme si je n'en étais pas l'auteur. Puis, un jour c'est fini. Je ne le reprendrai pas avant dix ans. Pour le réécrire. Je ne m'embarrasse alors pas de scrupule. J'ajoute des choses, j'en élimine d'autres, je touche au style. Je me sens totalement libre. Est-ce pourquoi j'affirme que tous mes livres sont des romans ? Même ceux qui ressemblent à des essais critiques. Au fait, j'aime me sentir libre. Je n'aime surtout pas qu'on m'impose des règles. J'essaie constamment de créer un espace où je pourrai vivre selon ma vision des choses. On obéit à tant de règles qu'on oublie cette contrée sauvage qu'on a entrevue un jour. Je me souviens d'une journée de pluie, en fait, cela faisait deux ou trois jours qu'il pleuvait, et j'étais debout à la fenêtre. Je regardais la pluie tomber librement. Les gens couraient partout. Et je me disais que c'est comme ça que je voudrais être, comme la pluie. Elle ne prenait aucune précaution, elle ne cherchait à faire ni bien ni mal. Elle ne faisait que tomber. Et les gens n'avaient qu'à s'adapter. Les enfants, proches de cette liberté, se mettaient à courir nus sous la pluie. J'avais l'impression que nous avions fait de la vie une prison. Tant de règles, dont la moitié ne servent qu'à nous abrutir afin d'extirper tout sentiment de révolte chez nous. Je réécris mes livres, et les professeurs s'empressent de me condamner. On voudrait nous emprisonner dans nos propres mots. «Vous avez écrit ça, et maintenant vous dites ça ? » «Et alors ? » «Oui, mais ce n'est pas logique. » «Il y a quinze ans de distance entre les deux déclarations ; ce serait illogique que je ne change pas un peu. » «Pourquoi faites-vous ça ? » «Parce que c'est mon livre, je fais ce que je veux. Je le réécris comme je veux. Si je l'ai gâché, c'est votre droit de le dire. Mais vous ne m'empêcherez pas d'y toucher. » Long silence. «C'est votre livre, bien sûr, mais comme lecteur… » «Le lecteur a acheté le droit de le lire, pas le droit de l'écrire, ni de me dire comment l'écrire. » Un écrivain doit défendre jusqu'à la dernière goutte d'encre sa liberté. Et l'une des premières libertés est celle de danser avec ce corps de phrases qu'est un manuscrit. J'avais une tante qui aimait changer les meubles de place. Une fois, le salon était à l'entrée et la salle à manger au fond. On revenait deux mois plus tard pour trouver la chambre à coucher tout de suite en entrant et le salon au fond. On avait beau lui faire remarquer que c'était étrange d'avoir à traverser toute la maison pour arriver au salon, elle répondait que c'était en fonction d'elle qu'elle arrangeait la maison. Elle me disait que ces changements lui permettaient de voir la vie autrement. Elle ne comprenait pas qu'on puisse arranger sa maison en fonction d'hypothétiques visiteurs. «Je veux bien les recevoir, et quand ils sont là, ce sont mes invités, mais que dois-je faire, entre-temps, de toute cette maison arrangée pour des gens qui, eux, viennent me voir quand ils le désirent?»

> N'étant pas un produit, la littérature n'est pas le livre que vous tenez en main, mais l'émotion que sa lecture provoque en vous.

164. LA PETITE ROBE NOIRE

Il y a quelque chose à apprendre de cette jeune fille en train de s'habiller. Elle constate qu'elle n'a rien à se mettre, alors que le placard est plein à craquer (pour l'écrivain, c'est la bibliothèque). Chaque vêtement a été longuement étudié avant d'être acheté. Puis commence l'essayage (l'écriture) : elle jette sur le lit tout ce qui ne lui plaît pas. Ce corsage ne va sûrement pas avec cette jupe. Cette robe n'est plus bonne pour la saison. Le choix devient de plus en plus difficile à faire. Les vêtements s'accumulent sur le lit jusqu'à former une petite montagne. Le temps file et la tension augmente (l'éditeur attend). On réessaie tout à toute vitesse, comme si on était dans un petit film d'animation. Subitement, elle s'assoit sur le lit, épuisée et frustrée (l'écrivain, lui, fixe la page blanche avec angoisse). On se remet à nouveau en mouvement. Le choix final ne s'explique pas. La voilà qui sort, le visage souriant, en faisant croire à ceux qui la complimentent qu'elle a enfilé cette petite robe noire (une fable) sans y penser.

> L'usage de la ponctuation révèle beaucoup de notre caractère. Les impatients abusent de l'exclamation, et les indécis de points de suspension. Comment qualifier les amateurs du point-virgule?

165. LE PLAN

Souvent, on me demande : « Faites-vous un plan avant d'écrire ? » Il y a deux, ou plutôt trois écoles : ceux qui ne peuvent pas commencer un roman sans un plan extrêmement détaillé. Parfois, ce n'est que pour calmer leurs angoisses, car il arrive qu'ils ne suivent pas le plan. Il y en a qui le suivent à la lettre. D'autres préparent un léger plan avec les grandes lignes qu'ils voudraient développer. Le dernier groupe se jette, sans filet, dans le vide. Je fais partie de ce groupe. Par contre, chaque matin, je marche longuement en pensant au livre tout entier et à ma journée de travail. J'essaie de visualiser le déroulement du récit, les actions des personnages. Et surtout de me mettre en condition de travail. Évitez de vous asseoir tout de suite à la table de travail, car il ne s'agit pas uniquement d'une histoire et de dialogues, c'est aussi une équipée spirituelle (oh la la). Il faut vous mettre dans l'ambiance de cet univers légèrement flottant où vous allez passer la journée. Je fais même une petite prière au petit Jésus pour lui demander de m'assister dans cette aventure. Ce n'est pas seulement technique, logique et mécanique – c'est beaucoup plus que cela, sinon ce jeu grave et étrange n'aurait pas traversé si aisément le temps. Je me demande toujours si Homère (mettons que c'est un poète et non un groupe de poètes comme on le prétend) a fait un plan. Il y a tant de noms dans *L'Iliade*. On n'est rien si on n'était pas à Troie, cet été-là. Sans plan, Homère n'aurait pas pu s'y retrouver dans ce capharnaüm. On n'a pas besoin de plan, à mon avis, pour écrire *Le Petit Prince*, *Le Vieil Homme et la mer* ou *Le Livre de la jungle*. Le rêve de tout écrivain, c'est de pondre un petit livre dans un temps record et qu'il devienne un classique. Le cauchemar de l'écrivain, c'est d'écrire entre deux œuvres importantes un petit bouquin pour s'amuser sans savoir que c'est le livre auquel il sera identifié (*Zazie dans le métro* de Raymond Queneau).

> Savoir ce qu'on lit dans le métro, dans les cafés, dans les parcs, comme certains couturiers se promènent dans la rue pour voir ce que portent les jeunes filles pour aller travailler.

166. LES CHIFFRES

Je passe mon temps à compter quand j'écris. C'est un truc que je tiens de ma mère. Durant mon adolescence, je l'ai vu faire son budget chaque matin. De mon lit, je l'observais. Elle semblait si concentrée à compter ses piécettes. Elle devait prendre de graves décisions. Combien pouvait-elle dépenser pour la viande, le riz ou les légumes ? Qui mangerait de la viande aujourd'hui ? Combien serions-nous à table ? Fallait-il remplacer la viande par quelque chose de moins cher ? Et c'est ce que je fais. Je compte les pages. Pourrai-je aller jusqu'à la page 185 comme prévu ou dois-je penser à un livre de 165 pages ? Faut-il faire des chapitres plus courts? Le rêve ce serait 185, mais avec 165 ce sera plus enlevé. Ne suis-je pas en train de me mener en bateau? Je contrôle en même temps mon énergie. Je ne dois pas rêver plus haut que mes moyens, tout en sachant qu'il n'y a pas de livre possible sans folie. Sans dépassement de soi. Maintenant, il me faut arrêter de voir les choses globalement. Voir ce qu'il y a à faire durant cette journée. De combien d'heures je dispose pour l'écriture ce matin? Et si je faisais un sprint de 750 mots tout en sachant que seuls 250 resteront à la fin de la journée? Ou dois-je y aller tranquillement, comme un cheval de labour, et chercher à atteindre les 300 mots quotidiens? Ma journée ne vaut que 300 minables mots et, par la fenêtre, je regarde ce temps magnifique. Si je tentais de profiter de la douceur de cette matinée pour revenir travailler vers dix heures du matin? Je sais que c'est un leurre, car j'aurai perdu ma concentration en chemin. L'écriture est un dieu jaloux qui exige de nous une passion exclusive. Si vous trouvez votre plaisir ailleurs, vous ferez mieux d'y rester. Vous allez perdre votre temps, même si vous avez un peu de talent. Le talent n'est pas assez. Il faut le sacrifice humain. Se laisser dévorer par ces petites bestioles que sont les voyelles et les consonnes. Et savoir compter. Temps et énergie. Et peut-être garder la naïveté de croire qu'un jour vous pourrez descendre de ce cheval fou. Autant vous le dire, cela n'arrivera jamais. Un livre en amène un autre. C'est sans fin. Là, je viens de compter. J'en suis à 207 pages et 30 347 mots en 75 chapitres. J'ai deux courts chapitres à compléter (le vaudou et la promenade – je n'écris pas dans l'ordre) avant de laisser le tout reposer pour reprendre les choses dans une semaine. Il me faut tout terminer dans les derniers jours du mois, juste avant la sortie de mon nouveau roman.

C'est toujours agréable de finir un livre au moment d'en sortir un autre. On est moins vulnérable.

Écrire jusqu'à ne plus avoir peur d'écrire.

167. L'ÉCRIVAIN ANONYME

Les critiques (c'est une généralité qui exclut les bons) aiment les livres brefs de 165 pages qu'ils peuvent lire en un après-midi, mais se laissent intimider par les pavés de 850 pages, qu'ils ne termineront pas. En fait, un premier roman ne devrait pas dépasser 250 pages à moins qu'on soit sûr de tenir un gros gibier (bien sûr qu'il y a des livres de 100 pages plus denses que ceux de 1 000 pages). Ce n'est pas chaque matin qu'un jeune inconnu jette *Les Buddenbrook* sur la table d'un éditeur affamé. Mais tout véritable éditeur doit s'attendre à un nouveau Thomas Mann chaque matin. On doit croire qu'il est possible qu'un nom complètement inconnu saute dans l'arène pour devenir un nom commun. Qui aurait pensé que Buenos Aires nous donnerait un Borges ou Le Caire un Mahfouz? Attention, je ne parle pas ici de médiatisation. Je parle d'un livre qui compte durer. L'auteur peut se cacher toute sa vie (Kafka), son œuvre le sortira de la grotte. Mahfouz peut ne jamais quitter ce café du Caire où il a l'habitude de retrouver ses amis, ça ne l'empêchera pas d'être lu partout. Comme d'autres sont sur tous les écrans sans se faire un seul nouveau lecteur. On se contente de les voir, sans vouloir les connaître.

Savoir dessiner une jeune fille, c'est mettre des ailes à votre roman. Sans le portrait de Natacha Rostov, *Guerre et Paix* serait trop lourd pour pouvoir survoler les siècles.

168. L'ART DE SE RETENIR

Bien sûr, il n'y a pas vraiment de règles, et tout bon écrivain arrive avec ses propres outils. Mais il est préférable que votre choix soit conforme à votre tempérament. Si vous êtes quelqu'un de sobre, ne vous mettez pas à faire des cabrioles à la Tzara (le dadaïsme), car vous ne tiendrez pas la route. Je me souviens de mon émoi en lisant les premiers romans sud-américains. Toute cette touffeur m'avait à la fois impressionné et étourdi. Je m'arrêtais, comme intoxiqué par cette profusion de couleurs, d'odeurs et de saveurs. Mais au moment d'écrire, je sentais que ce n'était pas le chemin à prendre. Il y avait quelque chose qui ne me convenait pas. Il arrive qu'on aime un habit sur quelqu'un sans vouloir le porter. L'époque était à ce « réalisme merveilleux » prôné par le Cubain Alejo Carpentier (1904-1980). Le romancier haïtien Jacques Stephen Alexis (1922- 1961) s'y est engouffré avec son enthousiasme coutumier. C'était, semble-t-il, la seule manière de dire ce paysage particulier qui nous entourait ou de décrire ces monstres étranges qui nous gouvernaient. Nos dictateurs n'avaient rien à voir avec les paisibles présidents européens qui se succédaient à la queue leu leu suivant de strictes règles démocratiques. Tout cela est bien vrai, mais ce trop-plein n'était pas dans mon caractère. Je me suis questionné alors à propos de mon identité. Comment se faisait-il que j'aie pu garder ce sang-froid dans un univers où tout débordait ? Finalement, j'ai compris que ce qui se faisait autour de moi ne devait pas m'influencer. L'important, c'est ce qui se passait au-dedans de moi. Et tout me disait de soustraire au lieu d'ajouter. Suis-je plutôt européen qu'africain ? Ce qui compte, c'est de ne pas trahir ses émotions. J'ai eu souvent l'impression que la littérature sud-américaine nous donne plus que nous ne pouvons manger. On est rassasié simplement à regarder la longue table couverte de nourriture (tous ces fruits colorés). Contrairement à tous ceux, autour de moi, qui aiment foncer, j'adore freiner. Pour dire les choses plus sobrement, je préfère ralentir.

C'est assez difficile de retarder un orgasme, mais si on y parvient, le plaisir devient intolérable.

169. LE MOMENT PRÉSENT

Le lecteur aime parfois sentir que l'auteur est près de lui, et qu'ils partagent ce moment agréable (une expression que Borges aime). Très peu d'écrivains permettent une telle proximité. Voltaire est l'un d'eux. Je suis assis à la table de la cuisine. On est à Montréal, mi-septembre, et il fait encore assez chaud pour que je sorte, pieds nus, déposer la poubelle sur le trottoir. La maison est vide. Je n'avais pas l'intention d'écrire, et pourtant me voilà en train de noircir page après page. Une sorte de griserie. Sur la table, tout près de mon coude, le *Candide* de Voltaire. Je l'ouvre pour tomber immédiatement sous le charme de cette langue apparemment sèche. Je continue à lire, et brusquement je sens le souffle de Voltaire dans la pièce. L'esprit le plus vif d'un siècle, le XVIIIe, qui n'est pas avare de ce côté-là, était présent, avec ce sourire en coin qu'on lui connaît. J'ai repoussé la machine à écrire pour accueillir comme il se doit cet auteur qui a ébloui mes treize ans. J'avais trouvé *Candide* dans un placard, chez ma grand-mère. Plus les malheurs pleuvaient, plus c'était drôle. Je lisais l'histoire avec gourmandise tout en ayant l'impression de passer à côté de l'essentiel. En même temps, je savais ce qui se tramait là, même si je ne pouvais pas mettre le doigt dessus. Ce qui me gardait prisonnier de cet univers, c'était cette jubilation intérieure qui est le propre de Voltaire. Je n'ai pas souvent croisé un pareil rire dans les livres que j'ai lus par la suite : le rire de l'esprit.

> Même sans entendre aucun bruit là où l'on est,
> on ne doit pas ignorer que dehors, c'est la folie.

170. Une présence dans l'O

La fille du vieil écrivain est venue m'apporter le manuscrit. Les dernières pages sont complètement illisibles. Plus de 3 000 pages en écriture serrée à simple interligne. Je suis si impressionné par cette masse de feuillets que je ne me suis même pas demandé de quoi il s'agissait. J'ai ouvert une bouteille de rhum et on s'est assis au salon. La dernière fois qu'on s'était vus, c'était chez le vieil écrivain en pyjama jaune à rayures bleues, et cela ne s'était pas bien terminé. J'avais quitté la maison en trombe, car je ne voulais pas me retrouver au poste de police. Après mon départ, l'ambulance est arrivée. La jeune femme a expliqué la situation de son père aux infirmiers. On l'a tout de suite interné. Elle est restée trois jours avec lui à l'hôpital. Il s'est laissé si bien soigner, me raconte sa fille, qu'au bout de quelques jours il avait repris du poids. Il a demandé à retourner chez lui. Comme son état était satisfaisant, il n'y avait aucune raison de le garder. Elle est restée deux jours auprès de lui pour faire le ménage, la lessive, lui faire à manger, avant d'aller rejoindre une amie au Tibet. Elle y a passé deux mois, et au retour, elle est allée le voir. Elle raconte : « La maison était aussi propre que je l'avais laissée. On n'avait touché à rien. Une vague odeur de détergent, comme si personne n'y habitait. J'ai cherché mon père partout. Je me suis dit qu'il était peut-être en voyage. Une fois, il avait été jusqu'en Égypte voir les pyramides. C'était son genre de disparaître ainsi. Ce n'est qu'à son retour que j'appris où il avait été. Je me suis fait un café que j'ai bu à la cuisine. C'est alors que j'ai vu, là, sur la table, le manuscrit. J'ai paniqué, car je savais que mon père ne s'en séparait jamais. » «Et vous n'avez pas déclaré sa disparition?» «Oui, mais comme nous n'habitons pas ensemble et qu'il a l'habitude de partir ainsi sans crier gare, on m'a demandé d'attendre sagement son retour.» On s'est regardés sans rien dire, puis je lui ai offert de remplir son verre, ce qu'elle a refusé avec un sourire (on ne peut pas offrir un deuxième verre de rhum à une femme à 10 heures du matin sans qu'elle se mette à imaginer je ne sais quoi). Après un moment, voyant qu'on n'avait rien à se dire, elle s'est levée pour partir. Elle était déjà à la porte quand j'ai remarqué qu'elle avait oublié le manuscrit. «Non, j'aimerais que vous le gardiez jusqu'à ce que mon père revienne. À son retour, il sera heureux de savoir que son manuscrit était chez vous.» Je ne pouvais rien faire d'autre que de le garder. De toute façon, j'étais diablement curieux de lire un manuscrit aussi volumineux écrit par ce mystérieux écrivain. Je feuilletais le livre, découvrant, çà et là, des formules mathématiques, des suites interminables de chiffres, des monologues dans des langues inconnues, de longs passages éblouissants de rigueur et de luminosité, quand j'ai entendu cette voix, un peu caverneuse: «Vous voyez, je l'ai fait.» Je n'arrivais pas à localiser d'où elle venait. J'ai tout de suite pensé que la jeune femme n'avait pas fermé la porte derrière elle et que quelqu'un était entré sans que je le sache. J'ai cherché la clef de l'énigme, un moment, avant de revenir au manuscrit.

La même voix : « Je suis ici. » « Ici où ? » « Ici. » Je me suis penché sur la page. Je ne voyais rien. « Regardez au deuxième paragraphe, quatrième ligne, dans le dernier O près de la marge, au mot *Moderato Cantabile*. » Et je le découvre faisant de grands gestes, comme un homme sur une île déserte qui voit passer un bateau au large. J'ai failli perdre connaissance. J'avais tout vu, sauf ça. Cela m'a pris une longue lampée de rhum pour revenir à moi-même : « Comment en êtes-vous arrivé là ? » Il s'est contenté de rire en faisant des cabrioles dans l'O. J'allais lui poser une autre question quand il est disparu. « Où êtes-vous ? » Un vaste rire me répond. Comment un rire aussi gras pouvait-il venir d'un être presque invisible ?

> Un dialogue, outre les idées, devrait suggérer le grain de la voix, le poids du corps, comme le caractère des personnages en présence, de sorte qu'on n'ait pas besoin de terminer une réplique par « dit-il » ou « dit-elle » pour savoir qui parle.

171. L'ÉMOTION

On doit être prudent avec les scandales du jour, qui dure, dans le meilleur des cas, une saison. Les gens en parlent sans cesse. L'émotion est palpable. Cela donne envie de broder une histoire autour d'un os si juteux. Ou de s'en servir pour épicer le roman qu'on est en train d'écrire. Le problème, c'est que le scandale, à cause de ses nombreux rebondissements, finit par tout phagocyter. Quand la poussière tombe, on remarque que cette histoire ressemble à toutes les autres, et que c'est même la raison de son succès auprès du public. Prenons par exemple un scandale qui mêle politique et sexe : l'affaire Clinton/Monica Lewinsky qui a duré un certain moment. Dans une affaire d'adultère, on sait que la maîtresse sera plus jeune que l'homme. On veut des détails. Ils arrivent au compte-gouttes, car la presse entend faire durer la chose. Tous les regards se tournent vers l'épouse qui reste stoïque pour le moment. D'anciennes amantes s'épanchent dans les journaux. On voit de moins en moins l'épouse en public et de plus en plus le président avec son chien. Connaissant la maestria de Clinton on se demande comment il va s'en sortir. La discussion sur l'infidélité fait rage dans les bars, mais les hommes évitent de l'aborder à la maison. Et cela dure, dure, dure. Jusqu'à ce qu'une guerre remplace le scandale. On a l'impression d'être un imbécile à chercher une histoire à raconter pendant que celle-ci fait la manchette quotidiennement. Et mêle tous les ingrédients d'un bon roman. On n'a qu'à allonger le bras pour cueillir ces fruits mûrs sur l'arbre à palabres. Le problème avec ces histoires qui reviennent chaque saison, c'est qu'elles ont toutes la même structure. Cela fonctionne comme un match de football où la morale joue le rôle d'arbitre. Si cela intéresse tant les gens, c'est parce qu'ils ont l'impression qu'ils peuvent influencer le jeu. Et que, pendant quelque temps, l'infidélité a un visage: celui de Clinton. Le roman fonctionne à l'opposé en touchant à l'intimité du lecteur. Ce dernier se fragilise à regarder un personnage en détresse. On a l'impression que le scandale suscite de mauvaises fictions, tandis que le bon roman renvoie à la vie.

« L'art c'est ce qui nous fait préférer la vie à l'art. » (Robert Filliou) Je suis moins impressionné par cette phrase que la première fois que je l'avais lue. Peut-être parce que je crois de moins en moins à l'idée d'une frontière séparant la vie de l'art.

172. Les influences souterraines

Ne croyez pas qu'un auteur dont on n'entend pas parler dans les médias n'existe plus.

Il continue à vivre chez des lecteurs discrets qui restent fidèles à l'auteur qui leur a permis de passer un moment agréable un jour où ça n'allait pas.

Il est cité par ce célèbre écrivain du moment qui croit lui faire une fleur, ignorant que cet auteur inconnu lui survivra.

On chuchote son nom en fin de soirée, quand il ne reste que cinq à six personnes dans la pièce.

Même s'il fait partie des écrivains qui ne suscitent aucune glose, il parvient à s'infiltrer si profondément en nous qu'il devient impossible de le déloger.

On croit que c'est un lieu commun alors que c'est une phrase qu'il a écrite, un matin comme ça, et que la postérité a choisi de retenir tout en oubliant le nom de son auteur.

Avec tous ces scandales autour du dopage dans le sport, exigera-t-on, un jour, qu'on remette en question la légitimité de ces images délirantes que les poètes ont trouvées avec l'aide de l'alcool, de la cigarette, de l'opium ou de la cocaïne? Va-t-on effacer des œuvres entières de l'histoire de la littérature? Faire payer de fortes amendes à tous ceux qui ont pris le bateau ivre? Fermer des écoles littéraires? Le débat est ouvert.

Ai-je bien dormi? Suis-je en forme? Certains matins, je commence à écrire au lit. D'autres matins, il me faut faire une petite promenade afin de revoir toutes ces images aperçues en rêve. Je rêve beaucoup et les images sont si éclatantes que je confonds souvent ce que j'ai vu dans mon sommeil avec ce qui se passe dans la réalité. Sauf que, dans mes rêves, les couleurs sont plus vives et filent à une plus grande vitesse que dans la vie. Je sors afin de m'aérer l'esprit. Cette promenade sépare le jour de la nuit, comme cette mince couche de glace sur le petit lac que je longe. Le paysage est si monotone que je ne le regarde plus, jusqu'à ce qu'un chemin de traverse me fasse signe. Ça ne rate pas : je tombe toujours sur quelqu'un qui me raconte ses problèmes. Croit-il me faire plaisir avec ses confidences frelatées? Je ne pense pas être le premier à qui il ouvre ainsi son cœur ce matin. Il croit que je l'écoute alors que je ne pense qu'à une chose : me remettre à écrire. Ce que je n'ai pas cessé de faire même durant mon sommeil. Je reste attentif aux animaux, aux arbres, aux voitures, aux enfants qui pleurent ou qui sourient. Ne pas se gaver de sensations, car trop d'émotion paralyse. Trouver un banc en chemin pour s'asseoir, un long moment, les yeux fermés, jusqu'à sentir une petite brise me caresser la nuque. Dès que la première phrase commence à trotter dans ma tête, c'est qu'il est temps de rentrer.

Le vrai poids d'un livre réside dans sa capacité à résister au temps. Il y a de ces livres si légers qu'ils survolent les années sans prendre une ride, et d'autres, trop ambitieux, qui meurent avec l'époque qu'ils ont cherché à définir.

174. C'EST QUI CELUI-LÀ ?

Ayez votre carnet sur vous en tout temps et notez surtout les détails qui vous paraissent insignifiants. Étudiez vos personnages. Essayez de connaître leurs manies. Demandez-vous ce qui les touche profondément. Ce qui les fait bouger. Sinon vous risquez de vous retrouver avec des marionnettes. Le lecteur voit vite quand un personnage n'est pas naturel. Pour être sûrs de leur coup, certains écrivains prennent leur modèle dans la vie réelle. Tout ce que je viens de dire là ne vous permettra pas de faire vivre un personnage. Il naît généralement à côté, comme en dehors de notre volonté. Bien sûr qu'il ne serait pas là si vous n'étiez pas en train d'écrire. Il ne se cacherait pas derrière ce fourré s'il n'y avait pas un fourré derrière la maison. Posez-vous des questions sur la présence d'un tel personnage. Que fait-il là ? Qui l'a invité ? Hier soir pendant que vous étiez fatigué, il s'est glissé à la fin du chapitre. Et depuis il attire tant l'attention sur lui qu'il bloque le récit. Ne vous précipitez pas pour le mettre à la porte. Ce n'est pas un club privé, c'est un roman. Nous ne pouvons pas tout contrôler, ou plutôt, si nous le faisons, c'est en espérant que les choses nous échappent.

Il y a des gens qui, à peine recouchés, se demandent s'ils ont bien verrouillé la porte qu'ils viennent pour la troisième fois de fermer. De telles natures inquiètes sont, en littérature, la terreur des éditeurs. Ils ont, par contre, tout le respect des professeurs de grammaire qui les savent capables de faire arrêter les machines pour une virgule.

175. N° 1

Pourquoi les écrivains répugnent-ils tant à se répéter? Un peintre peut faire des sérigraphies numérotées, et le collectionneur croit que le numéro 19 est unique. Vous avez raison de me signaler qu'il y a des éditions numérotées pour le livre. Ça me fait toujours rire, car dans le cas d'un livre, c'est le contenu qui compte. On photographie le même sujet des centaines de fois, sans prendre la peine de changer d'angle ou d'éclairage. Un musicien peut jouer sa vie entière la même pièce. Et une pièce musicale peut subir diverses interprétations, sans que personne s'en lasse. Mais on se met à hurler dès qu'un écrivain se répète. On espère le voir arriver, chaque fois, avec un travail original. Sans qu'il perde de ce charme particulier qui nous permet de le repérer dans la foule. On veut qu'il soit différent tout en restant le même. Toujours est-il qu'on exige de lui ce qu'on ne demande pas aux autres. Comme le peintre au Louvre qui vient planter son chevalet, sans pudeur, devant Goya, l'écrivain devrait pouvoir faire la même chose devant Zola. On le fait, mais en cachette, alors qu'on devrait s'en vanter.

Nous ne pouvons exprimer plus de 70 % de nos émotions. Passé ce cap, nous devenons difficilement déchiffrables pour les autres. Il faut garder 30 % de lieux communs qui sont d'invisibles passerelles qui nous permettent de rejoindre le public.

176. Parlez-vous chat?

Observer un chat dans la maison par une journée pluvieuse. Ne le perdez pas de vue. Vous pouvez l'imiter si cela vous chante. Cette façon qu'il a de frôler les chaises ou vos jambes. Ces yeux mi-clos qui vous poussent à vous demander à quoi il peut bien penser en ce moment. Il se tient droit, en rapprochant ses quatre pattes vers un seul point, comme s'il était en train de garder un tombeau de pharaon. Puis, sans se presser, il passe d'une pièce à l'autre, pour revenir plus tard à son point de départ. Cette mouche verte a semblé l'intéresser un bref moment, mais il change d'avis et cherche plutôt à attraper son ombre. Une idée chez lui ne fait pas long feu. Ce chat est un caprice ambulant. Ainsi il nous divertit. Il se déplace sans bruit avant de bondir vers la nappe qu'il tire vers lui de toutes ses forces. Il reste un moment suspendu, la tête vers le bas. Un silence. Il vous jette un regard implorant, mais refuse la main que vous lui tendez. Finalement, il saute par terre en faisant, avec une grâce incroyable, ce numéro très compliqué que lui envierait un gymnaste olympique. Il sort de scène tranquillement, se retourne près de la porte pour vous jeter ce coup d'œil méprisant. Il semble scandalisé par le fait que vous ne parliez pas chat. Il me fait penser à ce jeune Américain qui me disait son étonnement, durant ses voyages à l'étranger, de tomber sur des gens qui ne parlaient pas anglais. Ce n'était pas là un point de vue colonialiste. Il ne croyait pas que l'anglais lui appartenait en propre. Il pensait l'avoir appris comme tout le monde, car ce qui est bon est à tout le monde. Pour lui, c'était la langue du genre humain – les autres sont des langues maternelles. Vous ne parlez pas chat? Vous avez tort, car cela aurait fait de vous un meilleur écrivain.

Le narrateur vous ressemble, mais c'est une erreur de croire que c'est vous : vous êtes fait de chair et de sang, lui de lettres et d'encre.

L'attachée de presse (neuf fois sur dix, c'est une femme) vous appelle pour vous dire que vous avez une interview. Elle vous rappellera pour les détails. Et depuis, c'est la folie dans votre tête. Elle n'a pas eu le temps de vous dire si c'est la radio, le journal ou la télé. Vous appelez votre mère et, pour la première fois, elle ne peut pas vous aider. Vous vous souvenez qu'avec votre meilleure amie, vous avez tellement critiqué ces écrivains qui n'attendent pas tranquillement qu'on lise leur livre, il faut qu'ils viennent vous l'enfoncer dans la gorge comme si vous étiez une oie qu'on doit gaver. Ils sont dans le journal, à la radio et à la télé. Donc vous avez un peu honte d'appeler cette amie si intraitable (pas plus que vous d'ailleurs). Comme vous ne connaissez aucun écrivain (disons pas assez pour discuter d'un sujet aussi intime), vous finissez par appeler votre amie. Naturellement, vous banalisez la situation. « Sais-tu que cette attachée de presse m'a appelée… » « Quelle attachée de presse (la voix se fait stridente) ? » « Celle de ma maison d'édition (voix calme). » « Pour te dire quoi ? » « La pauvre, elle pense que je vais accepter de donner une interview (ton indifférent). » Un cri strident. « Une interview, j'arrive. » Visiblement, votre amie n'est plus celle qui ne trouvait personne à son goût. Déjà, après la lecture de votre roman (vous ne vouliez pas qu'elle le lise en manuscrit, ce qui l'avait vexée), elle vous avait envoyé un mot alarmant : « Tu sais combien j'aime *Moderato Cantabile* de Duras, eh bien, ton livre est meilleur. Je ne peux pas mettre le doigt dessus, mais il y a quelque chose qui manquait à Duras et que tu possèdes. » Là, elle arrive. En chemin, elle a un peu repris de ses esprits. Elle ne s'assoit pas à côté de vous, comme elle le fait toujours quand vous regardez vos émissions littéraires, mais en face de vous. «Est-ce qu'elle a dit au moins si c'est la radio, le journal ou la télé?» «Non.» Silence. En attendant l'appel de l'attachée de presse, on analyse les options. «Le journal te va plus. T'auras le temps de réfléchir avant de répondre.» «Oui, mais c'est le plus dangereux. Si je dis une connerie, ce sera imprimé. Être stupide à la télé, ça passe, mais dans un journal…» «Arrête ça, tu n'es jamais stupide. De toute façon, on va préparer l'interview.» «Ça va me stresser encore plus.» Le téléphone sonne. Vous restez figées un long moment. C'est votre mère qui vient aux nouvelles. «Elle ne va pas me faire ça toute la journée.» De nouveau le téléphone. Toujours votre mère, elle veut savoir si vous avez besoin de conseils, car elle a un ami qui a écrit un livre sur les plantes médicinales, et il a déjà passé à la télé. «Non merci, maman.» Votre amie pouffe de rire. Et on continue, cette fois avec la radio. La radio c'est plus profond que la télé sans être aussi pompeux que le journal. Vous pouvez vous habiller sans excès. Ah oui, on avait oublié qu'avec le journal, il y a toujours une séance photo. C'est un autre débat qui demande une attention particulière, plus tard. «Ce qu'il faut à la radio, c'est un ton. Et, par chance, tu as une belle voix.» «J'aimerais plutôt avoir des idées.» «Les idées, je te l'ai dit, on verra ça après.» Il faut bien en arriver là: la télé. La grosse affaire. Il paraît que ça passe très vite. «Juste le temps pour que je fasse une folle de moi.» Vous connaissez la télé à fond, mais de ce côté. Du divan. Ce n'est pas la même chose quand on est dedans. «C'est des ondes, la télé.» «Pourquoi tu dis ça? Ça ne m'aide à rien. C'est des ondes, ça veut dire quoi?» Vous vous regardez un moment. «Ça veut dire qu'on ne peut pas savoir avant d'y aller. Tu peux envoyer des ondes positives ou des ondes négatives. Ça n'a rien à voir avec ce que tu dis.» Un temps. «Arrête, ça me panique encore plus. » Sourire de l'amie. « Au contraire, tu ne devrais pas paniquer puisque ça ne dépend pas de toi. » Le téléphone. « Si c'est ma mère… » C'est l'attachée de presse. « Et alors ? » « On a gagné, c'est très gros, tu fais la télé, dimanche soir. Je te rappelle pour les détails. » Vous raccrochez. Livide. L'amie s'inquiète. Vous lancez : « C'est une télé ! » Elle hurle de joie. « Elle t'a dit quelle émission ? » Silence. « Elle m'a dit que c'est très gros, et que c'est dimanche soir. » On sent passer un vent froid. « Pas vrai ! … Dimanche soir, ne me dis pas que c'est… » On n'ose rien dire de plus.

> Le monde change si on se place ici ou là, mais quand vous vous croyez ici, l'autre vous voit là. Si on occupe deux places, c'est grâce à l'autre.

178. Dix questions qui reviennent souvent et des réponses que je ne fais jamais

Ces questions, des enfants, des intellectuels, des ménagères, des plombiers, des hôtesses de l'air, des infirmes, des hommes graves, de jeunes secrétaires souriantes, des Noirs bien vêtus, des Juifs, des Ukrainiens, des militants communistes, des fascistes, des religieuses, des médecins œuvrant dans les quartiers pauvres, de riches hommes d'affaires ayant fait fortune dans la télécommunication (on dirait une énumération à la Prévert), ces questions, ils ne manqueront pas de vous les poser. Au début, on les trouve originales. Bon, vous serez moins patient quand ça sera la 5 000e fois qu'on vous les posera. Moi, ma question, c'est pourquoi ces questions ? Est-ce de vraies questions auxquelles on voudrait avoir de vraies réponses ? Veut-on vraiment savoir ça (pourquoi j'écris) ? Ou est-ce parce qu'on a l'écrivain sous la main et qu'on ne veut pas passer pour quelqu'un d'impoli ? Ça arrive quand c'est la cinquième fois que l'animateur demande si personne n'a de question. Un long silence. Quelqu'un lève la main. Et c'est : Pourquoi écrivez-vous ?

Q. : Pourquoi écrivez-vous ?

R. : Et vous, pourquoi vous n'écrivez pas ? Sûrement parce que vous faites autre chose. Eh bien, c'est ce que je fais, moi.

Q. : Quand avez-vous commencé à écrire ?

R. : Juste avant de savoir lire. On fait un rapport abusif entre lire et écrire. Ce n'est pas parce que je ne sais pas encore lire que je ne concocte pas des histoires – que j'écrirai plus tard.

Q. : Pourquoi n'écrivez-vous pas dans votre langue maternelle ?

R. : Ça n'aurait rien changé puisqu'écrire, c'est précisément s'installer dans un nouveau pays où l'on ne parle pas votre langue.

Q. : Quelles sont vos influences littéraires ?

R. : L'écrivain que je lis le plus, Borges, est celui qui m'influence le moins.

Q. : Lequel de vos livres préférez-vous ?

R. : Je ne peux pas vous le dire puisque c'est un autre qui l'a signé.

Q. : Vous venez d'avoir un important prix littéraire (cela vient tôt ou tard), cela va-t-il influencer votre manière d'écrire ?

R. : J'ai eu le prix pour un livre écrit avant d'avoir le prix, alors pourquoi changer une stratégie gagnante ?

Q. : Pourquoi écrivez-vous toujours au présent (ou au passé – la question vient quel que soit le mode de temps utilisé) ?

R. : Est-ce illégal ? Je n'ai pas encore reçu de convocation du bureau de police.

Q. : Est-ce qu'il vous arrive de vous réveiller la nuit pour écrire ?

R. : Ça ne se voit pas malheureusement quand on me lit, mais j'écris surtout en pyjama.

Q. : Pourquoi y a-t-il toujours du sexe dans vos livres ?

R. : Merci de me faire remarquer qu'il n'y a pas encore de sexe dans celui-là.

Ne vous inquiétez pas, je ne suis pas toujours dans cette humeur. Je suis plutôt docile. Ce sont des réponses que je me fais tout seul après une rencontre où j'espérais qu'on me parle de mon livre et non de moi.

> Faire en sorte que le lecteur se sente dans une relation d'intimité avec vous sans perdre cette distance, même si elle est de l'épaisseur d'une feuille de papier.

179. EN VITRINE

Quand votre livre est en librairie, c'est comme si vous étiez en campagne électorale. Ce qui tue la littérature, c'est cette distance qu'on vous demande de garder par rapport à ce qui vous est le plus cher. Cela ne vient pas de votre chair, mais c'est tout comme. Certains emploient les métaphores de l'accouchement pour parler de la publication d'un livre. Il arrive qu'on le porte pendant dix ans. Et le voilà publié. Vous êtes passé devant cette librairie que vous fréquentez depuis des années, et il était là. Pas en vitrine. Il n'y a que les vedettes qu'on y met. Parlons de vitrine. Je vais vous raconter ce que j'ai fait pour être en vitrine un mois et demi après la parution de mon premier roman. Ils ont parlé de mon livre dans les journaux et les télés, mais ce n'était pas assez pour qu'on me place en vitrine. Le titre (*Comment faire l'amour avec un nègre sans se fatiguer*) faisait encore un peu peur. Les gens qui l'achetaient ne l'affichaient pas. Ils le lisaient en douce, surtout les jeunes filles. Ce qui n'aide pas pour le bouche-à-oreille. J'ai tout de suite compris que les livres n'avaient pas de pied. Pour passer du fond de la librairie à la vitrine, il faut qu'un employé les remarque. Je me suis jeté dans la mêlée. J'avais 500 dollars à la banque pour toute fortune. J'en ai pris 350, et j'ai demandé à un copain de me faire un poster. Sur la photo, on me voit assis sur un banc de parc, pieds nus, les cheveux en broussaille, avec une petite machine à écrire sur les genoux. L'ami qui a fait le poster m'a donné, en souriant, un premier lot d'affiches. « Pourquoi tu souris ? » « Tu ne ressembles pas à un écrivain. » C'est l'effet que je voulais. J'ai placardé l'affiche dans tous les cafés, bars, cinémas, restos et discothèques du Quartier latin. Là où se tenaient la plupart des critiques, écrivains et libraires. C'était la première fois, à Montréal, qu'un écrivain s'affichait ainsi. Et naturellement, ils ont compris qu'il y avait un nouvel écrivain en ville et qu'il était prêt à tout. Ensuite, j'ai fait le tour des librairies pour me faire connaître des libraires. J'en profitais pour placer discrètement mes livres dans une meilleure position.

Pas trop en avant, bien sûr, mais assez pour être vu rapidement par les clients. Je sais que les libraires détestent ça, mais moi, je déteste qu'on ne voie pas mes livres. Un mois plus tard, j'étais quatrième sur la liste des best-sellers. Et un copain m'a appelé pour me dire qu'il avait vu mon livre à la vitrine d'une petite librairie de l'est de la ville. Bien sûr qu'il y a une autre manière de faire. Vous disparaissez juste au moment de la publication du livre. Même votre éditeur ignore où vous vous trouvez. Les médias commencent à s'intéresser à ce cas d'écrivain mystérieux. Certains critiques, parmi les plus difficiles, ont déjà pointé votre talent éclatant. On cherche à savoir qui se cache derrière ce pseudonyme. Un vieil écrivain qui espère refaire le coup de Romain Gary ? De temps en temps, un journaliste signale qu'il vous a croisé par hasard, et que vous avez refusé de lui parler, vous contentant de bredouiller des propos inaudibles. En l'absence d'un talent exceptionnel, je ne vous conseille pas de jouer à ce petit jeu, car vous risquez de passer de l'anonymat à la disparition.

> Écrivez, de façon très précise, l'histoire d'un inconnu, puis ajoutez toutes les fantaisies qui vous passent par la tête. Faites lire cette nouvelle version à votre sujet en lui demandant de souligner les points où il se reconnaît. Vous serez très étonné de voir à quel point l'imagination frappe plus juste que l'observation.

180. LE PRIX

Si vous êtes sur la dernière liste d'un prix littéraire, préparez une petite lettre de félicitations (pas trop ni trop peu) que vous enverrez au gagnant dès que son nom sera connu.

Comme ça, ce sera fait. Sinon vous risquez d'être trop dépité pour le faire après, et on verra que vous n'êtes pas sincère. Personne ne s'attend à ce que vous soyez heureux d'avoir perdu, mais on espère de vous un minimum d'élégance. Par contre, si c'est vous qui gagnez, prenez une semaine avant de regarder votre courrier pour ne pas gâcher votre plaisir. Bien sûr, vous répondez à un petit groupe choisi dont vous êtes sûr des sentiments, mais là aussi il peut y avoir des surprises. Si c'est un prix important, dites-vous que vous risquez de perdre des amis, qui ne seront pas tous dans le milieu de la littérature. On se demande pourquoi un plombier de nos amis (on doit toujours avoir un ami plombier, sinon le dimanche passé avec le plancher inondé risque d'être long) vous envie un prix littéraire alors qu'il n'a pas lu dix livres de sa vie. Ce n'est pas le prix qui impressionne, mais la forêt des caméras. Ce plein feu sur votre visage quand il ne s'agit pas d'une accusation de vol, de viol ou de violence quelconque. Cette lumière cathodique qui, dans la tête de beaucoup de gens, aujourd'hui, remplace la grâce divine. Si le prix est vraiment important, c'est le moment de faire un petit voyage pour ne pas assister à votre propre lynchage. Le prix fait de vous une cible fixe. Cela crée une frénésie malsaine autour de vous. Les gens ne savent plus quoi dire, alors ils vous dépècent dans les conversations de salon, et il y en a toujours un pour vous en faire le compte-rendu dans les moindres détails. N'y accordez pas trop d'importance, car dans quelques mois tout reviendra à la normale, et la meute se tournera, les yeux injectés de sang, vers le nouvel élu des dieux. Ce qui est bien dans toute cette histoire, c'est que cela fera taire un moment vos ennemis officiels. Ils n'oseront rien dire contre vous de peur qu'on ne les soupçonne de jalousie. Ce n'est que partie remise, car on vous attend au tournant.

Le tournant, c'est le prochain livre. Rien, non plus, ne vous empêche de savourer le moment en vous livrant à une danse païenne. Et de croire qu'au même moment une lectrice qui vous a suivi depuis le début se réjouit de votre succès en prenant un verre de vin. Ne penser qu'au mal qu'on vous veut n'est pas seulement de la vanité, c'est une inutile insulte à ceux qui vous aiment.

> Ce n'est pas avec des mots évasifs ou brumeux que l'on crée le mystère. Pour cacher une lettre, le personnage de la nouvelle de Poe « La Lettre volée » la place simplement sur la table, à la vue de tout le monde.

181. LA VIE APRÈS LE PRIX

La pire des choses qui puisse arriver à un jeune écrivain, c'est le succès à son coup d'essai (l'échec ne concerne que soi, tandis que le succès implique beaucoup de gens). Je ne parle pas de la réussite du livre, car il n'y a pas forcément de rapport entre le succès et la qualité. J'ai vu de jeunes écrivains se murer après un prix, juste au moment où ils s'apprêtaient à se lancer dans l'aventure littéraire. Certains ne s'en relèvent jamais. Cette question revient sans cesse : votre vie a-t-elle changé depuis ? Si vous êtes resté le même (c'est ce que vous espérez), les autres autour de vous ont changé. Alors comment se passe cette nouvelle vie ? Vous êtes submergé de demandes. Peut-on se plaindre à cet ami écrivain dont la presse n'a pas encore dit un seul mot du dernier livre ? Et pourtant, vous êtes vraiment en danger. Des centaines de visages souriants vous réclament pour toutes sortes de raisons : un colloque, une table ronde, une discussion littéraire, un quiz, une émission de cuisine, une opinion politique, la fête des Mères, un roman pas encore écrit à préfacer, une recette de cuisine de grand-mère pour un magazine d'âge d'or, un anniversaire, des séances de signature privées, des causeries dans des salons, etc. Et toutes ces demandes commencent ainsi : « Je sais que vous êtes débordé, mais… ». Vous ne pouvez pas tout accepter. On commence à vous trouver moins sympathique. Ce n'est pas un complot pour vous rendre fou, mais, comme vous êtes constamment à la télé, quiconque monte un projet ne peut s'empêcher de penser à vous. Comme on vous voit, on pense à vous. L'étrange sensation de se faire drainer l'énergie par le tube cathodique. Vous commencez à espérer qu'une nouvelle étoile prenne la relève. Vous ferez bien d'éviter de répondre à ces fameuses listes (Quels sont vos écrivains ou vos cuisiniers préférés parmi ceux d'aujourd'hui ?) que les magazines culturels ne cessent de vous soumettre. Vous nommez une demi-douzaine d'écrivains ou de cuisiniers et vous vous faites un millier d'ennemis. Et même parmi ceux que vous avez mentionnés, chacun voulant être le seul à être cité. Enfin, faites comme vous voulez, car, quelle que soit votre attitude, vous pâtirez. La seule façon d'échapper à tout ça, c'est de se remettre à écrire.

Pour écrire, on a plus besoin de frustration que de satisfaction – mais pas trop.

182. LE VIDE

Il arrive aussi que tous nos ressorts soient cassés.

Rien.

183. LA PEAU DE BANANE

C'est la question qu'on vous posera, toujours, en fin d'interview : quels sont vos projets d'écriture ? Vous venez juste de publier un livre, mais la Bête est insatiable. À propos, l'interview n'est pas terminée parce que vous voyez le journaliste ranger son matériel de travail. En fait, c'est un truc pour vous faire baisser la garde et vous poser la question qui fera le titre de l'article. C'est le moment où vous dites une connerie qui vous poursuivra tout le long de votre carrière. Vous révélez alors quelque chose d'assez intime pour faire éclater votre famille, ou vous faire passer pour le dernier des ingrats. Du genre : qui vous a aidé à devenir ce que vous êtes aujourd'hui ? – cela dit avec un chaleureux sourire. « Personne, répondez-vous dans un élan de franchise, je me suis fait tout seul, d'ailleurs chez moi, on ne lisait pas. » Il vous faudra dix ans de basses flatteries pour effacer pareille infamie. Une autre chose : demandez l'autorisation d'enregistrer aussi (pour vos archives) l'entrevue. Vous serez étonné de constater comment on peut vous faire dire des choses presque contraires à ce que vous avez dit sans changer un seul de vos mots. Il suffit d'effacer le ton amusé de l'entrevue pour que vous donniez l'impression d'un être pontifiant, vaniteux et égoïste. Je ne veux pas dire ici que les journalistes passent leur temps à piéger les jeunes écrivains, pas du tout. C'est qu'ils cherchent à vous faire sortir des sentiers battus. Ils sont si nombreux à interviewer cette jeune Sagan qui n'a pas encore assez vécu pour avoir des centaines d'anecdotes dans son carquois. Il y a les quotidiens, les hebdomadaires, les mensuels, les magazines de mode, les radios, les télés. On n'entend que vous sur les ondes, on ne voit que vous dans les journaux.

Une jolie peau de banane pour faire rire la galerie, c'est le prix à payer pour cette soudaine gloire.

Que faire quand on déteste le livre sur lequel on travaille depuis deux ans ? On en commence immédiatement un nouveau sans jeter l'ancien, car il n'est pas sûr qu'on n'y reviendra pas après un mois ou deux.

184. LA MORT NE FAIT PAS TROP VENDRE

La mort n'a pas la même intensité pour tout le monde. La signification la plus sommaire, c'est qu'elle représente ce moment unique où un individu passe de la présence à l'absence. Où va-t-il ? La religion prend ici le relais en offrant quelques réponses. Le catholicisme a un éventail de choix qui fait penser à une agence de voyages qui propose des destinations selon la bourse du client : l'enfer, le purgatoire ou le paradis. Mais en fait, à part les gens qui ont une foi si vive qu'elle leur permet de ne pas se préoccuper de l'au-delà, l'expérience de la mort nous concerne tous. À partir de là commence le travail de l'écrivain, car les individus, comme les peuples, ne réagissent pas pareillement face à la mort. D'abord, c'est, selon l'espérance de vie, une notion assez étrange, presque sarcastique, comme si elle venait de ceux qui ont la possibilité de vivre longtemps. Disons-le : c'est une notion qui va bien avec la mentalité comptable des organismes internationaux. Une vue d'en haut. Je ne l'ai jamais entendu utiliser dans la vie courante (« J'ai quarante-cinq ans, il ne me reste que quinze ans à vivre, si j'en crois les données de la FAO. »). Ensuite, les individus finissent par croire ce qu'on dit d'eux. On les dit importants, nécessaires, irremplaçables, et ils traduisent tout ça par : immortels. Les rockstars (Presley et Jackson), les vedettes de l'humanitaire (Mère Teresa et l'abbé Pierre), les présidents charismatiques (Kennedy), les princesses blondes (Diana) : ceux-là, on veut les retenir avec nous. Un écrivain doit donc savoir qu'il ne peut, en parlant de Presley, juste dire qu'il est mort. Il n'est pas mort – disons qu'on ne sait pas ce qu'il est devenu. En lisant la Bible, je vois le même phénomène avec Marie, Jésus et certains prophètes-vedettes comme Élie. Ils montent directement au ciel. On n'a jamais trop su ce qui est arrivé après la résurrection de Jésus. Tout ça pour dire que le scribe de la Bible avait compris que la démocratie (nous sommes tous égaux devant la mort) ne pouvait résoudre une question aussi complexe. Oh, j'allais oublier Marylin Monroe : elle sera vivante tant qu'on trouvera de nouvelles photos d'elle. Et mon petit doigt me dit qu'il y en aura encore d'inédites, jusqu'à la fin des temps. Beaucoup d'écrivains (un peu moins de nos jours) ont traité de ce sujet puissamment romanesque : l'héritage. Plus que la guerre, c'était l'événement qui faisait tomber les masques. Imaginez : vous devenez riche subitement. L'autre a donc travaillé, comme un esclave, toute sa vie, pour vous. Mais comme vous n'êtes pas seul, c'est la curée. Pas de quartier. Et comme il y a de grandes injustices (les bâtards et les déshérités), on voit d'ici un grand écrivain comme Tolstoï se pourlécher les babines. Relisez ces scènes, qui font paraître la guerre contre Napoléon comme une plaisanterie, où Tolstoï raconte la nuit où la plus grande fortune de Russie a changé de main. Ce n'est pas la mort, c'est l'argent, la grande affaire. La mort injecte à l'amour une forte charge romantique (*Roméo et Juliette*). C'est un sujet sensible qu'il faut manipuler avec précaution. Le lecteur n'aime pas les histoires qui finissent mal, sauf si c'est fait avec tact (*L'Écume des jours*). Évitez tout de même de l'employer dans le titre, car c'est un mot (Visconti l'a fait avec *Mort à Venise*, mais les gens ont pensé que mourir à Venise, ou aux Marquises, était une mort souhaitable) auquel on ne s'est pas encore habitué.

> Pourquoi ne voit-on pas souvent deux Noirs dans des rôles prépondérants dans un roman ou dans un film occidental? C'est simplement que s'il y a déjà un Noir (même s'il a un nom propre nous savons bien qu'on finira toujours par dire Le Noir), on ne saura pas comment appeler le second.

185. LA GUERRE NE PRODUIT PLUS DE ROMANS

Si vous tenez à parler de la mort à tout prix, arrangez-vous pour faire monter un de vos personnages dans un train qui va à la guerre. On se souvient de ces jeunes femmes debout sur les quais qui, après le déchirant baiser d'adieu, agitent des mouchoirs en regardant partir leurs fiancés pour le front. Le train qui démarre lentement pour faire sentir la gravité du moment. Les mouchoirs qui s'agitent frénétiquement. Lourd silence à l'intérieur du train. Gros plan sur le visage tendu des hommes qui viennent de comprendre qu'ils ne sont qu'un simple pion dans cette guerre que mènent depuis toujours ces frères ennemis : Éros et Thanatos. Puis les lettres passionnées que s'échangent les fiancés (certains se sont mariés la veille du départ). La guerre s'installe. Image de la femme près de la fenêtre dans cette position pensive qui rappelle Pénélope attendant Ulysse. L'homme, dans les tranchées de gadoue glacée, griffonnant une lettre au crayon. La fin de la guerre est annoncée par le carillon des églises, et le baiser qu'une infirmière (c'est toujours une infirmière) accorde au premier soldat qui apparaît. Le héros, de retour à son village, est accueilli par sa jeune épouse et un bébé qu'il voit pour la première fois. Le cinéma n'a pas cessé de nous repasser ces images d'Épinal. Je me suis toujours demandé si les gens avaient appris leur rôle en lisant des romans de guerre. Mais tout ça ne compte plus car ça fait un moment qu'on ne va plus à la guerre en train, et dans quelque temps on n'ira plus à la guerre du tout. On fera la guerre sans se déplacer. C'est déjà commencé. Ne voyant plus le visage de celui qu'on tue, il sera impossible d'en faire un personnage. Donc pas de roman. La dernière guerre qui a produit des romans et des films, c'est celle du Vietnam, plus précisément la guerre américaine au Vietnam. Si on avait laissé cette guerre entre les mains des Vietnamiens, on n'aurait même pas su qu'il y en avait une. Comme celle du Congo, de Sierra Leone ou du Soudan. On en parle quelquefois aux nouvelles, mais on ne comprend pas toujours ce qui se passe. Sans la présence d'un pays « civilisé », ce n'est pas une guerre mais une simple tuerie. Et rien n'est plus difficile à décrire qu'une boucherie (zoom sur ces profondes blessures au visage faites par des machettes). On n'arrive pas à distinguer les belligérants, car ils se ressemblent tous. Rien ne ressemble plus à un Africain qu'un autre Africain, alors qu'on distingue facilement un Français d'un Belge, et un Suédois d'un Norvégien. Il est de plus impossible de déterminer l'origine et les raisons d'une guerre tribale. On ne peut expliquer ce qui se passe au Moyen-Orient que par « un vent de folie ». Et l'amour autrefois si présent dans la guerre ? C'est peut-être un sentiment universel, mais nous savons bien qu'il n'est pas vécu partout de la même manière (*L'Amour et l'Occident* de Denis de Rougemont).

Pour certains, l'Afrique (on parle toujours du continent, jamais d'un pays en particulier) ne saurait produire de tragédie amoureuse, car l'animisme (Dieu est dans tout) permet précisément à l'être endolori de trouver consolation partout. La douleur est de trop courte durée pour qu'elle se cristallise. La perte doit être irréparable pour qu'on atteigne ce niveau de souffrance qui mène à la folie ou au suicide, devenant alors matière littéraire de premier ordre. Cela ne peut arriver que dans une société où l'individu est au centre du monde. Seule l'Europe offre une telle position à l'homme. En Afrique, c'est le paysage qui domine, et au Moyen-Orient la religion a repoussé l'homme dans les marges. Le paradoxe aujourd'hui, c'est qu'il y a de plus en plus de guerres et de moins en moins de romans de guerre. La raison en est simple : les guerres se passent en Afrique et au Moyen-Orient, alors que la plupart des romanciers vivent en Europe. Dans cette affaire, le lectorat est plus important que l'écrivain car c'est lui qui fait marcher l'industrie du livre. Sans les romans et les films pour donner sa dignité à la guerre, on aurait eu en Europe que des tueries. Sans Tolstoï et Stendhal, Napoléon ne serait qu'un petit caporal chanceux au casino de la mort. Je dirai finalement que la guerre ne produit plus de romans parce qu'elle ne produit plus de larmes.

On dit parfois qu'il y a trop de livres, implicitement trop d'écrivains, mais on n'entend jamais dire qu'il y a trop de lecteurs. Pour prendre sa place en librairie, le livre a dû franchir divers obstacles alors que, pour l'emporter, le lecteur n'a qu'à passer à la caisse.

186. LA VÉRITÉ

Les gens veulent savoir la vérité sur ce qu'ils ont écrit, et vous le demandent de but en blanc, et cela n'importe où : dans un café, dans la rue ou dans un salon. « Dites-moi sincèrement ce que vous pensez de mon livre. » « Pourquoi devrais-je être sincère avec vous, alors que vous refusez de l'être avec vous-même ? » « Comment ça ? » « Vous savez très bien ce que vaut votre livre, sinon vous n'auriez pas remis ainsi votre destin entre les mains d'un parfait inconnu. » C'est vrai qu'on peut être trop proche d'une chose pour pouvoir l'évaluer. On a besoin alors d'un regard plus frais et objectif. Ce qui m'irrite, c'est le ton presque intimidant que certains utilisent pour avoir votre opinion. Cela va de « Jette un coup d'œil pour moi, si tu as le temps » jusqu'à « Je veux savoir si je dois continuer ou arrêter tout de suite. » C'est parfois de la manipulation, alors que l'on n'est pas à l'origine de la passion de l'autre pour l'écriture. Surtout la vérité n'est pas une mince affaire. La preuve : on n'arrive pas à la dire à des gens qui nous sont très proches. C'est peut-être plus facile de se confier à un inconnu, en espérant qu'il ne devienne pas un ennemi, car les haines littéraires sont tenaces.

> Écrire, c'est une énergie bien dosée, car trop d'énergie vous pousse vers la rue et trop peu vous oblige à rester au lit.

187. L'ÉDITEUR

Un bon éditeur, c'est aussi rare qu'un bon stratège. Il doit avoir le sens du temps, des nerfs de joueur de poker, et la rapidité du jaguar. Il ne doit pas se laisser influencer par le succès de son auteur ni par son échec. Toujours garder en tête cette chose qu'il a vue en lui, et qu'il entend faire apparaître à la surface. Il ne doit surtout pas agir selon un mode fixe. Rien de pire qu'un éditeur qui croit qu'il s'agit de livres. Il s'agit d'abord d'écrivains, et les caractères varient. Celui-ci a besoin d'être materné ; celui-là semble rétif à tout rapport intime. L'éditeur doit comprendre. Pour le texte, c'est autre chose. Comme une mauvaise traduction peut détruire un livre, un mauvais éditeur peut détruire un écrivain. D'abord, il doit chercher à savoir à quel type d'écrivain il a affaire : un sprinter ou un marathonien. Le sprinter n'a qu'un livre, mais c'est peut-être un grand livre qu'il ne doit pas diluer en le reprenant sous diverses formes. Nous sommes nombreux, malgré le plaisir qu'on a pris à voir le film, à croire que *Le Parrain III* n'a pas la densité des deux précédents. Et nous savons aussi qu'il y a des écrivains qui auraient gagné à écrire moins. La force de Salinger réside dans sa capacité à résister à écrire ou du moins à publier. Cette intransigeance a fait de lui l'écrivain de l'adolescence. On passe son temps à rêver aux livres qu'il n'a pas publiés. Un bon éditeur ne doit pas pousser Salinger à écrire, tout en espérant de toute son âme recevoir un jour, par la poste, un manuscrit de lui. On rêve du journal poétique (*Les Paysages d'Afrique vus par un marchand d'armes*) d'un certain Rimbaud qui aurait échappé à cette mort venue trop vite. Mais le mythe Rimbaud se nourrit des livres qu'il n'a pas écrits. C'est que le but n'est pas uniquement de noircir la page blanche. Il faut sans cesse légitimer la fonction. Une carrière d'écrivain est remplie de petites fêtes, de 5 à 7, de vin rouge, de bars, de rencontres dans les salons des amis où l'on finit par dormir sur le sofa, mais ce n'est pas que cela. Mieux encore, nous ne savons pas vraiment de quoi il s'agit ni pourquoi

nous nous épuisons à ça. Voilà une histoire assez étrange
où l'éditeur attend l'auteur qui, lui aussi, attend. Il ne faut
pas brusquer ce temps d'attente. Il est précieux. Il garde en
lui notre espoir qu'une chose neuve, ou si ancienne qu'elle
nous paraîtra neuve, surgira sous nos yeux éblouis.

Vous remarquerez que l'écrivain en panne d'idée
se sent toujours obligé de définir l'écriture.

188. LE VOYAGE

Il est au cœur de ma vie. J'ai toujours lu parce que cela
me permettait de quitter mon lit étroit dans cette chambre
isocèle de mon adolescence. Je suis allé ainsi partout, dans
des lieux exotiques comme dans des siècles disparus. J'ai-
mais suivre les traces de mon ami le chat botté ou, à l'adolescence, celles des *Trois mousquetaires*. Plus tard, j'ai voyagé
sur les ailes de l'émotion. Me glisser à l'intérieur des personnages afin de vivre les fortes agitations qui les traversent.
J'ai vite découvert que c'était une expédition autrement
plus risquée. Circuit cahoteux d'un cœur amoureux qui
passe de l'enthousiasme le plus fou au désespoir le plus
noir. Et j'ai écrit aussi pour voyager. Le voyage de l'écriture.
Cette impression de pénétrer dans une jungle sans savoir
quel animal nous observe, quel danger nous guette. Nous
avançons prudemment en cherchant à repérer des clai-
rières, des points d'eau, pour découvrir, au moment où l'on
s'y attend le moins, un chemin secret. Puis pour se rendre
compte, avec étonnement, que d'autres sont passés par là
avant nous. Cela pourtant ne rend pas le voyage ni plus
ni moins risqué. À chaque pas, comme à chaque phrase,
on s'attend à poser le pied sur un piège – la grammaire

française est hérissée de chausse-trappes. Combien de fois, au fil de cette aventure des lettres, les sentiments d'amour, de haine, d'amitié ou de jalousie ont-ils été évoqués? C'est cette candeur qui nous sauve de ce monstre gris qu'est l'ennui. Et puis, quand on a écrit quelques livres qui ont eu l'heur de plaire à un certain nombre de gens, on vous invite à voyager pour jouer à l'écrivain. Je me souviens encore de cette première fois où on m'avait invité en Belgique aux frais de la princesse. « Rien à payer ? » « Oui, monsieur, ni vos billets d'avion, ni vos taxis, ni votre chambre d'hôtel, ni vos repas. » « Et qu'attendez-vous de moi ? » « Presque rien, juste nous dire pourquoi vous aimez faire ce que vous semblez tant aimer faire. » Mes livres vont partout, et si on les aime j'apparais alors. Nu.

> On doit, au moins une fois, se demander pourquoi on écrit, car venant d'un autre cette question risque d'être blessante.

189. LES LIVRES NON LUS

L'une des plus cuisantes blessures de ce métier, c'est de découvrir qu'on n'est pas seul sur le terrain. La librairie regorge de livres qu'on n'a pas écrits. On aurait aimé les avoir tous écrits sous des pseudonymes différents. L'œuvre complète de Simenon, ajoutée à celles de Balzac, de Zola et d'Agatha Christie n'est qu'une goutte dans cette mer d'encre. Et le cœur du lecteur est si vaste qu'il pourrait accueillir une bibliothèque entière. Certains lecteurs sont si insatiables qu'ils vont du plus obscur des poètes à l'auteur de polar que tout le monde lit dans le métro. Il y a de ces lecteurs si radicaux qu'ils délaissent un écrivain dès qu'ils croisent plus de deux personnes en train de le lire. L'écrivain en question s'est dénaturé à leurs yeux, il n'est plus aussi pur que du temps de ses premières œuvres. Certains, parmi les premiers amoureux de Duras, l'ont traitée de pute après le succès de *L'Amant*. Comme s'ils l'avaient surprise au lit avec une foule d'hommes et de femmes affamés de phrases brèves (la mode), mais dénués de cet esprit à la fois radical et subalterne qui vous permettait d'être admis dans la tribu de Duras. Il faut dire que Duras elle-même avait établi cette table de loi dont l'un des commandements était « tu ne commettras point d'adultère », ce qui se traduit par « on ne lit pas un livre de Duras, on ne lit que Duras ». Il y a une autre catégorie de lecteurs plus répandus qui ne jurent que par vous pendant quatre à cinq livres avant de vous laisser tomber brutalement pour un autre au nom difficile à prononcer. Jusque-là, on peut comprendre (et cinq livres d'un seul auteur, c'est beaucoup dans cet univers où les offres sont nombreuses et alléchantes à chaque rentrée littéraire), mais là où ça devient compliqué, c'est quand ils se mettent à répandre la rumeur qu'ils sont allés voir ailleurs parce que vos livres étaient moins bons qu'auparavant. Et cela, sans même en avoir ouvert un. C'est de la science infuse. Si vous changez de style, on dit que vous avez changé (en moins bien), et si vous ne changez pas, on dit que vous publiez toujours le même livre. Tout cela parce que ces lecteurs, jadis passionnés de votre travail, cherchent à vous quitter sans trop de regrets. Un jour, ils reviendront en déclarant qu'avec ce dernier livre vous avez retrouvé la verve de vos débuts. Ne protestez pas, car vous ignorez ce qui les avait poussés à vous lire la première fois. La roue tourne.

Vous voulez savoir ce qu'on dit de vous, comme écrivain, quand vous quittez une pièce ? Rappelez-vous alors votre intransigeance de lecteur.

190. Le frère ennemi

Il y aura quelqu'un qui s'opposera à vous dès le début. Rien de ce que vous direz ou ferez ne lui échappera. Vous le croiserez à chaque tournant de votre vie. Quand vous fêterez, il sera triste. Par contre, il savourera chacun de vos échecs. Il ignorera qu'il est pour quelque chose dans votre acharnement au travail.

Pour animer un personnage, ce n'est pas obligatoire qu'il parte d'un point à un autre. Le lecteur s'intéresse beaucoup plus à ses mains qu'à ses pieds, et se demande ce qu'il veut prendre plutôt qu'où il veut aller.

191. L'alphabet est une monnaie

Après son premier succès, au tout début de sa carrière, la part la plus importante de son travail a consisté à répondre à des interviews de journalistes qui ne l'ont pas toujours lu, à remplir des questionnaires de magazines féminins enquêtant sur ses goûts personnels en matière de vin, de musique et de restaurant, et à écrire de petits textes supposés drôles sur des thèmes suggérés par des animateurs de festivals littéraires. En échange, il n'a plus rien payé de sa vie. Ses livres se sont interposés entre lui et la vie matérielle.

Lorsque pris de découragement devant l'impression que tout a été écrit, on doit se dire que tout n'a pas été lu, surtout le livre qu'on est en train d'écrire.

192. L'INSTINCT

Personne ne peut vous apprendre à écrire. Cela exige une trop grande plongée à l'intérieur de soi. Là où personne d'autre que vous ne peut aller. Un bon conteur sent quand il perd l'attention de son public. Il ne faut pas abuser de la patience du lecteur. Vous devez suivre le rythme que vous avez installé. Gardez vos sens en éveil. Sentir aussi quand il faut changer d'angle. Vous êtes en terrain miné. Confiance et prudence sont les qualités requises pour avancer sans faire exploser le roman. Mais c'est l'instinct qui sera votre meilleure boussole pour savoir si vous êtes dans la bonne direction. Nous passons notre vie à raconter des histoires, à essayer de séduire notre vis-à-vis, et cela depuis notre tendre enfance. Nous connaissons les règles. Pourquoi n'arrivons-nous pas à les appliquer en écrivant? C'est parce que nous avons des objectifs autres que celui de simplement raconter une histoire. Nous voulons que cette histoire nous serve à grimper dans l'échelle sociale, à masquer nos échecs personnels, à étaler notre culture pour nous singulariser. Trop de projets obscurs alourdissent le récit. Si nous pouvions au moins une fois raconter simplement une histoire, je parie qu'on retrouverait instantanément ce talent naturel qui faisait sourire notre mère quand nous inventions à longueur de journée des histoires abracadabrantes. C'est cette spontanéité mêlée de roublardises que je vous souhaite. Très peu d'écrivains peuvent remonter avec autant d'aisance qu'un enfant à la source du récit, le récit qui fait autant plaisir à celui qui le raconte qu'à celui qui l'écoute. Mon exemple peut paraître étrange, car je pense que personne ne calcule son coup autant que ce conteur roué d'Isaac Bashevis Singer, mais en même temps son écriture est époustouflante de grâce. À chaque fois que je lis une de ses nouvelles, je tombe des nues devant une telle fluidité. Je reste impressionné par sa capacité de changer de cultures et d'époques (*La Couronne de plumes* est mon recueil préféré).

> Vous avez toujours le choix entre lire un bon livre
> ou en écrire un mauvais – voilà une vacherie.

193. L'AUTRE RIVE

Je ne m'attendais pas à revoir la fille de l'écrivain, d'autant plus que cela faisait un moment que je n'avais pas entendu son père. Il s'est si bien adapté là-bas, dans l'univers de la fiction, qu'il ne se manifeste plus. Quand on débarque dans un lieu où l'on ne connaît personne, on essaie, par tous les moyens, de garder le contact avec le monde que l'on vient de quitter. Au fil des jours, on observe les gens en mouvement afin de comprendre les règles qui régissent notre nouvelle vie. Il faut vite choisir son camp : consonne ou voyelle ? On peut se ranger aussi du côté des accents. Je l'imagine en accent circonflexe, à cause de ce petit chapeau ^ qui lui ferait un air napoléonien. Mais là, pas de nouvelle de ce malicieux écrivain qui doit se demander ce qu'il fait avec les voyelles alors qu'il avait choisi d'être consonne. Comment ai-je fait pour le savoir ? J'imagine, j'imagine. Et voilà sa fille. Elle arrive bronzée de Miami. « J'ai cherché là-bas, car mon père va parfois retrouver ses vieux amis en Floride. Il n'y était pas, mais j'en ai profité pour passer un moment près de la mer.» Je ne sais pas pourquoi, j'ai tout de suite pensé que le sort de son père lui importait moins que les vagues et le sable chaud. Je lance un hameçon: «Étiez-vous à Hollywood?» Elle a un petit sursaut de dégoût. «Ah non, c'est pour les vieux, moi, je me tiens toujours dans le quartier art déco, à l'hôtel Sagamore.» On sait bien que les Québécois vivent en majorité dans la petite ville d'Hollywood; en allant s'installer dans ce quartier art déco elle montrait que la recherche de son père n'était pas sa priorité. Je la mets au pied du mur: «Vous saviez sûrement que votre père n'était pas en Floride?» Silence. «Où est-il d'après vous?» Elle fait semblant de s'intéresser à une araignée qui glisse du plafond. Je l'attends calmement. Elle consent finalement à parler: «Oui, je sais qu'il est ici. C'est lui qui m'avait demandé de l'amener.» «Et pourquoi?» Elle prend son visage dans ses mains: «Vous n'allez pas me croire…» «Au point où j'en suis, je ne vois pas ce qui pourrait m'étonner.» «C'est vous, mon père.» On se regarde droit dans les yeux. «Que voulez-vous dire?» «Cet homme n'est pas mon père, c'est tout simplement votre passion d'écrire incarnée.» «Et vous, qui êtes-vous?» «Ce que je viens de dire: votre fille.» «Qu'est-ce qui me dit que vous n'êtes pas une simple métaphore?» Elle sourit: «Vous avez déjà vu une métaphore avec des seins?» «Si vous étiez vraiment ma fille, vous auriez trouvé une autre réplique.» Elle se tait. «De toute façon, on ne quittera pas cette maison», fait-elle en pointant ses obus dans ma direction. Donc ce n'est pas la première fois qu'ils s'insinuent ainsi chez les gens. Que veulent-ils de moi? Bon, je crois qu'il est temps de prendre le large, car on ne me retrouvera plus si je me laisse entraîner par cette fée dans cette forêt bruissant de lettres d'alphabet.

Quand c'est un salaud qui se jette dans une rivière en crue pour sauver un chien, cela nous attendrit plus que quand c'est un type bien qui le fait.

194. UNE PURE JOIE

On doit danser sans se soucier de ceux qui nous observent. Pour écrire, il faut sauter à la corde avec ses phrases. Ne pas hésiter à entrer dans l'action. Ça marche quand vous sentez qu'il n'y a plus que vous et l'écriture. On trouve son rythme en accordant la musique à sa nature profonde. Et c'est cela qui s'imposera au lecteur quand votre sujet n'intéressera plus personne. Que ma joie demeure! Qui se soucie réellement, hier comme aujourd'hui, des angoisses petites-bourgeoises du prince d'un minuscule royaume du nord de l'Europe? C'est le poète Shakespeare qui nous intéresse et non Hamlet, et encore moins son royaume pourri. Sa juvénilité communicative. Un insatiable appétit de vivre, et cela même en écrivant des tragédies, surtout en écrivant ces sanglantes tragédies. À trente-deux ans, Tolstoï note dans son journal : «Je me suis mis à écrire parce que je suis tellement heureux que cela me coupe la respiration.» On ne sait plus si c'est parce qu'il se met à écrire qu'il est heureux, ou s'il se met à écrire parce qu'il est heureux. Allez-y, laissez cette joie déborder. Qu'elle devienne une vague qui vous jette sur une île vierge. Vous êtes en pleine mer, sur une petite île où il y a quelques arbres fruitiers. Des poissons roses. Le ciel. La mer. C'est à vous de refaire la vie. Au lieu de vous lamenter, mettez-vous nu. Embrassez la terre, puis plongez dans la mer turquoise. Jouissez de cette eau chaude. Péchez à mains nues. Faites du feu, car vous souperez du poisson grillé. Je dis cela, car j'en ai marre de voir toutes ces longues gueules qui se promènent dans les cafés. Je n'en peux plus de ces jeunes écrivains qui, avant de finir leur premier livre, se plaignent du milieu, comme si cela (le milieu) avait une quelconque importance. Le seul lieu qui compte, c'est cette île que vous pouvez retrouver en tout temps. Ce serait sans intérêt s'il n'y avait pas d'autres moments où l'on se sent complètement perdu. Et des nuits d'insomnie, même sous un ciel étoilé. Mais l'énergie ne baisse pas pour autant, et vous découvrez, avec un certain étonnement, qu'il est possible d'être heureux dans la douleur.

On ne peut être bon écrivain tout en protégeant sa mère.

195. GÉNÉRATION

Les rapports avec ceux de votre génération (ou de la nôtre, c'est pareil) ne seront jamais de tout repos. Un cocktail de tendresse, de jalousie, d'amitié, de haine pure, de douceur, de violence. Il arrive aussi qu'on se regroupe si l'attaque vient de l'extérieur. De l'État, le vieil ennemi. L'État, qui subventionne au nord afin de contrôler la littérature (j'écris ça sans trop y croire), et qui punit au sud, avouant ainsi son échec à faire de la littérature sa complice, est en réalité jaloux de ce pouvoir que nul ne conteste. Dans ces pays du Sud, les écrivains deviennent vite la conscience politique de leur société. Au nord, ils se battent plutôt pour expliquer à cette société qu'ils ne sont pas complices de l'État (justement à cause de l'argent, même peu, investi dans les arts). Ce n'est pas l'argent du pouvoir, quel qu'il soit, mais bien celui des citoyens, qui tiennent à ce contre-pouvoir. On perd du temps à faire comprendre cette subtilité. Cela vient du fait qu'il y a un moment qu'un écrivain d'ici n'a pas été jeté en prison pour ses idées. Regardons plutôt comment cela se passe entre vous. Les rapports entretenus par ceux qui ont débuté en même temps ne seront jamais détendus. Vous n'arrêterez pas de vous observer tout le temps que vous serez en activité. Vous ne lirez l'autre que pour savoir où il en est. Je le dis pour que vous ne soyez pas trop étonné de ce sentiment trouble. Ce n'est ni méchant ni bon, c'est ainsi. Il faut attendre l'arrivée de la prochaine vague pour vous regrouper en génération. Quant à votre respect, il n'ira qu'à ceux, surtout à ceux qui ne publient plus, de la génération précédente. Dès que vous trouvez tout bon, c'est signe que vous n'avez plus rien dans le ventre. Plus de cet acide qu'il faut vomir sur le papier pour qu'il ne vous empoisonne pas. Ne croyez pas que j'essaie de dire que le milieu littéraire n'est qu'une jungle. Ce serait trop facile, mais si on ne fait pas attention on risque de mettre nos qualités dans nos livres, et nos défauts dans notre vie. Heureusement qu'il y a de ces élans qui survolent la vase. L'amitié et la tendresse ne sont pas impossibles. Laissez aller votre cœur avant qu'il ne se dessèche. Soyez généreux sans être naïfs. Il y en aura deux d'entre vous qui se retrouveront face à face, se croyant opposés, alors qu'ils ne sont que les deux faces d'une même médaille. Travailler dur, se battre, jusqu'à ce qu'on soit rejoint par la prochaine génération. Des troupes fraîches qui viendront prendre le relais pour assurer la continuité. Certains d'entre vous passeront cette première frontière du temps, mais pour beaucoup d'autres la partie sera terminée. Du jour au lendemain, ils seront illisibles. On a donc intérêt à garder un peu d'énergie de côté pour le reste du temps à vivre.

S'il vient, prenez l'argent du succès, mais éloignez-vous du bruit qui l'accompagne.

196. L'ALOUETTE EN COLÈRE

Vous pouvez croire tout ce qu'on dit à propos de la mort du livre, mais vous n'êtes sûrement pas le dernier écrivain. Dès qu'on saute sur la scène, la prochaine vague est déjà en mouvement. Pour le moment, ce sont des lecteurs. Pas tous, car j'ai rencontré, un jour, une femme qui se désolait du fait que son fils rejetait toutes ses propositions de lecture. «J'ai tout fait, Monsieur, mais il s'éloigne dès qu'il voit un livre.» Elle avait les larmes aux yeux. J'avais envie de lui dire de le laisser en paix. Ça doit être l'horreur de lire pour faire plaisir à quelqu'un. Finalement, je lui ai dit: «S'il n'aime pas lire, essayez l'écriture. C'est peut-être un écrivain.» Elle est repartie pas trop convaincue. Deux ans plus tard, je vois arriver une femme en larmes (encore). Elle me regarde en souriant. Ce sont des larmes de joie. Brusquement, elle me met, entre les mains, un mince recueil de poèmes: «Vous aviez raison, c'était un écrivain.» Et elle s'en va. Bon, ils ne deviennent pas tous écrivains, car il n'y a pas que la littérature dans la vie. Mais ils vont apparaître de partout dans moins de dix ans, et n'hésiteront pas à vous bousculer pour passer. Ils auront d'autres préoccupations que les vôtres, qu'ils chercheront à imposer. On ne doit céder sur rien. Plutôt continuer son chemin jusqu'à ce que les époques s'entremêlent. Ils doivent savoir que le monde ne commence pas avec eux ni ne se termine avec vous. Juste au moment où ils se sentiront bien en place, où ils croiront avoir fait de ce temps leur époque, arrivera un jeune poète en colère, précédé peut-être d'une mère en larmes, qui les obligera à tout reconsidérer en exigeant de nouveau qu'on change la vie.

Un livre n'est pas terminé tant que vous n'avez pas commencé le prochain.

Il y a quelques années, j'ai affiché sur la porte de la petite chambre où j'écrivais cette phrase de Montaigne: «Je ne fais rien sans gaieté.» Puis je me suis dit qu'une pareille affirmation ne ressemblait pas à la photo de Montaigne que je vois parfois dans les dictionnaires. Je me rappelle plutôt un homme sévère ourdissant une littérature de la plus haute érudition. À moins d'être Virgile ou Plutarque, on ne trouvait grâce à ses yeux. Il faudrait savoir ce qu'entendait Montaigne par gaieté. Comment prenait-il son pied? C'est comme imaginer Borges dansant un rock fiévreux au lieu de ce tango langoureux de Gardel. Pour finalement me rappeler que l'image publique d'un artiste est parfois différente de sa vie privée, et que Montaigne est aussi l'homme de cet étrange égarement qui a pour nom La Boétie. L'une des plus explosives déclarations d'amitié de la littérature universelle. On se souvient de son fameux cri: «Parce que c'était moi, parce que c'était lui.» Je me rappelle que Borges a courtisé toutes les jeunes étudiantes en littératures scandinaves de Buenos Aires, enfin toutes celles qui ont franchi son espace d'aveugle pour converser avec lui de ses mythologies personnelles. J'imagine la musique des voix claires et chantantes de ces jeunes femmes férues de sagas islandaises – le cœur captant toutes les vibrations du monde. Gombrowicz, qui a vécu en Argentine, aimait rassembler autour de lui de jeunes blondes de la bourgeoisie pour des cours sur l'existentialisme sartrien. Ces vieux écrivains ont gardé jusqu'à la fin cet esprit primesautier qui leur a permis de rester dans la foule humaine. Je me suis dit que c'était là leur secret et qu'il me fallait, à moi aussi, une sorte de rituel du désir, pour empêcher que la littérature ne m'emporte trop loin du rivage, hors de portée des bruits du monde. Mais tous les bruits ne se valent pas. Je me souviens de cette époque où je tentais d'écrire loin du bruit médiatique qui risquait de me détourner de cette source primitive, cachée sous le feuillage des mots, qu'est le silence. J'avais compris qu'écrire n'avait rien à voir avec le fait de coucher des phrases sur le papier, avec ou sans talent, et qu'il faut un peu plus que cela si on veut rejoindre ces lecteurs qui nous regardent de l'autre côté du fleuve de la vie, et qu'on appelle pompeusement la postérité. On se rappelle la phrase de Stendhal, qui peut paraître arrogante, mais qui s'est révélée si juste par la suite (je cite de mémoire) : « Mes lecteurs ne sont pas encore nés. » Les bruits à venir résonnent déjà dans ce livre (*La Chartreuse de Parme*) qui vient tout juste d'arriver sur la table de chevet du lecteur pressé de le commencer. Il ignore encore que tant de lecteurs, dans les siècles à venir, le liront avec la même avidité. Cette certitude (« Mes lecteurs ne sont pas encore nés. ») a bien aidé le pauvre Stendhal qui observait le ballet de tous ces écrivains mondains qui encombraient le devant de la scène littéraire. Cette frustration a dû le pousser encore plus à se mettre au travail, jour après jour – mais le travail n'a rien à voir avec le rêve de Stendhal. L'art prend racine dans le fumier. Et la situation ne change pas au fil des siècles. Me voilà, aujourd'hui, cherchant à capter les nouvelles vibrations, les rythmes neufs et les émotions inédites. Je passe un long moment, à l'aube, à rêvasser, en pyjama, dans ce lit où se trouvent étalés des romans, quelques recueils de poèmes, des manuscrits à corriger. J'y reste assez longtemps, dans la maison silencieuse, les autres étant partis au travail ou à l'école. Sans même un café, pour ne pas quitter trop brutalement l'univers liquide de la nuit, je sors alors faire le tour du quartier. Le soleil est déjà bien présent. Je ne cherche pas des idées en marchant, ni une forme particulière pour le récit que je suis en train d'écrire. Simplement à retrouver cet esprit conquérant qui remonte à la plus haute enfance et qui me permettait de dialoguer d'égal à égal avec les chevaux et les oiseaux, de tenir tête aux fourmis entêtées ou de ne pas rougir devant la beauté frémissante d'une fleur. Ni non plus devant l'élégance de la libellule au vol. Je ne rentre écrire que si je me sens proche d'une pareille grâce. Je rêve alors que le mot *pluie* se change en pluie, ou que le mot *papillon* s'envole, dans un doux froissement, de la feuille de papier sur lequel il était épinglé.

> On lève la tête vers le ciel pour chercher l'inspiration alors que la vie grouille à nos pieds.

198. SE DÉDOUBLER

Je me souviens qu'à une époque, ayant perdu le goût d'écrire (en fait, je ne cherchais pas tellement à le retrouver), je me suis inventé un double. Je le suivais partout (ce qui n'était pas difficile) et notais tous ses faits et gestes dans un carnet. Je m'émerveillais de son aisance et de sa faconde. Il semblait si à l'aise dans cet univers où j'étouffais de plus en plus. Je le regardais en train de charmer les jeunes filles avec des plaisanteries insipides, que je n'aurais jamais osé faire. Plus ça volait bas, plus fort elles riaient. D'autres fois, il devenait subtil, grave même. Et je notais. Pas seulement ce qu'il disait, mais surtout ce que sa présence suscitait. Parfois, après son départ, je restais pour observer l'atmosphère se relâcher, les rires reprendre leur ton naturel et le feu de la conversation baisser en intensité. Je me sentais frustré de ne pas pouvoir le suivre dans certains lieux. Notamment aux toilettes quand il allait pisser ou encore quand il entraînait les jeunes filles dans sa petite chambre qu'on partageait pourtant (cela me fait penser à ce livre où pendant plus de 300 pages Moravia converse avec son pénis). Debout derrière la porte, j'écoutais ses ébats amoureux. Je rêvais d'une pareille vie à l'époque. Je devais travailler dans la vie réelle, comme on dit si étrangement, pour payer le loyer, acheter à manger et à boire (du mauvais vin) afin de nourrir la machine à rêves. Je passais mes soirées à me demander ce que j'allais faire de ma vie. Je ne pouvais pas continuer dans cette usine qui brûlait toute mon énergie. Jusqu'à ce qu'un soir, fatigué de ne rien faire, je sorte les carnets pour relire mes notes, et découvrir qu'il y avait là un livre. Mon premier roman.

> On rêve d'une bibliothèque qui ne contiendra que des premiers romans tout en sachant qu'il est impossible de mesurer l'énergie que peut contenir un premier livre, même raté.

199. LE ROMAN DE LA VIE

Nous avons l'impression d'être perdus et de ne pas trop savoir où nous nous trouvons dans cette nuit opaque. Nous cherchons notre route à tâtons quand, toujours au moment où nous commençons à perdre espoir, quelqu'un nous indique le chemin. Cela prend du temps pour comprendre que ce guide n'en savait pas plus que nous. Cette histoire d'un individu qui apparaît sporadiquement tout le long de l'aventure humaine pour nous faire, avec notre complicité, les mêmes fallacieuses promesses d'une vie meilleure me semble le plus étrange des mystères. On peut trouver les sources d'un pareil aveuglement sur un plan politique ou économique, et on ne cesse de le faire d'ailleurs, mais je choisis de regarder cela aujourd'hui d'un point de vue de romancier. À mon avis, ce n'est pas la faim ni l'injustice, mais bien la peur qui nous pousse à cet état de dépendance. Je vois cela comme une fable où, comme souvent dans une fable, on cherche sa route la nuit dans la forêt. Et naturellement, on va de fausses pistes en fausses pistes. D'abord, on nous propose de croire en la terre, cette terre sur laquelle nous posons le pied. Alors on peut nous convaincre que cette terre que nous empruntons pour un temps déterminé nous appartient en propre. Comme si nous étions des arbres dont les racines sont bien enfouies dans le sol. Sauf qu'à la différence des arbres, nous ne sommes pas tenus de rester au même endroit durant toute la durée de notre existence, du moins certains d'entre nous. Si nous faisons l'expérience du voyage, nous serons étonnés de notre capacité d'adaptation. On découvre assez vite qu'on possède des ressources qui nous permettent de nous adapter aux meilleures comme aux pires conditions. En fait, il suffit d'être ailleurs sans possibilité de revenir en arrière pour s'y faire. Personne ne peut être certain de finir ses jours à l'endroit où il est né. Je ne fais pas grand cas de cette notion de terre qui n'a servi jusqu'à aujourd'hui qu'à provoquer des guerres. Le vertige que l'on ressent quand le sol se dérobe sous nos pieds devrait remettre en question pour de bon la notion de terre ferme. Ce n'est pas pourtant la seule de nos illusions : la race n'a de sens que si on y croit. Quand des gens de même couleur (enfin, je dis couleur faute de mieux) se regroupent massivement sur un même espace, ils finissent par fonder leur identité sur une fausseté. La notion de race n'existe que quand on fait face à quelqu'un d'une autre race. Alors, on échafaude mille théories, les unes plus fumeuses que les autres, dans l'unique but de faire croire à l'autre qu'on lui est supérieur (personne n'a jamais cherché à démontrer son infériorité). Mais, profondément, on n'y croit pas soi-même. Et cette haute idée de soi ne suffit pas toujours à nous rassurer. Il suffit de rejoindre notre tribu pour que l'argument de la race se dissipe. Les vieilles angoisses reviennent et on reprend sa place dans la société selon des critères économiques moins flous que ceux de la race. Après la race arrive la question de classe. Quand on observe bien une classe sociale, on voit qu'elle fonctionne comme une secte. Des gens qui achètent les mêmes choses aux mêmes endroits, habitent le même espace délimité, partagent les mêmes loisirs et se nourrissent souvent des mêmes idées politiques. Ils le font pour se garder au chaud, car ils croient que cette communauté d'intérêts pourra les apaiser. La quête d'identité est donc une tentative pour répondre à cette panique enfouie dans notre chair. Si on arrive à planter notre tente, on n'est pas pour autant exempt de vertige face à ce vaste espace étoilé qui semble vouloir nous aspirer. C'est ici que la religion se propose de faire le lien entre les individus. C'est aussi la définition du mot *religion* – de *religare*, qui veut dire « relier ». On cherche depuis toujours à ne pas rompre ce lien qui nous permet de ne pas perdre le groupe dans « la forêt obscure ». C'est ainsi qu'on nous propose des prières afin de distiller en nous une angoisse que seule la foi pourra calmer – c'est connu, on crée le désir du produit qu'on voudrait vendre. Si on reste ensemble, on aura moins peur, espère-t-on. On comprend aussi qu'il ne doit exister qu'un seul chemin et qu'une seule foi. Et quand la foi est aveugle, la route lumineuse se change alors en un fleuve de sang. Le sang, le sang, voilà le prix de cette interminable nuit. Pourquoi les chemins qui s'offrent successivement à nous deviennent-ils des fleuves de sang? L'histoire, la religion, la race ou la classe. Il ne reste que ce chemin secret que l'on emprunte déjà, sans discours, et qu'on n'aperçoit que quand la vie court un grave danger. Notre instinct de survie est tissé d'une incroyable énergie qui possède sa propre intelligence, et que l'esprit humain ne parvient pas à embrigader. Cette énergie circule de corps à corps ou de cœur à cœur, selon la situation, évitant l'air pollué d'idéologies. Cette énergie évite de distinguer, avant de passer d'un corps à un corps, ou parfois d'un cœur à un cœur, la race comme la classe des individus en présence. Cette énergie ne sait pas raisonner. Elle n'obéit à aucun ordre, elle ne sait que bondir. Et depuis que les nouvelles technologies permettent d'accélérer le mouvement, nous pouvons à peine imaginer ce qui se passe en ce moment sur une planète où la distance se résume à un clic. Nos vieilles habitudes, qui exigeaient toujours un chemin bien balisé pour sortir de la nuit, sont-elles aujourd'hui à ranger dans un placard? Car ce sont des milliards de chemins qui se présentent à nous. Et qui vont dans toutes les directions. Jusqu'à ce que l'on comprenne que la peur ne vient pas du fait qu'on ne trouve pas son chemin, mais plutôt du fait qu'il n'y a qu'un seul chemin. Ce qui est excitant, c'est qu'on n'a même pas à le chercher. On le trouve d'instinct. C'est la simple vie qui se fait roman.

Pourquoi l'économie qui tient tant d'importance dans la vie quotidienne, ou même dans la vie politique, occupe si peu de place dans la littérature, à part dans les romans américains? Est-ce cela qui fait leur universalité?

Cela fait un moment que je n'avais pas revu mon neveu. Je l'ai rejoint sur la galerie, en pyjama. Il m'a lancé, sans quitter le journal des yeux, un sourire triste. Je suis à Port-au-Prince depuis une semaine, mais je suis d'abord allé à Petit-Goâve voir les dégâts du séisme. Je me suis assis près de mon neveu, et nous sommes restés un long moment en silence. La dernière fois qu'on s'était croisés, il s'apprêtait à écrire son premier roman. Aujourd'hui, il vient d'en terminer la première version. Entre-temps, on s'est écrit, mais il a évité de me parler de ses angoisses. J'ai respecté son silence. Après tout, c'est son livre, pas le mien. Il est en train d'écrire sous la férule d'un maître intraitable : lui-même. On sait qu'il n'y a pas pire critique que soi-même. Je parle de ceux qui ont quelque chose dans le ventre. Les autres, ils trouvent bon tout ce qu'ils produisent. Leur première version est forcément parfaite. On a parlé de ma mère dont la santé vacille. Elle vient de moins en moins sur la galerie, passant le plus clair de son temps à fouiller dans la vieille armoire sans trop savoir ce qu'elle recherche. Ma sœur va bien. Et la voiture de mon beau-frère, comme à l'accoutumée, n'arrête pas de tomber en panne. La vie se poursuit, à Port-au-Prince, comme si rien ne s'était passé, comme si cette ville n'avait pas subi, il n'y a pas si longtemps, un terrible cataclysme. Le roman de mon neveu raconte une histoire d'amour qui se déroule au moment du tremblement de terre.

— Avez-vous des doutes en écrivant ? me demande-t-il à brûle-pourpoint.

— Quand je commence un livre, je ne pense qu'à le finir.

— Vous vous amusez parfois en écrivant?

— Parfois… Et j'ai vite compris que le goût d'écrire ne garantit pas la qualité d'un livre. Mon plaisir ne coïncide pas forcément avec celui du lecteur.

— Quand savez-vous qu'un livre est terminé?

— On ne le sait jamais, et il ne l'est jamais… Chaque nouveau livre tente de prolonger, de préciser ou même de corriger le précédent.

— Le premier livre est donc important? fait-il en regardant ses mains.

— C'est la locomotive qui traîne tout derrière lui…

— Si on le rate, alors?

— On en écrira d'autres, si on est un écrivain…

— Aussi simple?

— Bon, il y a les blessures d'orgueil et les angoisses nocturnes, mais on peut vivre avec ça si on ne fait pas trop d'excès…

Je sens une odeur de café. Ma mère vient sûrement de se réveiller. Je vais la retrouver dans sa chambre.

Je ne sais plus quoi vous dire de plus que vous ne sachiez déjà, ni que vous ne sauriez un jour par vous-même.

201. UNE ÉBLOUISSANTE MÉTAPHORE

Je viens toujours faire un tour ici quand je suis à Port-au-Prince. Une plage déserte. J'y venais, adolescent, quand j'avais besoin de réfléchir ou plus simplement de respirer. Le soleil, la mer. La mort aussi. Peut-être le seul endroit où je me sens vraiment chez moi, avec pourtant la sensation de n'être nulle part. Avant, j'y venais pour réfléchir, aujourd'hui c'est pour revoir un visage qui s'efface, celui de l'ami de mes vingt ans. Et aussi une saveur oubliée, celle de la sapotille, qui remonte à l'enfance. L'amitié, l'enfance. Je peux marcher pendant des heures, jusqu'à ce que je sois complètement apaisé. La mer étale. Je regarde les nuages en espérant une petite pluie en plein midi ensoleillé. La vie immobile. J'observe une forme assez floue qui s'avance dans ma direction. Est-ce un nuage de poussière ? Une femme ? Pas elle !

– Je savais que je vous retrouverais sur cette plage, me dit-elle simplement.

– Et comment saviez-vous que j'allais venir ici ?

– Vous autres, les écrivains, vous laissez vos traces partout. On n'a qu'à vous lire pour savoir où vous êtes.

Je tourne sur moi-même. Personne d'autre que nous. Elle me regarde sans cesser de sourire.

– Je dois admettre que vous aviez vu juste l'autre jour.

– J'aurais vu quoi ?

Elle éclate de rire.

– Je suis une métaphore.

Lancé ainsi par-dessus cette mer turquoise, le mot *métaphore* prend subitement sa véritable ampleur. Les lieux ont un effet sur les mots – ou est-ce le contraire ? Je rêve de cette cahute sur la montagne afin de lire *L'Odyssée* près de la mer.

— Et de quoi êtes-vous la métaphore?

— Vous ne le saurez que si vous m'attrapez, lance-t-elle joyeusement en courant vers la mer.

Elle file vers l'Île de la Gonâve, à une folle vitesse, en se retournant de temps en temps pour voir où j'en suis. Je me lance à sa poursuite. Corps phosphorescent bondissant par-dessus les vagues. La voilà qui plonge dans un mouvement si harmonieux que j'ai failli perdre connaissance devant tant de grâce. J'allais la suivre, complètement sous le charme, mais je me suis arrêté à temps. Plus loin, j'ignore ce qui m'attend. Je retourne vers la plage en sachant que je passerai le reste de ma vie à regretter ce geste. Je n'ai pas le courage du vieil écrivain en pyjama pour suivre une métaphore aussi gracile dans l'O. Je ne sais plus ce qui m'a pris de courir ainsi vers la mer. Je me suis mis à nager, jusqu'à épuisement. Juste au moment de couler, j'ai senti qu'on me tirait par le bras. Cela a duré le temps d'un sommeil. Un temps qu'il est toujours difficile d'évaluer. Était-ce une minute, une heure ou une vie?

> Pour faire un récit bref et dense, écrivez à toute vitesse une première version de 350 pages, puis prenez tout votre temps pour la réduire à 120 pages.

202. UNE VIE D'ENCRE

Je me retrouve, seul, sur une petite île entourée d'encre. Quelques arbres fruitiers çà et là. C'est la même encre qui coule des livres que j'ai lus que de ceux que j'ai écrits. J'aurai donc passé une bonne partie de ma vie à barboter dans cette encre qui me fait penser au café. Son odeur me chatouille le nez jusqu'à cet éternuement qui m'oxygène l'esprit. Sa couleur se confond avec la nuit. Je sais bien que pendant que j'écris d'autres nagent dans leur propre sang. Je n'y peux rien, à moins d'arriver à changer le sang en encre. Une vie pourtant à lire et à écrire. Cela a-t-il un sens? Je ne le sais. C'est dans ce puits de liquide sombre que j'ai plongé la tête la première, il y a longtemps déjà. Les premières lectures sous les draps, à Petit-Goâve. Les rencontres brûlantes, à Port-au-Prince, avec ces poètes qui ont illuminé mon adolescence. Les nuits passées à chercher ma musique en frottant vivement les phrases les unes contre les autres – cette vieille technique qui permet de faire du feu en forêt. Et le premier maigre récit qu'on trouve, sous l'oreiller, au matin, comme la rose de Coleridge. Puis l'exil et le long tunnel de l'écriture à Montréal. Ces aubes angoissantes. Mon cas n'est pas unique, car pour tout écrivain il y a une mer d'encre à traverser et cette musique à trouver. Après, on pourra toujours parler technique.

Il y a un moment où l'on doit oublier d'être écrivain si on veut en rester un.

DU MÊME AUTEUR

Comment faire l'amour avec un nègre sans se fatiguer, Montréal, VLB, 1985 ; Paris, Belfond, 1989 ; Paris, J'ai lu, 1990 ; Paris, Serpent à plumes, 1999 ; Montréal, Typo, 2002.

Éroshima, Montréal, VLB, 1991 ; Montréal, Typo, 1998.

L'Odeur du café, Montréal, VLB, 1991 ; Montréal, Typo, 1999 ; Paris, Serpent à plumes, 2001.

Le Goût des jeunes filles, Montréal, VLB, 1992 ; Nouvelle édition, Montréal, VLB, 2004 ; Paris, Grasset, 2005.

Cette Grenade dans la main du jeune nègre est-elle une arme ou un fruit ?, Montréal, VLB, 1993 ; Typo, 2000, nouvelle édition, Paris, Serpent à Plumes, 2002 ; Montréal, VLB, 2002.

Chronique de la dérive douce, Montréal, VLB, 1994 ; Nouvelle édition, Montréal, Boréal, 2012.

Pays sans chapeau, Outremont, Lanctôt, 1996 ; Paris, Serpent à plumes, 1999 et 2004.

Les années 80 dans ma vieille Ford, Montréal, Mémoire d'encrier, 2005.

La Chair du maître, Outremont, Lanctôt, 1997 ; Paris, Serpent à plumes, 2000.

Le Charme des après-midi sans fin, Outremont, Lanctôt, 1997, Paris, Le Serpent à plumes, 1998 ; Montréal, Boréal, 2010.

J'écris comme je vis. Entretien avec Bernard Magnier, Vénissieux, La passe du vent, 2000 ; Montréal, Lanctôt éditeur, 2000 ; Montréal, Boréal, 2010.

Le Cri des oiseaux fous, Outremont, Lanctôt, 2000 ; Paris, Serpent à plumes, 2000 ; Montréal, Boréal, 2010.

Je suis fatigué, Vincennes, Les Librairies Initiales, 2000 ; Port-au-Prince, Mémoire, 2001 ; Outremont, Lanctôt, 2001.

Comment conquérir l'Amérique en une nuit, Lanctôt éditeur, 2004 ; Montréal, Boréal, 2010.

Vers le Sud, Montréal/Paris, Boréal/Grasset, 2006.

La fête des morts, Montréal, La Bagnole, 2009.

Je suis fou de Vava, Montréal, La Bagnole, 2009.

Je suis un écrivain japonais, Montréal/Paris, Boréal/Grasset, 2009.

La fête des morts, La Bagnole, 2009.

L'énigme du retour, Paris, Grasset, 2009 ; Montréal, Boréal, 2009.

Tout bouge autour de moi, Montréal, Mémoire d'encrier, 2010 ; Nouvelle édition, Montréal, Mémoire d'encrier, 2011 ; Nouvelle édition, Paris, Grasset, 2011.

L'art presque perdu de ne rien faire, Montréal, Boréal, 2011.

MÉMOIRE D'ENCRIER

ROMANS

L'amant du lac, Virginia Pésémapéo Bordeleau
Jeune fille vue de dos, Céline Nannini
Maudite éducation, Gary Victor
Coulées, Mahigan Lepage
La prison des jours, Michel Soukar
Impasse Dignité, Emmelie Prophète
Éloge des ténèbres, Verly Dabel
Détour par First Avenue, Myrtelle Devilmé
L'invention de la tribu, Catherine-Lune Grayson
Les tiens, Claude-Andrée L'Espérance
Soro, Gary Victor
Vers l'Ouest, Mahigan Lepage
Les latrines, Makenzy Orcel
Cora Geffrard, Michel Soukar
Kuessipan, Naomi Fontaine
L'ombre de l'olivier, Yara El-Ghadban
105 rue Carnot, Felwine Sarr
La dot de Sara, Marie-Célie Agnant
L'amour au temps des mimosas, Nadia Ghalem
Le reste du temps, Emmelie Prophète
Les immortelles, Makenzy Orcel
Traversée de l'Amérique dans les yeux d'un papillon, Laure Morali
Saison de porcs, Gary Victor
Je ne suis pas Jack Kérouac, Jean-Paul Loubes
L'allée des soupirs, Raphaël Confiant
Litanie pour le Nègre fondamental, Jean Bernabé
Dessalines, Guy Poitry

Mémoire errante, Jan J. Dominique
Gouverneurs de la rosée, Jacques Roumain
Une aiguille nue, Nuruddin Farah
Brisants, Max Jeanne
Trilogie tropicale, Raphaël Confiant
Nègre blanc, Jean-Marc Pasquet

POÉSIE

Les clefs de la lumière, Anthony Lespès
Musique nègre, Léon Laleau
La terre cet animal, Laure Morali
La fidélité non plus, Yanick Jean
Bois d'ébène suivi de *Madrid*, Jacques Roumain
Assaut à la nuit, Roussan Camille
Tant que les arbres s'enracineront dans la terre précédé de *Lettre ouverte à ceux qui tuent la poésie*, Alain Mabanckou
Carnet de bord, Raymond Chassagne
Dits d'errance, Franz Benjamin
Coup de poing au soleil, Joubert Satyre
Chant à l'Indien, Khireddine Mourad
J'ai un arbre dans ma pirogue, Rodney Saint-Éloi
Pour célébrer la terre suivi de *Poétique de l'exil*, Roger Dorsinville
Poème pour accompagner l'absence, Louis-Philippe Dalembert
Plaies intérimaires, Willems Édouard
Tu n'as que ce sang, Serge Lamothe
La déroutée, Valérie Thibault
Il est grand temps de rallumer les étoiles, Gary Klang
Bow!, Georges Castera
Mon pays que voici, Anthony Phelps
Dialogue au bout des vagues, Gérald Bloncourt

Anthologie secrète, Carl Brouard
Anthologie secrète, Ida Faubert
Anthologie secrète, Frankétienne
Anthologie secrète, Magloire-Saint-Aude

Essais

Transpoétique. Éloge du nomadisme, Hédi Bouraoui
Archipels littéraires, Paola Ghinelli
L'Afrique fait son cinéma. Regards et perspectives sur le cinéma africain francophone, Françoise Naudillon, Janusz Przychodzen et Sathya Rao (dir.)
Frédéric Marcellin. Un Haïtien se penche sur son pays, Léon-François Hoffman
Théâtre et Vodou : pour un théâtre populaire, Franck Fouché
Rira bien... Humour et ironie dans les littératures et le cinéma francophones, Françoise Naudillon, Christiane Ndiaye et Sathya Rao (dir.)
La carte. Point de vue sur le monde, Rachel Bouvet, Hélène Guy et Éric Waddell (dir.)
Ainsi parla l'Oncle suivi de *Revisiter l'Oncle*, Jean Price-Mars
Les chiens s'entre-dévorent... Indiens, Métis et Blancs dans le Grand Nord canadien, Jean Morisset
Aimé Césaire. Une saison en Haïti, Lilian Pestre de Almeida
Afrique. Paroles d'écrivains, Éloïse Brezault
Littératures autochtones, Maurizio Gatti et Louis-Jacques Dorais (dir.)
Refonder Haïti, Pierre Buteau, Rodney Saint-Éloi et Lyonel Trouillot (dir.)
Entre savoir et démocratie. Les luttes de l'Union nationale des étudiants haïtiens (UNEH) sous le gouvernement de François Duvalier, Leslie Péan (dir.)

318

L'OUVRAGE *JOURNAL D'UN ÉCRIVAIN EN PYJAMA*
DE DANY LAFERRIÈRE
EST COMPOSÉ EN ADOBE GARAMOND PRO CORPS 12/14.

IL EST IMPRIMÉ SUR DU PAPIER ENVIRO 100,
CONTENANT 100%
DE FIBRES RECYCLÉES POSTCONSOMMATION
EN JANVIER 2013
AU QUÉBEC (CANADA)
PAR MARQUIS IMPRIMEUR
POUR LE COMPTE DES ÉDITIONS MÉMOIRE D'ENCRIER.